O PROJETO ROSIE

GRAEME SIMSION

O PROJETO ROSIE

Tradução de
Ana Carolina Mesquita

5ª edição

EDITORA RECORD
RIO DE JANEIRO • SÃO PAULO
2021

CIP-BRASIL. CATALOGAÇÃO NA FONTE
SINDICATO NACIONAL DOS EDITORES DE LIVROS, RJ

S621p
5. ed.

Simsion, Graeme
O Projeto Rosie / Graeme Simsion; tradução de Ana
Carolina Mesquita. – 5. ed. – Rio de Janeiro: Record, 2021.

Tradução de: The Rosie Project
ISBN 978-85-01-10698-8

1. Romance australiano. I. Mesquita, Ana Carolina II. Título.

15-28651.

CDD: 828.99343
CDU: 821.111(436)-3

TÍTULO ORIGINAL: THE ROSIE PROJECT

Copyright © 2013 by Graeme Simsion
Publicado originalmente por The Text Publishing Company, Austrália, 2013.

Texto revisado segundo o novo Acordo Ortográfico da Língua Portuguesa.

Todos os direitos reservados. Proibida a reprodução, no todo ou em parte, através de quaisquer meios. Os direitos morais do autor foram assegurados.

Editoração eletrônica: Abreu's System

Direitos exclusivos de publicação em língua portuguesa somente para o Brasil adquiridos pela
EDITORA RECORD LTDA.
Rua Argentina, 171 – Rio de Janeiro, RJ – 20921-380 – Tel.: 2585-2000, que se reserva a propriedade literária desta tradução.

Impresso no Brasil

ISBN 978-85-01-10698-8

Seja um leitor preferencial Record.
Cadastre-se no site www.record.com.br e receba informações sobre nossos lançamentos e nossas promoções.
Atendimento e venda direta ao leitor:
sac@record.com.br

Para Rod e Lynette

1

Creio que encontrei uma solução para o Problema Esposa. Tal como acontece com tantas grandes descobertas científicas, a resposta parece óbvia quando analisada em retrospecto. Mas, se não fosse por uma série de eventos não programados, muito provavelmente eu não a teria descoberto.

A sequência começou quando Gene insistiu para que eu ministrasse uma palestra sobre a síndrome de Asperger que ele mesmo tinha concordado em dar. O *timing* fora extremamente irritante. Eu poderia dividir o tempo de preparação da palestra com o da ingestão do meu almoço, mas já havia previamente reservado para aquela noite específica noventa e quatro minutos para limpar meu banheiro. Eu me vi diante de três opções, nenhuma delas satisfatória.

1. Limpar o banheiro depois da palestra, o que resultaria em perda de horas de sono e consequente diminuição da minha performance mental e física.
2. Remarcar a limpeza para a terça-feira seguinte, o que resultaria em um período de oito dias de higiene comprometida e consequente risco de doenças.

3. Recusar a ministrar a palestra, o que resultaria em prejuízo à minha amizade com Gene.

Apresentei o dilema a Gene, que, como sempre, ofereceu uma solução alternativa.

— Don, eu pago alguém para limpar seu banheiro.

Expliquei a Gene — mais uma vez — que todas as faxineiras, com a possível exceção daquela húngara de saia curta, cometiam erros. A Mulher de Saia Curta, que antes fora faxineira de Gene, sumiu depois de algum problema com Gene e Claudia.

— Vou te passar o celular da Eva, só não mencione meu nome.

— E se ela perguntar? Como posso responder sem mencionar você?

— Diga simplesmente que você está entrando em contato porque ela é a única faxineira que trabalha direito. E, se ela tocar no meu nome, não diga nada.

Era uma saída perfeita e um exemplo da capacidade de Gene de encontrar soluções para os problemas sociais. Eva ficaria feliz de ver sua competência reconhecida e talvez até pudesse ser candidata a um cargo fixo, o que abriria em minha agenda uma média de trezentos e dezesseis minutos por semana.

O problema da palestra de Gene surgiu quando ele teve a oportunidade de fazer sexo com uma acadêmica chilena que veio para uma conferência em Melbourne. Gene tem o projeto de fazer sexo com o maior número possível de mulheres de nacionalidades diferentes. Como professor de psicologia, ele tem extremo interesse pela atração sexual humana, que ele acredita ser em grande parte geneticamente determinada.

Essa crença é consistente com o passado dele como geneticista. Sessenta e oito dias depois de Gene me contratar como pesquisador de pós-doutorado, ele foi promovido a chefe do Departamento de Psicologia, uma indicação altamente controversa cuja intenção fora colocar a universidade na liderança da psicologia evolutiva e melhorar sua imagem pública.

Durante o período em que trabalhamos juntos no Departamento de Genética, tivemos diversas discussões interessantes, que continuaram mesmo depois de sua mudança de cargo. Só por isso eu já teria ficado satisfeito com nossa relação, mas Gene também me convidou para jantar em sua casa e executou outros rituais de amizade, o que resultou em um relacionamento social entre nós. A esposa dele, Claudia, uma psicóloga clínica, hoje também é uma amiga. O que totaliza dois amigos, portanto.

Gene e Claudia tentaram por algum tempo me ajudar com o Problema Esposa. Infelizmente, a abordagem deles se baseava no tradicional paradigma do namoro, que eu já havia abandonado baseando-me no fato de que as probabilidades de sucesso não justificavam o esforço e as experiências negativas. Tenho trinta e nove anos, sou alto, estou em forma e sou inteligente; tenho um status relativamente elevado e uma renda acima da média como professor associado. Segundo a lógica, eu deveria atrair uma ampla variedade de mulheres. No reino animal, eu seria bem-sucedido do ponto de vista reprodutivo.

Porém, existe alguma coisa em mim que repele as mulheres. Nunca achei fácil fazer amizades e, pelo visto, as mesmas deficiências que causaram esse problema também afetaram minhas tentativas de relacionamentos amorosos. O Desastre do Sorvete de Damasco é um bom exemplo.

Claudia me apresentou a uma de suas muitas amigas. Elizabeth é uma cientista da computação altamente inteligente e dotada de um problema de visão que fora corrigido com óculos. Estou mencionando os óculos porque Claudia me mostrou uma foto e me perguntou se por mim estava tudo bem o fato de a amiga dela usá-los. Que pergunta mais inacreditável! E vinda de uma psicóloga! Ao avaliar se Elizabeth se adequaria como possível parceira — alguém capaz de prover estímulo intelectual, de compartilhar interesses, quem sabe até mesmo alguém com quem me reproduzir —, a primeira preocupação de Claudia foi minha reação à armação dos óculos dela, que provavelmente nem tinha sido escolha de Elizabeth, e sim resultado do conselho de seu optometrista. Este é o mundo em que sou obrigado a viver. Então Claudia me disse, como se fosse um problema:

— Ela tem pontos de vista muito firmes.

— Com base em evidências?

— Acho que sim — respondeu Claudia.

Perfeito. Ela podia muito bem estar me descrevendo.

Nós nos encontramos num restaurante tailandês. Restaurantes são campos minados para os socialmente ineptos, e eu estava nervoso, como sempre fico nessas situações. Mas começamos muito bem quando ambos chegamos exatamente às sete da noite, como marcado. Sincronização deficiente é um enorme desperdício de tempo.

Sobrevivemos à refeição sem ela me criticar por nenhum erro social. É difícil conduzir uma conversa quando você não tem certeza se está olhando para a parte do corpo correta, mas grudei o olhar nos olhos com óculos de Elizabeth, como Gene recomendou. Isso resultou em certa imprecisão no processo de comer, que ela não pareceu perceber. Pelo contrário, tivemos uma discussão altamente produtiva sobre algoritmos de simulação. Como ela era interessante! Eu já conseguia ver a possibilidade de um relacionamento sério.

O garçom trouxe o cardápio das sobremesas, mas Elizabeth disse:

— Não gosto de sobremesas asiáticas.

Isso quase com certeza não passava de uma generalização irreal, e eu devia talvez ter reconhecido isso como um sinal de advertência. Mas foi a deixa para eu dar uma sugestão criativa.

— Podemos tomar um sorvete do outro lado da rua.

— Ótima ideia. Desde que eles tenham de damasco.

Supus que eu estivesse progredindo bem àquela altura e não achei que a preferência por damasco pudesse ser um problema. Eu estava errado. A sorveteria tinha uma ampla variedade de sabores, mas o estoque de sorvete de damasco havia acabado. Pedi uma casquinha dupla de alcaçuz e chocolate com pimenta para mim e perguntei a Elizabeth qual seria a segunda opção dela.

— Se eles não têm de damasco, não vou tomar nada.

Não dava para acreditar. Todos os sabores de sorvete têm basicamente o mesmo gosto, devido ao resfriamento das papilas gustativas. Isso é ainda mais verdadeiro no caso dos sabores de frutas. Sugeri um de manga.

— Não, obrigada, deixa para lá.

Expliquei a fisiologia do resfriamento das papilas gustativas com detalhes. Previ que, se eu comprasse um sorvete de manga e outro de pêssego, ela seria incapaz de perceber a diferença. E que, por extensão, ambos seriam equivalentes ao de damasco.

— Eles são completamente diferentes — disse ela. — Se você não consegue distinguir manga de pêssego, o problema é seu.

Aí estava uma discordância objetiva simples que poderia ser resolvida imediatamente com um experimento. Pedi uma bola minúscula de cada um dos sabores, mas, quando a atendente acabou de prepará-las e eu me virei para Elizabeth para pedir que ela fechasse os olhos para fazer a experiência, ela não estava mais lá. Lá se ia o "com base em evidências". E a "cientista" da computação.

Depois disso, Claudia me disse que eu devia ter abandonado o experimento antes de Elizabeth ir embora. Isso é óbvio, mas em que momento? Qual foi o sinal? São essas sutilezas que eu não consigo enxergar. Por outro lado, também não consigo enxergar o motivo pelo qual ter uma sensibilidade maior para distinguir sinais obscuros de sabores de sorvete deva ser pré-requisito para ser parceiro de alguém. Parece razoável supor que algumas mulheres não exijam isso. Infelizmente o processo de encontrá-las é tão ineficaz que beira o impossível. O Desastre do Sorvete de Damasco custou uma noite inteira da minha vida, compensada apenas pelas informações sobre os algoritmos de simulação.

Dois horários de almoço foram suficientes para pesquisar e preparar a palestra sobre a síndrome de Asperger — sem sacrificar a nutrição, graças ao fornecimento de wi-fi no café da biblioteca de medicina. Eu não tinha nenhum conhecimento prévio sobre distúrbios do espectro do autismo, uma vez que estão fora da minha especialidade. O tema era fascinante. Pareceu adequado focar nos aspectos genéticos da síndrome, que talvez fossem pouco familiares à minha plateia. A maioria das doenças possui algum fundamento no nosso DNA, embora em muitos casos ele ainda esteja por ser descoberto. Minha pesquisa pessoal enfoca a predisposição genética à cirrose hepática. Dedico boa parte do meu tempo de trabalho a embebedar ratos.

Naturalmente os livros e as pesquisas descreviam os sintomas da síndrome de Asperger, e formei uma conclusão provisória de que a maioria deles não passa de variações do funcionamento do cérebro humano, inadequadamente consideradas doentias porque não se encaixam nas normas sociais — normas estas que foram *construídas* pelo homem. Elas refletem as configurações humanas mais comuns, e não seu espectro completo.

A palestra estava marcada para as sete da noite numa escola da periferia. Calculei o trajeto de bicicleta em doze minutos, mais três minutos extras para ligar e conectar meu computador ao projetor.

Cheguei no horário planejado, às 18h57, vinte e sete minutos depois de receber em meu apartamento Eva, a faxineira de saia curta. Havia cerca de vinte e cinco pessoas zanzando perto da porta da sala, mas imediatamente reconheci Julie, a responsável pelo convite da palestra, graças à descrição de Gene: "uma loura peituda". Na verdade, os seios dela provavelmente não se desviavam mais do que uma medida e meia do padrão para o seu biótipo de peso e altura, portanto mal daria para considerá-los uma característica identificadora. Era mais uma questão de elevação e exposição devido à escolha de vestimenta, que aliás me pareceu perfeitamente sensata para uma noite abafada de janeiro.

Talvez eu tenha passado tempo demais checando quem ela era, porque Julie me olhou de um jeito estranho.

— Você deve ser Julie — falei.

— Em que posso ajudar?

Ótimo. Uma pessoa prática.

— Poderia, por gentileza, me mostrar onde fica a conexão VGA?

— Oh — disse ela. — Você deve ser o professor Tillman. Fico muito feliz por ter conseguido comparecer.

Ela estendeu a mão, mas fiz um gesto para ignorá-la.

— A conexão VGA, por gentileza. São 18h58.

— Relaxe — disse ela. — Nunca começamos antes das 19h15. Gostaria de um café?

Por que as pessoas valorizam tão pouco o tempo dos outros? Agora teríamos de enfrentar a inevitável conversa fiada. Eu poderia ter passado mais quinze minutos em casa, praticando aikido.

Até então eu só tinha notado Julie e a tela na frente da sala. Agora que olhei em torno, percebi que havia deixado de ver dezenove pessoas. Eram todas crianças, a maioria meninos, sentadas nas suas carteiras. Provavelmente eram vítimas da síndrome de Asperger. Quase toda a literatura sobre o assunto está focada nas crianças.

Apesar da aflição que apresentavam, todas estavam empregando o tempo de modo melhor que seus pais, que jogavam conversa fora. A maioria trazia computadores portáteis e supus que tivessem entre oito e treze anos. Torci para terem prestado atenção nas aulas de ciências, porque minha palestra pressupunha o conhecimento tanto de química orgânica quanto da estrutura do DNA.

Percebi que não havia respondido à pergunta sobre o café.

— Não.

Infelizmente, por causa do atraso na resposta, Julie já tinha se esquecido da pergunta.

— Nada de café — expliquei. — Nunca bebo café depois das 15h48. Interfere no sono. A meia-vida da cafeína dura de três a quatro horas, portanto é uma irresponsabilidade servir café às 19h, a menos que o indivíduo esteja planejando ficar acordado até depois de meia-noite. O que proporciona uma noite de sono inadequada caso o mesmo possua um emprego convencional. — Eu estava tentando utilizar aquele tempo de espera para oferecer conselhos de ordem prática, mas pelo jeito ela preferia assuntos mais triviais.

— Está tudo bem com Gene? — perguntou. Era obviamente uma variação da fórmula mais comum das interações sociais, "Como vai"?

— Está tudo bem com ele, obrigado — respondi, adaptando a resposta convencional à terceira pessoa.

— Oh. Achei que ele estivesse doente.

— Gene tem uma saúde excelente, fora os seis quilos de sobrepeso. Fomos correr hoje de manhã. Ele vai sair com uma mulher hoje à noite, coisa que não poderia fazer caso estivesse doente.

Julie pareceu incomodada com minha resposta, e mais tarde, quando repassei aquela conversa, percebi que Gene devia ter mentido para ela sobre o motivo de sua ausência. Presumivelmente para que Julie não achasse que ele considerava aquela palestra sem importância e para justificar ter mandado um palestrante menos prestigioso como substituto. Parece quase impossível analisar uma situação complexa como essa, que envolve fingimento e adivinhação da resposta emocional de outra pessoa, e depois preparar sua própria mentira plausível, enquanto durante todo esse tempo a pessoa está esperando que você responda a uma pergunta. Porém, é exatamente o que esperam que você seja capaz de fazer.

Por fim conectei meu computador e começamos, *com dezoito minutos de atraso*. Eu teria de falar quarenta e três por cento mais rápido para terminar no horário marcado, às 20h — um objetivo que beira o impossível nessa performance. A palestra precisaria terminar mais tarde, e toda a minha programação para o resto da noite iria por água abaixo.

2

Eu havia intitulado a minha palestra de *Precursores Genéticos dos Distúrbios do Espectro do Autismo* e conseguido uns diagramas excelentes de estruturas de DNA. Só estava falando há nove minutos, um pouco mais rápido do que o normal para recuperar o tempo perdido, quando Julie me interrompeu.

— Professor Tillman, a maioria de nós não é cientista, portanto talvez o senhor precise usar uma linguagem um pouco menos técnica.

Esse tipo de coisa é incrivelmente irritante. As pessoas podem falar sobre as supostas características de um geminiano ou taurino e passar cinco dias assistindo a uma partida de críquete, mas não conseguem encontrar nem interesse nem tempo para aprender o básico sobre aquilo do qual nós, seres humanos, somos feitos.

Continuei com a minha palestra exatamente como a havia preparado. Era tarde demais para mudá-la e com certeza parte da plateia era informada o bastante para entender.

Eu estava certo. Alguém levantou a mão, um menino de uns doze anos.

— O senhor está dizendo que é improvável existir um único marcador genético, e sim que estão implicados vários genes, e que a expressão agregada depende de combinações específicas. Correto?

Exato!

— Somado aos fatores ambientais. A situação é análoga à do transtorno bipolar, que...

Julie tornou a me interromper.

— Então, para nós que não somos gênios: creio que o professor Tillman quer nos lembrar que a síndrome de Asperger é algo com o qual nascemos. Não é culpa de ninguém.

Fiquei horrorizado com o emprego da palavra "culpa" e suas conotações negativas, principalmente porque estava sendo empregada por alguém numa posição de autoridade. Deixei de lado minha decisão de me ater às questões genéticas. A questão com certeza devia estar latente no meu inconsciente, e por conta disso o volume da minha voz talvez tenha aumentado.

— Culpa! A síndrome de Asperger não é culpa nenhuma. É uma variante. Potencialmente uma grande vantagem. A síndrome de Asperger está relacionada com organização, foco, pensamento inovador e desapego racional.

Uma mulher nos fundos da sala levantou a mão. Eu estava focado na minha argumentação e cometi um pequeno erro social, que logo corrigi:

— A mulher gorda... a mulher *com sobrepeso* dos fundos?

Ela fez uma pausa e olhou ao redor, mas depois continuou:

— Desapego racional: isso seria um eufemismo para ausência de emoções?

— Sinônimo — retruquei. — As emoções podem causar grandes problemas.

Decidi que ajudaria se eu desse um exemplo, narrando uma história em que o comportamento emocional teria levado a consequências desastrosas.

— Imagine que você está escondida num porão — comecei. — O inimigo está procurando você e seus amigos. Todos precisam ficar em absoluto silêncio, mas o seu bebê começa a chorar. — Fiz uma encenação, como Gene faria, para tornar o relato mais convincente: — Buáááá. — Fiz uma pausa dramática. — Você tem um revólver.

Mãos se levantaram em toda parte.

Julie ficou de pé num pulo enquanto eu continuava:

— Com silenciador. Eles estão se aproximando. Vão matar todos vocês. O que você faz? O bebê está berrando...

As crianças mal conseguiam esperar para dar sua resposta. Uma delas gritou, "Atira no bebê!", e logo todas estavam gritando, "Atira no bebê, atira no bebê".

O menino que tinha feito a pergunta sobre genética então berrou:

— Atira no *inimigo*.

Enquanto outro disse:

— Embosca todo mundo.

As sugestões estavam vindo com rapidez.

— Usa o bebê como isca.

— Quantas armas nós temos?

— Cobre a boca dele.

— Quanto tempo ele consegue sobreviver sem respirar?

Como eu esperava, todas as ideias vieram das "vítimas" da síndrome de Asperger. Os pais não deram nenhuma sugestão construtiva; alguns inclusive tentaram suprimir a criatividade dos filhos.

Levantei as mãos.

— Acabou o tempo. Ótimo trabalho. Todas as soluções racionais vieram dos "aspies". Todos os demais se viram incapacitados por causa de suas emoções.

Um menino gritou:

— Os aspies botam pra quebrar!

Eu havia observado essa abreviação na literatura médica, mas aparentemente era algo novo para as crianças. Elas pareceram gostar e logo estavam de pé nas cadeiras e depois nas mesas, socando o ar e entoando em coro, "Os aspies botam pra quebrar!". Segundo o que li, as crianças com síndrome de Asperger muitas vezes carecem de autoconfiança em situações sociais. O êxito delas na resolução de problemas parecia ter fornecido uma cura temporária para isso, porém, mais uma vez, os pais não conseguiram lhes dar um *feedback* positivo, gritando com os filhos e, em alguns casos, tentando empurrá-los de cima das mesas. Pelo jeito, estavam mais preocupados com o encaixe nas convenções sociais do que com o progresso que eles estavam fazendo.

Senti que havia demonstrado meu ponto de vista de modo eficiente, e Julie não achou necessário continuarmos com a genética. Os pais pareciam refletir sobre o que os filhos haviam aprendido e saíram sem interagir comigo após a palestra. Eram apenas 19h43. Um resultado excelente.

Enquanto eu guardava meu laptop, Julie caiu na risada.

— Ah, meu Deus — disse ela. — Preciso beber alguma coisa.

Não sabia dizer por que ela estava dividindo essa informação com alguém que só conhecia há quarenta e seis minutos. Eu mesmo planejava consumir um pouco de álcool ao chegar em casa, mas não vi motivo para informar isso a Julie.

Ela continuou:

— Sabe, nunca usamos essa palavra. Aspies. Não queremos que eles pensem que é uma espécie de clube. — Mais implicações negativas de alguém que supostamente era paga para ajudar e incentivar.

— Como a homossexualidade? — perguntei.

— *Touché* — disse Julie. — Mas é diferente. Se eles não mudarem, nunca terão relacionamentos de verdade; nunca terão parceiros.

Era um argumento razoável, e um que eu era capaz de entender, dadas minhas próprias dificuldades nesse âmbito. Porém, Julie mudou de assunto.

— Mas o que você está dizendo é que existem coisas — coisas úteis — que eles são capazes de fazer melhor do que os... não aspies? Além de matar bebês, claro.

— É claro. — Fiquei me perguntando por que alguém envolvido na educação de indivíduos com atributos incomuns não conhecia o valor nem o mercado para tais atributos. — Existe uma empresa na Dinamarca que recruta aspies para realizar testes de aplicativos para computadores.

— Não sabia disso — disse Julie. — Você realmente está me abrindo uma perspectiva diferente. — Ela olhou para mim por alguns instantes. — Tem um tempinho para um drinque? — Então colocou a mão sobre meu ombro.

Eu me retraí de modo automático. Definitivamente um contato inapropriado. Se eu tivesse feito o mesmo com uma mulher daqui, quase com certeza isso causaria um problema, provavelmente uma queixa de abuso sexual para o diretor, que poderia trazer consequências para a minha carreira. Mas *ela* ninguém criticaria por isso, é claro.

— Infelizmente, tenho outros compromissos agendados.

— Não dá pra dar um jeitinho?

— Com toda certeza não. — Depois de ter conseguido recuperar o tempo perdido, eu não atiraria minha vida no caos mais uma vez.

Antes de eu conhecer Gene e Claudia, tinha duas outras amigas. A primeira era minha irmã mais velha. Embora fosse professora de matemática, minha irmã tinha pouco interesse nos avanços da área. Porém morava perto e me visitava duas vezes por semana e mais algumas outras vezes ao acaso. Comíamos juntos e conversávamos sobre trivialidades, como os acontecimentos da vida de nossos parentes e as interações sociais com nossos colegas de trabalho. Uma vez por mês, íamos de carro até Shepparton para almoçar no domingo com nossos pais e irmão. Ela era solteira, provavelmente resultado de sua timidez e por não ter uma beleza convencional. Graças a uma incompetência médica grosseira e indesculpável, agora ela está morta.

A segunda amiga era Daphne, cujo período de amizade também coincidiu com o de Gene e Claudia. Ela se mudou para o apartamento acima do meu depois que o marido foi parar num asilo, devido à demência. Por causa de um problema no joelho, agravado pela obesidade, ela não conseguia caminhar mais do que alguns passos, mas era muito inteligente e comecei a visitá-la com regularidade. Ela não possuía qualificações formais, tendo exercido o papel tradicional de dona de casa — coisa que eu considerava um extremo desperdício de talento (principalmente porque os descendentes de Daphne não lhe retribuíram com o mesmo cuidado). Ela sentia curiosidade em relação ao meu trabalho e começamos o Projeto Ensinar Genética para Daphne, que era fascinante para nós dois.

Ela começou a jantar no meu apartamento com certa frequência, uma vez que é possível fazer uma enorme economia cozinhando uma única refeição para duas pessoas em vez de duas refeições separadas. Todos os domingos às 15h íamos visitar o marido dela no asilo, que ficava a 7,3 quilômetros de distância. Eu era capaz de combinar uma caminhada de 14,6 quilômetros empurrando uma cadeira de rodas com uma conversa interessante sobre genética. Lia enquanto ela conversava com o marido, cujo nível de compreensão, embora difícil de determinar, era com certeza baixo.

Daphne ganhou seu nome por causa da planta que estava florindo quando ela nasceu, no dia vinte e oito de agosto. Todos os anos, seu marido lhe dava de presente de aniversário flores *Daphne odora*, ato que ela considerava extremamente romântico. Reclamou que este seria o primeiro aniversário em cinquenta e seis anos no qual o ato simbólico não seria realizado. A solução era óbvia, e, quando eu a levei de volta ao meu apartamento no dia de seu septuagésimo oitavo aniversário, havia comprado de antemão uma boa quantidade daquelas flores para lhe dar.

Ela reconheceu o perfume na mesma hora e começou a chorar. Achei que havia cometido um erro terrível, mas ela explicou que suas lágrimas eram sinal de felicidade. Também ficou impressionada com o bolo de chocolate que eu fiz, embora não com a mesma intensidade.

Durante o jantar, ela fez uma declaração incrível:

— Don, você daria um marido maravilhoso.

Isso era tão contrário às minhas experiências de rejeição entre as mulheres que fiquei sem fala por algum tempo. Depois, apresentei-lhe os fatos — toda a história de minhas tentativas de encontrar uma companheira. Comecei pela minha crença, quando menino, de que me casaria quando crescesse e terminei com a desistência dessa ideia quando ficou evidente que eu não era adequado.

O argumento dela foi simples: existe alguém para todo mundo. Do ponto de vista estatístico, quase com certeza ela estava certa. Infelizmente, a probabilidade de eu encontrar essa pessoa era minúscula. Mesmo assim, aquilo gerou um incômodo no meu cérebro, como um problema matemático que sabemos que deve ter solução.

Nos seus dois aniversários seguintes, repetimos o ritual das flores. O resultado não foi tão dramático quanto da primeira vez, mas também comprei presentes para ela — livros sobre genética — e ela pareceu muito feliz. Ela me contou que o aniversário sempre tinha sido seu dia preferido do ano. Eu entendia que isso fosse algo comum entre as crianças, por causa dos presentes, mas não esperava ouvir o mesmo de um adulto.

Noventa e três dias depois do jantar do seu aniversário, estávamos a caminho do asilo discutindo uma pesquisa genética que Daphne havia lido no dia anterior quando ficou claro que ela havia esquecido algumas partes significativas. Não era a primeira vez naquelas últimas semanas que a memória dela falhava, e imediatamente marquei uma consulta para avaliar seu funcionamento cognitivo. O diagnóstico foi mal de Alzheimer.

A capacidade intelectual de Daphne se deteriorou com rapidez e logo não conseguíamos mais ter nossas conversas sobre genética. Porém, continuamos jantando juntos e fazendo nossas caminhadas até o asilo. Daphne agora falava principalmente sobre seu passado, enfocando o marido e a família, e consegui formar uma visão generalizada de como deve ser a vida de casado. Ela continuava insistindo que eu poderia encontrar uma parceira compatível e desfrutar do alto nível de felicidade que ela mesma experimentara. Pesquisas suplementares confirmaram que os argumentos de Daphne se apoiavam em evidências: os homens casados são mais felizes e vivem mais.

Um dia, Daphne perguntou: "Quando vai ser meu aniversário de novo?", e me dei conta de que ela havia perdido a noção das datas. Decidi que seria aceitável mentir para maximizar a felicidade dela. O problema era conseguir flores *Daphne* fora de época, mas tive êxito inesperado. Sabia de um geneticista que estava aumentando o período de floração das plantas para fins comerciais. Ele conseguiu fornecer para minha florista algumas flores *Daphne*, e simulamos um jantar de aniversário. Repeti o mesmo procedimento sempre que Daphne perguntava sobre seu aniversário.

Chegou um momento em que foi necessário que Daphne se juntasse ao marido no asilo, e, à medida que sua memória falhava cada vez mais, começamos a comemorar seu aniversário com mais frequência, até chegarmos a ponto de eu visitá-la todos os dias. A florista me deu um cartão de fidelidade especial. Pelos meus cálculos, segundo o número de comemorações de aniversário, Daphne tinha chegado aos duzentos e sete anos quando deixou de me reconhecer. Trezentos e dezenove quando deixou de reagir às flores e eu abandonei as visitas.

Não esperava mais receber notícias de Julie. Como sempre, minhas suposições sobre o comportamento humano estavam erradas. Dois dias depois da palestra, às 15h37, meu celular tocou mostrando um número estranho. Julie deixou recado pedindo para que eu ligasse de volta e deduzi que eu devia ter esquecido alguma coisa na escola.

Errei de novo. Ela queria continuar nossa discussão sobre a síndrome de Asperger. Fiquei feliz por minha colaboração ter tido tanta influência. Ela sugeriu um jantar. Não era a ocasião ideal para uma discussão produtiva, mas, como em geral eu janto sozinho, seria algo fácil de combinar. Já as pesquisas para a conversa eram outra questão.

— Em que tópicos específicos você está interessada?

— Ah — disse ela —, pensei que a gente pudesse apenas conversar... nos conhecermos melhor.

Isso parecia sem foco.

— Preciso pelo menos de uma indicação geral do campo do assunto. O que eu disse que a interessou particularmente?

— Ah... acho que aquilo sobre os testadores de computadores na Dinamarca.

— Testadores de *aplicativos* para computadores. — Com toda certeza eu precisaria fazer algumas pesquisas. — O que você gostaria de saber?

— Não sei, queria entender como eles foram encontrados. A maioria dos adultos com Asperger não sabe que é portador da síndrome.

Era um bom argumento. Entrevistar candidatos ao acaso seria um modo altamente ineficiente de detectar uma síndrome que tinha prevalência estimada de menos de 0,3 por cento.

Arrisquei uma resposta:

— Acho que eles devem usar um questionário como filtro preliminar. — Eu não havia nem terminado a frase quando uma luz se acendeu na minha cabeça (não de modo literal, é claro).

Um questionário! Uma solução tão óbvia. Um instrumento cientificamente válido, com propósito definido, que incorpora as melhores práticas atuais para filtrar as mulheres que são perda de tempo, as desorganizadas, as que discriminam sabores de sorvete, as que reclamam de abuso sexual visual, as esotéricas, as leitoras de horóscopo, as obcecadas por moda, as fanáticas religiosas, as veganas, as que gostam de assistir esportes, as criacionistas, as fumantes, as cientificamente analfabetas e as homeopatas, deixando, do ponto de vista ideal, apenas a parceira perfeita ou, do ponto de vista realista, uma lista mais administrável de candidatas.

— Don? — Era Julie, ainda na linha. — Quando quer marcar nosso encontro?

As coisas haviam mudado. As prioridades, se alterado.

— Não vai dar — respondi. — Minha agenda está lotada.

Eu iria precisar de todo o meu tempo disponível para aquele novo projeto.

O Projeto Esposa.

3

Depois da conversa com Julie, fui imediatamente até a sala de Gene no prédio da Psicologia, mas ele não estava lá. Por sorte, sua assistente, A Bela Helena, que devia ser chamada de A Obstrutiva Helena, também não estava e dei um jeito de pôr as mãos na agenda de Gene. Descobri que ele daria uma palestra aberta ao público cujo término estava previsto para as 17h e que depois teria uma brecha até uma reunião às 17h30. Perfeito. Eu só teria de reduzir o tempo da minha sessão de ginástica. Reservei na agenda dele aquele horário para mim.

Depois de um treino acelerado na academia, tive que eliminar a chuveirada e a troca de roupa subsequentes, fui correndo até o auditório, onde esperei diante da entrada para funcionários. Embora eu estivesse suando muitíssimo por causa do calor e do exercício, me sentia energizado, tanto física quanto mentalmente. Assim que meu relógio de pulso marcou 17h, entrei. Gene estava atrás do púlpito do auditório escurecido, ainda falando, aparentemente sem noção do tempo, e respondia a uma pergunta sobre financiamento. Minha entrada permitiu que uma nesga de luz invadisse o ambiente, e percebi que agora os olhos de todos estavam em mim, como se esperassem que eu dissesse alguma coisa.

— O tempo acabou — falei. — Tenho uma reunião com Gene.

As pessoas começaram imediatamente a se levantar e avistei a Chefe do Departamento na primeira fila, junto com três pessoas em trajes corporativos. Adivinhei que estivessem ali como potenciais fornecedores de verba, e não por causa de algum interesse intelectual na atração sexual dos primatas. Gene está sempre tentando arrumar dinheiro para pesquisa, enquanto a Chefe do Departamento está constantemente ameaçando cortar o orçamento dos departamentos de Genética e Psicologia devido à verba insuficiente. Não é uma área em que eu me envolva.

Gene falou acima do burburinho:

— Creio que meu colega, o professor Tillman, sinalizou que, por mais crítica que seja a questão financeira para nosso trabalho, deveríamos discutir o financiamento em outra ocasião. — Ele olhou para a Chefe do Departamento e seus companheiros. — Mais uma vez agradeço pelo interesse no meu trabalho e, é claro, no de meus colegas pesquisadores do Departamento de Psicologia. — Aplausos. Parece que minha intervenção se deu na hora certa.

A Chefe do Departamento e seus amigos associados passaram por mim. Ela disse, apenas para mim:

— Desculpe por atrasar sua reunião, professor Tillman. Tenho certeza de que poderemos encontrar o dinheiro em outro lugar. — Foi bom ouvir isso, mas agora havia uma multidão irritante ao redor de Gene. Uma ruiva com vários objetos metálicos nas orelhas estava falando com ele, em voz um tanto alta.

— Não acredito que você usou uma palestra pública para servir a seus próprios objetivos.

— Que bom que você veio, então. Mudou uma de suas crenças. Já é um começo.

Era óbvio que havia certa animosidade da parte da mulher, muito embora Gene estivesse sorrindo.

— Mesmo que você estivesse certo, coisa que não está, o que me diz do impacto social?

Fiquei impressionado com a resposta seguinte de Gene, não por causa de sua intenção, coisa com a qual estou familiarizado, mas pela mudança sutil de assunto. Gene tem competências sociais num nível que eu jamais terei.

— Isso me parece discussão para um café. Por que não retomamos um dia desses?

— Desculpe — respondeu ela. — Tenho uma pesquisa a fazer. Você sabe, evidências.

Tentei abrir caminho, mas uma loura alta estava na minha frente e eu não quis me arriscar a fazer contato físico. Ela falava com sotaque norueguês.

— Professor Barrow? — disse, referindo-se a Gene. — Com todo o respeito, acho que o senhor está simplificando demais a posição feminista.

— Se vamos falar de filosofia, melhor fazer isso num café — retrucou Gene. — Encontro você no Barista's daqui a cinco minutos.

A mulher assentiu e caminhou na direção da porta.

Finalmente tínhamos tempo para conversar.

— O sotaque dela é o quê? — perguntou Gene para mim. — Sueco?

— Norueguês — respondi. — Achei que você já tivesse saído com uma norueguesa.

Disse a ele que tínhamos um horário marcado, mas Gene agora estava focado em tomar café com aquela mulher. A maioria dos machos está programada para dar mais prioridade ao sexo do que ajudar um indivíduo não aparentado, e Gene tinha, além disso, a motivação adicional do seu projeto de pesquisa. Argumentar seria inútil.

— Reserve o horário seguinte da minha agenda — disse ele.

O expediente da Bela Helena pelo visto já tinha acabado, o que quer dizer que mais uma vez tive acesso à agenda de Gene. Fiz ajustes na minha própria agenda para acomodar aquele compromisso. Dali em diante, o Projeto Esposa teria máxima prioridade. ·

Esperei até dar exatamente 7h30 do dia seguinte antes de bater na porta da casa de Gene e Claudia. Tinha sido necessário remanejar para as 5h45 o meu *jogging* até o mercado para fazer as compras para o jantar, o que por sua vez me obrigou a ir me deitar mais cedo na noite anterior e exerceu um efeito dominó em diversas tarefas agendadas.

Ouvi sons de surpresa do outro lado da porta antes que a filha dos dois, Eugenie, viesse abri-la. Eugenie ficou, como sempre, feliz em me ver e pediu que eu a colocasse nos ombros e fosse saltando com ela até a cozinha. Foi muito divertido. Então me ocorreu que eu poderia incluir Eugenie e seu meio-irmão Carl no meu rol de amigos, tendo assim um total de quatro.

Gene e Claudia estavam tomando café da manhã e avisaram que não estavam me esperando. Aconselhei Gene a colocar a agenda dele na internet; assim ele poderia ficar sempre atualizado e eu evitaria encontros desagradáveis com A Bela Helena. Ele não pareceu muito entusiasmado.

Eu não havia tomado o café da manhã, por isso apanhei um iogurte na geladeira. Adoçado! Não admira que Gene esteja acima do peso. Claudia ainda não está, mas notei certo aumento. Apontei o problema e identifiquei o iogurte como o provável culpado.

Claudia me perguntou se eu havia gostado da palestra sobre a síndrome de Asperger. Ela acreditava que Gene é quem tinha dado a palestra e que eu havia apenas comparecido. Corrigi o engano e lhe disse que havia achado o assunto fascinante.

— Os sintomas o fizeram se lembrar de alguém? — perguntou ela.

Com certeza fizeram. Eram a definição quase perfeita de Laszlo Hevesi, do Departamento de Física. Eu estava prestes a relatar a famosa história de Laszlo e seus pijamas quando o filho de Gene, Carl, que tem dezesseis anos, chegou de uniforme escolar. Foi até a geladeira como se fosse abri-la, e depois girou o corpo de repente a fim de me dar um soco com força na cabeça. Aparei o soco e o empurrei de modo gentil, mas firme, até o chão, para que ele percebesse que eu estava obtendo resultado usando apenas apoio, e não força. Essa é uma brincadeira que sempre fazemos, mas ele não havia percebido o iogurte, que agora estava todo espalhado em nossas roupas.

— Não se mexam — disse Claudia. — Vou pegar um pano.

Um pano não conseguiria limpar direito a minha camisa. Lavar uma camisa exige máquina de lavar, sabão em pó, amaciante e tempo considerável.

— Vou pegar uma de Gene emprestada — falei, e rumei para o quarto deles.

Quando voltei, usando uma camisa branca desconfortavelmente grande com um babado decorativo na frente, tentei apresentar aos dois o Projeto Esposa, mas Claudia estava entretida em atividades relacionadas aos filhos. Aquilo estava começando a ficar frustrante. Agendei um jantar para sábado à noite e pedi que eles não programassem nenhum outro tópico para conversarmos.

Na verdade, o atraso foi oportuno, pois permitiu que eu fizesse algumas pesquisas sobre modelos de questionários, criasse uma lista de atributos desejáveis e delineasse um rascunho da pesquisa de campo. Tudo isso, lógico, precisou ser realizado nos intervalos de meus compromissos como professor e pesquisador e de uma reunião com a Chefe do Departamento.

Na manhã de sexta-feira, eu e ela tivemos outra interação desagradável por eu ter acusado de desonestidade acadêmica um aluno de ranking elevado da universidade. Eu já tinha pegado Kevin Yu colando uma vez. Então, ao corrigir a tarefa mais recente dele, reconheci uma frase do trabalho de outro aluno, feito três anos antes.

Com certa investigação, descobri que o ex-aluno era agora professor particular de Kevin e que escrevera no mínimo parte do trabalho para ele. Tudo isso havia acontecido algumas semanas atrás. Reportei o caso na época e esperei que o processo disciplinar seguisse seu curso. Mas, pelo visto, a coisa era mais complicada do que isso.

— A situação com Kevin está um tanto complicada — disse a Chefe do Departamento.

Estávamos em sua sala de estilo corporativo e ela usava trajes corporativos, um conjunto de saia e blazer azul-marinho cuja intenção, segundo Gene, é fazer com que pareça mais poderosa. Ela é uma mulher baixa e magra, com aproximadamente cinquenta anos, e é bem possível que o traje a faça parecer maior. Contudo não consigo enxergar qual a relevância da dominância física num ambiente acadêmico.

— Esta é a terceira ofensa de Kevin e, de acordo com a política da universidade, ele deveria ser expulso — continuou ela.

Os fatos me pareciam claros e a ação necessária, simples. Tentei identificar a que complicação a Chefe do Departamento estaria se referindo.

— As provas são insuficientes? Ele vai fazer alguma contestação judicial?

— Não, está tudo perfeitamente claro. Mas a primeira ofensa foi muito ingênua. Ele copiou e colou um texto da internet e foi descoberto pelo software antiplágio. Kevin estava em seu primeiro ano de faculdade e o inglês dele não era muito bom. Além disso, existem as diferenças culturais.

Eu não sabia daquela primeira ofensa.

— Na segunda vez, você o acusou porque ele tomou trechos emprestados de um trabalho obscuro com o qual você de alguma forma tinha familiaridade.

— Correto.

— Don, nenhum dos outros professores é tão... atento... quanto você.

Era incomum que a Chefe do Departamento me elogiasse quanto a meu repertório de leituras e dedicação.

— Esses meninos pagam muito dinheiro para estudar aqui. Nós dependemos das mensalidades. Não queremos que eles copiem da internet na cara de pau, mas precisamos reconhecer que eles precisam de ajuda, e... Kevin só tem mais um semestre pela frente. Não podemos mandá-lo de volta para casa sem um diploma depois de três anos e meio. Não parece nada bom.

— E se ele fosse aluno de medicina? E se a senhora fosse parar no hospital e o médico que a operasse tivesse colado nos exames?

— Kevin não é aluno de medicina. E ele não colou nos exames, só teve uma ajudinha numa tarefa curricular.

Pelo visto, a Chefe do Departamento havia me elogiado apenas para trazer à tona o comportamento antiético. A solução para o dilema dela, entretanto, era óbvia. Se ela não desejava quebrar as regras, então devia mudar as regras. Foi o que observei.

Não sou bom em interpretar expressões faciais, e aquela que surgiu no rosto da Chefe do Departamento não me era familiar.

— Não podemos passar a impressão de que permitimos cola aqui.

— Mesmo se permitimos?

Saí da reunião confuso e com raiva. Havia questões sérias em jogo. E se nossa pesquisa não fosse aceita por termos uma reputação de baixa exigência acadêmica? Pessoas poderiam acabar morrendo graças ao atraso na descoberta da cura das doenças. E se um laboratório de genética contratasse alguém cuja qualificação havia sido obtida colando e esse alguém cometesse graves erros? A Chefe do Departamento parecia mais preocupada com a opinião dos outros do que com essas questões cruciais.

Pensei em como seria passar a vida inteira ao lado da Chefe do Departamento. Era uma ideia verdadeiramente terrível. O problema subjacente era a preocupação com a imagem. Meu questionário seria implacável em filtrar mulheres que só se preocupavam com as aparências.

4

Gene abriu a porta com uma taça de vinho na mão. Estacionei minha bicicleta no corredor, tirei a mochila e saquei de lá a pasta do Projeto Esposa, de onde peguei a cópia de Gene. Eu havia resumido o questionário para dezesseis páginas, frente e verso.

— Relaxe, Don, temos muito tempo — disse ele. — Vamos ter um jantar civilizado e depois vemos seu questionário. Se você vai começar a sair com mulheres, precisa praticar jantares sociais.

Ele tinha razão, é claro. Claudia é uma excelente cozinheira e Gene possui uma ampla coleção de vinhos, organizada por região, safra e produtor. Fomos até sua "adega", que não fica no subsolo de verdade, onde ele me mostrou suas aquisições mais recentes e nós selecionamos uma segunda garrafa. Comemos com Carl e Eugenie, e consegui evitar o papo-furado brincando de jogo da memória com Eugenie. Ela percebeu minha pasta, em que estava escrito "Projeto Esposa", que coloquei sobre a mesa assim que terminei de comer a sobremesa.

— Você vai casar, Don? — perguntou ela.

— Correto.

— Com quem?

Eu estava prestes a explicar, mas Claudia mandou Eugenie e Carl para seus quartos — ótima decisão, pois eles não tinham a experiência necessária para colaborar.

Entreguei cópias do questionário para Claudia e Gene, que serviu vinho do Porto para todos. Expliquei que eu havia adotado as melhores práticas de elaboração de questionários, incluindo questões de múltipla escolha, escalas de Likert, validação cruzada, perguntas-teste e questões que substituem outras. Claudia pediu um exemplo desse último tipo.

— Questão 35: *Você come rins?* A resposta correta é *(c) de vez em quando*. É um teste sobre problemas alimentares. Se você perguntar a uma pessoa diretamente quais são suas preferências alimentares, ela vai dizer que "come de tudo". Depois, mais tarde, você descobre que ela é vegetariana. Sei que há diversos argumentos a favor do vegetarianismo. Entretanto, uma vez que eu como carne, achei que seria mais conveniente se minha parceira também comesse. Nesse estágio inicial, pareceu lógico especificar a solução ideal e rever o questionário mais tarde, se necessário.

Claudia e Gene estavam lendo.

Claudia disse:

— Na questão sobre chegar no horário, acho que o certo seria *(b) um pouco adiantada*.

Era mais do que incorreto, o que demonstrava que mesmo Claudia, que era uma boa amiga, não seria adequada como parceira.

— A resposta correta é *(c) pontual* — falei. — Chegar sempre adiantado é cumulativamente uma enorme perda de tempo.

— Eu não excluiria *um pouco adiantada* — disse Claudia.

— Ela pode estar se esforçando, o que não é uma coisa ruim.

Argumento interessante. Fiz uma observação para considerar aquela resposta, mas apontei que *(d) um pouco atrasada* e *(e) muito atrasada* eram definitivamente inaceitáveis.

— Acho que, se uma mulher se descreve como uma cozinheira brilhante, ela é meio convencida — observou Claudia. — Pergunte apenas se ela gosta de cozinhar. E fale que gosta também. Esse era exatamente o tipo de retorno que eu estava buscando: nuances sutis de linguagem que eu não percebo. Então me dei conta de que, se a entrevistada fosse alguém como eu, ela não perceberia a diferença. Mas não havia motivo para exigir que minha parceira em potencial tivesse a mesma falta de sutilezas que eu.

— Nada de bijuteria, nem de maquiagem? — perguntou Claudia, prevendo corretamente as respostas de duas perguntas incitadas depois da minha mais recente interação com a Chefe do Departamento.

— Usar bijuteria nem sempre é só questão de aparência — explicou ela. — Se precisa mesmo de uma pergunta, esqueça a da bijuteria e fique só com a da maquiagem. Mas pergunte apenas se ela usa todos os dias.

— Altura, peso e *além disso* índice de massa corpórea. — Gene já estava lá na frente. — Não dá pra fazer você mesmo esse cálculo?

— Esse é o objetivo da pergunta — respondi. — Verificar se elas são capazes de efetuar operações simples de aritmética. Não quero uma parceira que seja matematicamente analfabeta.

— Ah, pensei que a intenção era ter uma ideia da aparência dela — disse Gene.

— Há uma pergunta sobre forma física — expliquei.

— Eu estava pensando em sexo — disse Gene.

— Pra variar — interveio Claudia. Comentário esquisito, uma vez que Gene está sempre falando sobre sexo. Mas o argumento dele era bom.

— Eu acrescentaria uma pergunta sobre HIV e herpes — falei.

— Pare — disse Claudia. — Você está sendo exigente demais.

Comecei a explicar que uma doença sexualmente transmissível incurável era um impedimento grave, mas Claudia me interrompeu:

— Em tudo.

Era uma reação compreensível, mas minha estratégia era minimizar as chances de cometer erros do tipo *um* perder tempo com uma escolha inadequada. Inevitavelmente isso aumentava os riscos de cometer um erro do tipo *dois* rejeitar uma pessoa adequada. Porém era um risco aceitável, uma vez que estou lidando com um grupo bastante numeroso.

Vez de Gene:

— Não fumante, beleza. Mas qual a resposta certa para a pergunta sobre bebidas alcoólicas?

— Zero.

— Espere aí. Você bebe. — Gene apontou meu cálice de vinho do Porto, que ele havia acabado de encher. — E bebe bastante.

Expliquei que estava esperando obter também certo aprimoramento de mim mesmo com aquele projeto.

Continuamos desse modo e recebi um *feedback* excelente. Achei que o questionário ficou menos discriminatório, mas mesmo assim ainda tinha plena confiança de que eliminaria, se não todas, ao menos a maioria das mulheres que me causaram problemas no passado. A Mulher do Sorvete de Damasco teria respondido errado pelo menos a cinco perguntas.

Meu plano era colocar anúncios em sites de namoro tradicionais e fornecer um link para o questionário, além de postar as informações comuns (e em geral insuficientemente discriminatórias) sobre altura, profissão e se eu gostava de fazer longas caminhadas na praia.

Gene e Claudia sugeriram que eu também tentasse alguns encontros frente a frente para praticar minhas competências sociais. Eu poderia verificar em campo o valor da validação dos questionários; portanto, enquanto aguardava chegarem as respostas da internet, imprimi alguns questionários e voltei a enfrentar todo o processo de encontros românticos que achava ter deixado de lado para sempre.

Comecei me inscrevendo no Table for Eight, administrado por uma conhecida empresa de relacionamentos. Depois de um processo preliminar não confiável de pareamento, baseado em informações flagrantemente inadequadas, quatro mulheres e quatro homens, incluindo eu, receberam os detalhes de um encontro num restaurante no qual havia sido feita uma reserva. Coloquei quatro questionários embaixo do braço e cheguei exatamente às oito. *Somente uma mulher estava lá!* As outras estavam atrasadas. Foi uma validação impressionante das vantagens do trabalho de campo. Aquelas mulheres podiam muito bem ter respondido *(b) um pouco adiantada* ou *(c) pontual*, mas seu comportamento na verdade demonstrava outra coisa. Decidi por ora permitir o *(d) um pouco atrasada*, com base no fato de que uma única ocasião podia não ser representativa do todo. Até podia escutar Claudia dizendo: "Don, todo mundo se atrasa de vez em quando."

Também havia dois outros homens sentados à mesa. Nos cumprimentamos com apertos de mão, e me ocorreu que aquilo seria o equivalente a fazer uma reverência antes de um combate de lutas marciais.

Analisei meus adversários. O homem que se apresentou como Craig tinha mais ou menos a minha idade, mas estava acima do peso e vestido com uma camisa social branca apertada demais para ele. Tinha bigode e seus dentes eram malcuidados.

O segundo, Danny, era provavelmente alguns anos mais jovem do que eu e parecia ter boa saúde. Usava camiseta branca, tinha braços tatuados e seu cabelo preto continha alguma espécie de aditivo cosmético.

A mulher pontual se chamava Olivia e, no início (logicamente), dividiu sua atenção entre os três homens. Ela contou que era antropóloga. Danny confundiu com arqueóloga e Craig fez uma piada racista sobre pigmeus. Ficou óbvio, mesmo para mim, que Olivia não se impressionou com aquelas reações e desfrutei do raro momento de não me achar a pessoa mais socialmente incompetente do lugar. Olivia se virou para mim e eu havia acabado de responder à sua pergunta sobre minha profissão quando fomos interrompidos pela chegada do quarto homem, que se apresentou como Gerry, advogado. Chegaram também duas mulheres, Sharon e Maria, respectivamente contadora e enfermeira. A noite estava quente e Maria escolheu um vestido com a dupla vantagem de ser fresco e de possibilitar exposição sexual. Sharon trajava o uniforme corporativo convencional de calça e blazer. Supus que as duas tivessem mais ou menos a mesma idade que eu.

Olivia continuou a conversar comigo enquanto os outros começaram a falar sobre amenidades — um desperdício de tempo extraordinário, quando o que estava em jogo era uma decisão de vida importantíssima. Seguindo o conselho de Claudia, eu havia memorizado o questionário. Ela achava que fazer as perguntas diretamente a partir dos formulários criaria uma "dinâmica" errada e que eu devia tentar incorporá-las sutilmente à conversa. A sutileza, lembrei a ela, não era meu forte. Ela sugeriu que eu não fizesse perguntas sobre doenças sexualmente transmissíveis e que eu mesmo calculasse mais ou menos qual seria a altura, o peso e o IMC das mulheres. Estimei que o IMC de Olivia era dezenove: magra, mas sem sinais de anorexia. Estimei o de Sharon, a Contadora, em vinte e três, e o de Maria, a Enfermeira, em vinte e oito. O máximo recomendado para a saúde é vinte e cinco.

Em vez de perguntar sobre o QI, decidi fazer uma estimativa baseada nas respostas de Olivia sobre o impacto histórico das variações da suscetibilidade da sífilis nas populações nativas da América do Sul. Tivemos uma conversa fascinante, e senti que o assunto talvez até me oferecesse a deixa para fazer a pergunta sobre doenças sexualmente transmissíveis. O QI dela com certeza estava acima do mínimo requerido. Gerry, o Advogado, fez alguns comentários com intenção de serem piadas, creio eu, mas acabou nos deixando prosseguir sem interrupções.

A essa altura, a última mulher chegou, *com vinte e oito minutos de atraso*. Enquanto Olivia estava distraída, aproveitei a oportunidade para registrar as informações que eu havia adquirido até então em três dos quatro questionários sobre meu colo. Não gastei papel com a recém-chegada, porque ela declarou que "sempre chegava atrasada". Isso não pareceu preocupar Gerry, o Advogado. Ele provavelmente devia cobrar por seus serviços a cada seis minutos e, portanto, devia considerar o tempo algo de grande valor. Evidentemente ele valorizava o sexo acima de tudo isso, coisa que ficou clara quando ele começou a falar feito Gene.

Com a chegada da Mulher Atrasada, o garçom apareceu com os cardápios. Olivia olhou o dela e depois perguntou:

— A sopa de abóbora é feita com caldo de legumes?

Não ouvi a resposta. A pergunta já forneceu a informação crucial. Vegetariana.

Acho que ela talvez tenha notado minha expressão de desapontamento.

— Sou hindu.

Já havia deduzido que Olivia certamente era indiana por causa do sári e de seus traços físicos. Não tive certeza se o termo "hindu" estava sendo utilizado como uma afirmação genuína de crença religiosa ou indicador de herança cultural. Eu já tinha sido repreendido antes por não conseguir fazer essa distinção.

— Você toma sorvete? — perguntei. A pergunta parecia apropriada depois da declaração de vegetarianismo. Bem razoável.

— Ah, sim, não sou vegana. Tomo sorvete desde que não seja feito com ovos.

A coisa não estava melhorando muito.

— Você tem algum sabor preferido?

— Pistache. Com toda certeza, pistache. — Ela sorriu.

Maria e Danny haviam saído para fumar um cigarro. Com três mulheres eliminadas, incluindo a Mulher Atrasada, minha tarefa já estava quase concluída.

Meus miolos de cordeiro chegaram e cortei um deles ao meio, expondo a estrutura interna. Dei um tapinha em Sharon, que estava entretida numa conversa com Craig, o Racista, e apontei-o para ela.

— Gosta de miolo?

Quatro eliminadas, tarefa concluída. Continuei conversando com Olivia, que era uma companhia excelente, e até pedi outro drinque depois que os demais partiram em pares formados. Ficamos ali conversando até sermos os últimos no restaurante. Enquanto guardava os questionários na mochila, Olivia me deu seus contatos, que anotei para não ser mal-educado. Então cada um seguiu seu caminho.

Voltando de bicicleta para casa, refleti sobre o jantar. Tinha sido um método de seleção totalmente ineficaz, mas o questionário teve uma importância significativa. Sem as perguntas induzidas por ele, eu, com certeza, teria arriscado um novo encontro com Olivia, que era uma pessoa interessante e legal. Talvez nós, inclusive, nos encontrássemos uma terceira e uma quarta e uma quinta vez, até que um dia, quando todas as sobremesas do restaurante fossem feitas com ovos, iríamos à sorveteria em frente e descobriríamos que eles não tinham sorvete de pistache sem ovos. Era melhor descobrir esse tipo de coisa antes de investir num relacionamento.

5

Eu estava diante de uma casa de subúrbio que parecia a residência de tijolinho dos meus pais, em Shepparton. Já tinha decidido nunca mais frequentar festas de solteiros, mas o questionário me poupava de passar pela agonia das interações sociais desestruturadas com estranhos.

À medida que as convidadas chegavam, eu ia entregando a cada uma um questionário, para que preenchessem quando lhes fosse mais conveniente e depois me devolvessem durante a festa ou por e-mail. A princípio, a anfitriã me convidou para me juntar ao grupo que estava na sala, mas expliquei minha estratégia e ela me deixou em paz. Depois de duas horas, uma mulher de uns trinta e cinco anos, com IMC estimado em vinte e um, voltou da sala com duas taças de espumante numa das mãos e, na outra, o questionário.

Ela me passou uma das taças.

— Pensei que talvez você estivesse com sede — declarou com um sotaque francês atraente.

Eu não estava, mas fiquei feliz por me oferecerem álcool. Tinha decidido que só abandonaria a bebida caso encontrasse uma parceira que não bebesse. E, depois de um pouco de autoanálise, concluí que (c) *moderadamente* era uma resposta aceitável para a pergunta sobre bebida e fiz uma nota mental para atualizar o questionário.

— Obrigado.

Torci para que ela me entregasse o questionário e que, por mais improvável que fosse, isso significasse o fim da minha busca. Ela era extremamente atraente, e seu gesto de trazer espumante para mim indicava um alto nível de consideração, coisa que nenhum dos outros convidados nem a dona da festa havia demonstrado.

— Você é pesquisador, certo? — Ela deu um tapinha no questionário.

— Correto.

— Eu também — disse. — Não há muitos acadêmicos por aqui hoje.

Embora seja arriscado tirar conclusões com base no comportamento ou nos assuntos das conversas, minha análise dos convidados condizia com tal observação.

— Eu me chamo Fabienne — disse ela, e me estendeu a mão livre, que apertei, tomando o cuidado de aplicar o nível recomendado de pressão. — Este espumante é horrível, não?

Concordei. Era uma bebida doce e gaseificada, tolerável apenas pelo seu teor alcoólico.

— Acha que seria melhor a gente ir a um bar e tomar coisa melhor? — perguntou ela.

Fiz que não. A baixa qualidade da bebida era irritante, mas não crítica.

Fabienne respirou fundo.

— Escute. Já bebi duas taças de espumante, não transo há seis semanas e prefiro esperar mais seis a ter que transar com qualquer outra pessoa daqui. E aí, agora posso pagar uma bebida pra você?

Era uma oferta muito gentil, mas a noite mal havia começado. Respondi:

— Vão chegar mais convidados. Talvez você encontre alguém adequado se esperar um pouco.

Fabienne me entregou seu questionário e disse:

— Presumo que você irá notificar as vencedoras no tempo certo.

Respondi que sim. Depois que ela saiu, dei uma olhada rápida em seu questionário. Como era de se prever, ela era a pessoa errada em diversas dimensões. Uma decepção.

Minha última opção fora da internet era o *speed dating*, uma abordagem que eu ainda não havia tentado.

O local escolhido foi um salão de jantar num hotel. Por minha insistência, o organizador revelou o horário *real* do início do encontro, e aguardei no bar para evitar interações desnecessárias até lá. Quando voltei, tomei o último lugar disponível numa mesa comprida, em frente a uma pessoa chamada Frances, com cerca de cinquenta anos, IMC estimado em vinte e oito e não convencionalmente atraente.

O organizador tocou um sino, e meus três minutos com Frances começaram.

Saquei um questionário e rabisquei o nome dela na página — não havia tempo para sutilezas naquelas circunstâncias.

— Sequenciei as perguntas para possibilitar a máxima rapidez de eliminação — expliquei. — Creio que consigo eliminar a maioria das mulheres em menos de quarenta segundos. Depois você pode escolher o assunto que vamos conversar no restante do tempo.

— Mas aí não vai adiantar mais nada — observou Frances.

— Eu já estarei eliminada.

— Somente como possível parceira. Ainda podemos ter uma conversa interessante mesmo assim.

— Mas eu já estarei eliminada.

Concordei.

— Você fuma?

— De vez em quando — respondeu ela.

Pus o questionário de lado.

— Excelente. — Eu estava satisfeito por meu sequenciamento de perguntas ter dado tão certo. Podíamos ter perdido tempo conversando sobre sabores de sorvete e maquiagem só para no fim eu descobrir que ela fumava. Não preciso nem dizer que fumar não era um tópico negociável. — Não tenho mais nenhuma pergunta a fazer. Sobre o que você quer conversar?

Para minha decepção, Frances não quis mais conversar depois que determinei que não éramos compatíveis. Isso se revelou o padrão do restante do evento.

Essas interações pessoais eram, claro, secundárias. Eu estava contando mesmo era com a internet, e os questionários preenchidos começaram a chegar logo depois de minhas primeiras postagens. Marquei um encontro com Gene na minha sala para discutir o que tinha recebido até aqui.

— Quantas respostas? — perguntou ele.

— Duzentas e setenta e nove.

Ele ficou claramente impressionado. Não disse a Gene que a qualidade das respostas variava muito e que vários dos questionários estavam respondidos pela metade.

— Nenhuma foto?

Muitas mulheres haviam incluído fotos, mas eu as suprimi no mostrador da base de dados para permitir mais espaço para as informações que importavam.

— Vamos ver as fotos — disse Gene.

Modifiquei as configurações para exibir as fotos e Gene correu os olhos por algumas antes de clicar duas vezes sobre uma delas. A resolução era impressionante. Ele pareceu aprovar a mulher, mas, ao fazer uma checagem rápida das informações, percebi que a candidata era totalmente inadequada. Peguei o mouse da mão dele e a deletei. Gene protestou.

— Que... que... que...? O que você está fazendo?

— Ela acredita em astrologia e homeopatia. E calculou errado seu IMC.

— Que era...?

— Vinte e três vírgula cinco.

— Legal. Dá pra desfazer o deletar?

— Ela é completamente inadequada.

— E quantas *são* adequadas? — perguntou Gene, finalmente indo direto ao ponto.

— Até agora, nenhuma. O questionário é um filtro excelente.

— Você não acha que está estabelecendo um parâmetro um pouquinho alto demais?

Deixei claro que estava reunindo informações para apoiar a decisão mais crítica que se toma na vida. Ceder seria totalmente inadequado.

— Sempre precisamos ceder — disse Gene. Era uma declaração inconcebível e, no caso dele, totalmente mentirosa.

— Você encontrou a esposa perfeita. Altamente inteligente, extremamente linda e que deixa você fazer sexo com outras mulheres.

Gene sugeriu que eu não elogiasse Claudia pessoalmente por ser tolerante e me pediu para repetir o número de questionários que tinham sido preenchidos. O total na verdade era maior do que o número que eu havia lhe dito, uma vez que eu não havia incluído os questionários de papel. Trezentos e quatro.

— Me dê sua lista — pediu Gene. — Vou escolher algumas pra você.

— Nenhuma delas corresponde aos critérios. Todas têm algum defeito.

— Encare isso como um treino.

Era um bom argumento. Eu havia pensado algumas vezes em Olivia, a Antropóloga Indiana, e considerado as implicações de viver com uma vegetariana hindu com forte preferência de sabor de sorvete. A única coisa que me impediu de ligar para ela foi lembrar que o melhor era esperar até aparecer uma parceira ideal. Eu, inclusive, havia reavaliado o questionário de Fabienne, a Pesquisadora Carente de Sexo.

Mandei a planilha por e-mail para Gene.

— Nada de fumantes.

— Certo — concordou Gene. — Mas você vai precisar convidá-las para sair. Para jantar. Num restaurante legal.

Gene provavelmente percebeu que não fiquei empolgado com aquela perspectiva e abordou o problema de modo bastante inteligente, propondo uma alternativa ainda menos aceitável:

— Pode ser também o baile do departamento...

— Restaurante.

Gene sorriu como se para compensar minha falta de entusiasmo.

— É fácil. "Que tal sairmos para jantar hoje?" Repita comigo.

— Que tal sairmos para jantar hoje? — repeti.

— Viu, não foi tão difícil assim. Faça apenas comentários positivos sobre a aparência delas. Pague a conta. Não toque no assunto sexo. — Gene foi até a porta, depois se virou. — E os questionários de papel?

Entreguei a ele os questionários da Table for Eight, os da festa de solteiros e, diante da insistência, até mesmo os preenchidos pela metade do *speed dating*. Agora aquilo não estava mais em minhas mãos.

6

Aproximadamente duas horas depois que Gene saiu da minha sala com os questionários do Projeto Esposa preenchidos, alguém bateu à porta. Eu estava pesando as monografias dos alunos, um procedimento que não é proibido, mas suspeito que apenas porque ninguém sabe que o faço. Fazia parte do meu projeto de reduzir os esforços de correção — me concentrar em parâmetros facilmente mensuráveis, como a presença de um sumário, ou uma folha de rosto digitada em vez de manuscrita. Enfim, fatores que poderiam fornecer uma indicação tão boa da qualidade do trabalho quanto o processo tedioso de ler a monografia inteira.

Enfiei a balança por baixo da mesa quando a porta se abriu e, ao olhar para cima, vi uma mulher desconhecida diante de mim. Estimei sua idade em trinta anos e seu índice de massa corpórea em vinte.

— Professor Tillman?

Com meu nome escrito na porta, aquela não era uma pergunta particularmente astuta.

— Correto.

— O professor Barrow sugeriu que eu viesse vê-lo.

Fiquei impressionado com a eficiência de Gene e olhei a mulher com mais cuidado enquanto ela se aproximava da minha mesa. Não havia nenhum sinal óbvio de inadequação. Não detectei maquiagem alguma. O formato do seu corpo e o tom da sua pele eram compatíveis com saúde e boa forma. Ela usava óculos de armação pesada, que me fizeram reviver más lembranças da Mulher do Sorvete de Damasco, uma camiseta preta comprida e rasgada em diversos pontos e um cinto preto com correntes de metal. Por sorte eu tinha deletado a pergunta sobre bijuteria, porque ela usava uns brincos grandes de metal e um pingente interessante no pescoço.

Embora, em geral, não me incomode com roupas, as dela pareciam incompatíveis com o clima de verão e com o que eu esperaria de uma acadêmica altamente qualificada ou profissional. A única coisa que pude pensar é que ela era freelancer ou estava de férias e, assim, desobrigada de seguir as regras de vestuário do ambiente de trabalho, escolheu sua roupa ao acaso. Eu podia me identificar com isso.

Houve um longo intervalo de tempo desde que alguém tinha falado algo e percebi que devia ser a minha vez de fazê-lo. Tirei os olhos do pingente e me lembrei das instruções de Gene.

— Que tal sairmos para jantar hoje?

Ela pareceu surpresa com minha pergunta, mas respondeu:

— Ah, tá. Vamos sair para jantar? Que tal o Le Gavroche, você paga?

— Excelente. Vou fazer uma reserva para as oito.

— Você está brincando.

Era uma resposta esquisita. Por que eu faria uma brincadeira com alguém que eu mal conhecia?

— Não. Hoje às oito é um horário aceitável?

— Deixe eu ver se entendi direito. Você está se oferecendo para me pagar um jantar no Le Gavroche hoje?

Ao ouvir isso, e depois da pergunta sobre meu nome, comecei a achar que aquela mulher não era exatamente o que Gene chamaria de "a ferramenta mais afiada do paiol". Pensei em desistir ou pelo menos empregar alguma tática para ganhar tempo até poder dar uma olhada no questionário dela, mas não consegui pensar em nenhum modo socialmente aceitável de fazer isso, portanto apenas confirmei que ela havia interpretado certo o meu convite. Ela se virou e saiu, e eu percebi que nem sequer sabia o nome dela.

Liguei para o Gene imediatamente. No começo ele pareceu um pouco confuso, e depois teve um ataque de riso. Talvez não estivesse esperando que eu fosse lidar de modo tão eficiente com a candidata.

— Ela se chama Rosie — disse ele. — E isso é tudo que vou lhe dizer. Divirta-se. E lembre o que eu disse sobre sexo.

O fato de Gene não me fornecer mais detalhes foi um azar, pois surgiu um problema. Não havia nenhuma mesa disponível no Le Gavroche no horário marcado. Tentei localizar o perfil de Rosie no meu computador e pela primeira vez as fotos serviram para alguma coisa. A mulher que veio até minha sala não se parecia com nenhuma das candidatas com a letra "R". Devia ser alguma das que responderam os questionários de papel. Gene havia saído e seu celular estava desligado.

Fui obrigado a agir de um modo que, apesar de não ser estritamente ilegal, com certeza era imoral. Justifiquei a coisa pensando que seria ainda mais imoral não cumprir meu compromisso com Rosie. O sistema de reservas on-line do Le Gavroche dispunha de uma área para clientes VIPs e fiz uma reserva no nome da Chefe do Departamento, depois de fazer o *log-in* utilizando um programa de pirataria relativamente pouco sofisticado.

Cheguei às 19h59. O restaurante ficava num grande hotel. Prendi minha bicicleta com uma corrente no foyer, pois estava chovendo muito lá fora. Felizmente não estava frio e minha jaqueta Gore-Tex fizera um excelente trabalho ao me proteger. A camiseta que eu vestia por baixo não ficou nem sequer úmida. Um homem de uniforme se aproximou de mim. Apontou para a bicicleta, mas falei antes de ele ter a chance de reclamar:

— Sou o professor Lawrence e interagi com seu sistema de reservas às 17h11.

Pelo visto, o funcionário não conhecia a Chefe do Departamento ou supôs que existisse um professor Lawrence, além de uma professora Lawrence, pois apenas verificou o nome em uma prancheta e assentiu. Fiquei impressionado com a eficiência, embora agora já fossem 20h01 e Rosie ainda não tivesse chegado. Bem, talvez ela tivesse chegado (b) *um pouco adiantada* e já estivesse na mesa.

Mas então surgiu um problema.

— Lamento, senhor, mas temos um *dress code* — informou o funcionário.

Eu sabia disso. Estava em negrito no site: Cavalheiros — obrigatório traje esporte fino.

— Sem o traje esporte fino, sem comida, certo?

— Mais ou menos, senhor.

O que posso dizer desse tipo de regra? Eu já estava preparado para ficar de jaqueta durante todo o jantar, em vez de camiseta, que é esporte, mas não fino. O restaurante provavelmente teria ar-condicionado a uma temperatura compatível com esse tipo de exigência.

Continuei andando na direção da entrada do restaurante, mas o funcionário bloqueou a passagem.

— Lamento. Talvez eu não tenha sido claro. O senhor deve usar traje esporte fino.

— Estou usando traje esporte fino. Minha jaqueta é uma roupa esportiva de altíssima qualidade.

— Receio que a exigência seja de algo mais formal, senhor.

O funcionário do hotel mostrou seu traje com paletó como exemplo. Em defesa do que se seguiu depois, ofereço a definição de "esporte fino" do dicionário: *1 Referência a traje exigido em certos eventos, informal mas de qualidade.*

Também gostaria de observar que a palavra "fina" aparece nas instruções de lavagem da minha jaqueta de Gore-Tex relativamente nova e perfeitamente limpa. Porém, parecia que a definição dele para "esporte fino" se limitava ao convencional.

— Ficaríamos satisfeitos em emprestar-lhe um paletó, senhor. Neste estilo.

— Vocês têm um estoque de paletós? De todos os tamanhos?

Não acrescentei que a necessidade de manter um inventário desse tipo era com certeza uma prova da incapacidade do restaurante de explicar a regra com clareza, e que seria mais eficiente melhorar a terminologia ou então desistir disso de uma vez. Também não mencionei que o custo de comprar e lavar paletós devia se refletir nos preços do cardápio. Será que os clientes sabiam que estavam subsidiando um depósito de paletós?

— Isso não sei informar, senhor — respondeu ele. — Vou providenciar um paletó.

Desnecessário dizer que me senti incomodado com a ideia de me vestirem com uma peça de vestuário de limpeza duvidosa. Por alguns instantes, fiquei atônito com a mera falta de racionalidade daquela situação. Eu já estava sob estresse, me preparando para um segundo encontro com uma mulher que talvez viesse a se tornar a parceira da minha vida, e agora a instituição que eu pagaria para nos fornecer uma refeição — a *prestadora de serviços* que na verdade deveria estar fazendo de tudo para me deixar à vontade — colocava obstáculos arbitrários em meu caminho. Minha jaqueta de Gore-Tex, uma peça de alta tecnologia que já me protegeu de chuvas e nevascas, estava sendo comparada, irracional e injustamente, com o equivalente basicamente decorativo e feito de lã utilizado pelo funcionário. Eu pagara 1.015 dólares por ela, e mais 120 adicionais pelo amarelo refletivo customizado. Demonstrei meu argumento.

— Minha jaqueta é superior ao seu paletó em todos os critérios racionais: impermeabilidade, visibilidade com pouca iluminação, capacidade de armazenamento. — Abri o zíper da jaqueta para mostrar os bolsos internos e prossegui: — Secagem rápida, resistência a manchas de comida, capuz...

O funcionário continuava não mostrando nenhuma reação identificável, embora eu tivesse com certeza aumentado o tom de voz.

— Força de tensão amplamente superior...

Para ilustrar esse último tópico, segurei a lapela do paletó do funcionário. É óbvio que não tinha a menor intenção de rasgá-la, mas de repente fui agarrado por trás por um desconhecido que tentou me atirar no chão. Automaticamente reagi com um arremesso seguro e de baixo impacto para imobilizá-lo sem tirar meus óculos do lugar. O termo "baixo impacto" se aplica, nas artes marciais, a um oponente que sabe cair. Esse indivíduo não sabia e aterrissou com toda força.

Virei-me para ver quem era — um cara grande e irritado. Para evitar ainda mais violência, fui obrigado a me sentar em cima dele.

— Tira essa porra de bunda de cima de mim! Eu vou te matar, seu desgraçado — disse ele.

Diante desse argumento, parecia ilógico atender a seu pedido. Àquela altura, outro homem já havia chegado e tentava me arrancar de cima do primeiro. Com medo de que Brutamontes

Número Um conseguisse ir adiante com sua ameaça, não tive escolha a não ser imobilizar Brutamontes Número Dois também. Ninguém ficou gravemente ferido, mas foi uma situação social bastante estranha e senti minha mente se desligando.

Por sorte, Rosie chegou.

O Homem do Esporte Fino exclamou, aparentemente surpreso:

— Rosie!

Era evidente que ele a conhecia. Ela olhou dele para mim e disse:

— Professor Tillman... Don... que está acontecendo?

— Você chegou atrasada — falei. — Estamos tendo um problema social aqui.

— Você conhece esse homem? — perguntou o Homem do Esporte Fino para Rosie.

— O que você acha, que eu adivinhei o nome dele?

Rosie parecia agressiva e pensei que essa talvez não fosse a melhor das abordagens. Com certeza deveríamos pedir desculpas e ir embora. Estava supondo que agora não iríamos mais comer naquele restaurante.

Um pequeno grupo havia se formado e, acreditando que outro brutamontes pudesse chegar, precisei pensar num jeito de soltar minha mão sem largar os dois primeiros brutamontes. Nesse processo, um enfiou o dedo no olho do outro, e o nível de raiva dos dois aumentou consideravelmente. O Homem do Esporte Fino acrescentou:

— Ele atacou Jason.

Rosie retrucou:

— Ah, tá. Coitadinho do Jason. Sempre a vítima.

Agora consegui vê-la. Ela estava usando um vestido preto sem adornos, botas pretas de sola grossa e uma grande quantidade de pulseiras de metal. Seu cabelo ruivo estava espetado como uma espécie nova de cacto. Eu já tinha ouvido a palavra "atordoante" para descrever uma mulher, mas essa era a primeira vez que eu realmente me sentia atordoado ao ver uma. Não era só a roupa, nem as bijuterias nem nenhuma outra característica isolada de Rosie: era o conjunto. Não tive certeza se ela poderia ser descrita como uma beleza convencional, ou mesmo aceitável, para os padrões do restaurante que rejeitara meu traje esporte fino. Mas "atordoante" era a descrição perfeita. O que ela fez depois, porém, foi ainda mais atordoante. Ela pegou o celular da bolsa e o apontou para nós. O aparelho disparou o flash duas vezes. O Homem do Esporte Fino foi na direção dela para tomá-lo.

— Nem pense nisso, está me ouvindo? — disse Rosie. — Vou me divertir *tanto* com essas fotos que esses caras nunca mais vão ser responsáveis por uma porta na vida. *Professor ensina uma lição a seguranças.*

Enquanto Rosie falava, um homem com chapéu de chef chegou. Falou algo rapidamente com o Homem do Esporte Fino e com Rosie e, depois de me garantir que poderíamos ir embora sem mais agressões, ela pediu que eu soltasse meus atacantes. Todos nos levantamos e, seguindo a tradição, fiz uma reverência, depois estendi a mão para os dois homens, que concluí serem membros da segurança. Eles só fizeram o que eram pagos para fazer e correram o risco de ferir-se no cumprimento do dever. Pelo visto não esperavam essas formalidades, mas um deles riu e sacudiu minha mão, depois o outro o imitou. Tudo acabou bem, mas eu perdi a vontade de comer naquele restaurante.

Apanhei minha bicicleta e fomos andando até a rua. Achei que Rosie fosse ficar brava com o incidente, mas ela estava sorrindo. Perguntei como ela conhecia o Homem do Esporte Fino.

— Eu trabalhei aqui.

— Você escolheu esse restaurante porque já o conhecia?

— Pode se dizer que sim. Eu queria esfregar isso na cara deles. — Ela começou a rir. — Mas talvez não tanto.

Eu lhe disse que a solução dela foi brilhante.

— Trabalho num bar — disse ela. — Não em qualquer bar; no Marquess of Queensbury. Ganho a vida lidando com imbecis.

Observei que, se ela tivesse sido pontual, poderia ter usado suas competências sociais e evitado aquela violência.

— Que bom que eu me atrasei então. Aquilo foi judô, certo?

— Aikido. — Enquanto atravessávamos a rua, troquei a bicicleta de lugar para que ficasse entre mim e Rosie. — Também sou proficiente no caratê, mas aikido foi mais apropriado.

— Não brinca. Aprender isso leva uma eternidade, né?

— Comecei aos sete anos.

— Com que frequência você treina?

— Três vezes por semana, exceto em casos de doença, feriados e viagens para conferências internacionais.

— O que fez você começar? — perguntou Rosie.

Apontei para meus óculos.

— A vingança dos nerds — disse ela.

— É a primeira vez que preciso usar isso como autodefesa desde os tempos de escola. Uso basicamente para manter a forma. — Eu havia relaxado um pouco, e Rosie me deu a oportunidade de partir para uma das perguntas do questionário do Projeto Esposa. — Você se exercita regularmente?

— Depende do que você chama de regularmente. — Ela riu. — Sou a pessoa mais fora de forma do planeta.

— Os exercícios são extremamente importantes para a saúde.

— É o que o meu pai me diz. Ele é *personal trainer*. Está sempre no meu pé. Me deu uma matrícula de academia no meu aniversário. Na academia dele. Ele está com essa ideia de que deveríamos treinar para um triatlo juntos.

— Com certeza você deveria seguir o conselho dele — falei.

— Porra, tenho quase trinta anos. Não preciso que meu pai fique me dizendo o que fazer. — Ela mudou de assunto. — Escute, estou morrendo de fome. Vamos comer uma pizza.

Eu não estava preparado para enfrentar um restaurante depois daquele trauma. Disse a ela que agora estava querendo retornar ao meu plano original daquela noite, de cozinhar em casa.

— Tem mais um lugar na mesa? — perguntou ela. — Você ainda me deve um jantar.

Era verdade, mas já tinham acontecido eventos não programados demais naquele dia.

— Ah, vamos lá. Não vou criticar sua comida. Se eu precisasse cozinhar para salvar minha vida, estaria frita.

Eu não estava preocupado com críticas à minha comida. Porém, a falta de habilidades culinárias da parte dela era o terceiro defeito *até agora* em termos do questionário do Projeto Esposa, depois do atraso e de estar fora de forma. Com toda certeza haveria um quarto: era pouco provável que a profissão dela como garçonete num bar fosse condizente com o nível intelectual especificado. Não havia por que ir adiante.

Antes que eu pudesse protestar, Rosie já tinha chamado um táxi, que era minivan e tinha capacidade suficiente para acomodar minha bicicleta.

— Onde você mora? — perguntou.

7

— Uau, Sr. Arrumadinho. Cadê os quadros nas paredes?

Eu não recebia visitas desde que Daphne se mudou do edifício. Eu sabia que só precisava colocar mais um prato e talheres na mesa, mas aquela já tinha sido uma noite estressante, e a euforia provocada pela adrenalina que se seguiu ao Incidente do Esporte Fino havia evaporado, pelo menos da minha parte. Rosie parecia estar em perpétuo estado de frenesi.

Estávamos na sala de estar, conjugada com a cozinha americana.

— É que depois de algum tempo eu pararia de notá-los. O cérebro humano está programado para focar nas diferenças do ambiente, de modo a conseguir discernir um predador com rapidez. Se eu instalasse quadros ou outros objetos decorativos, eu os notaria por alguns dias e depois meu cérebro iria ignorá-los. Se quero ver obras de arte, vou a uma galeria. Os quadros ali são de qualidade superior e o gasto total ao longo do tempo é menor do que o de comprar pôsteres baratos.

Na verdade, eu não ia a nenhuma galeria de arte desde o dia dez de maio de três anos atrás. Mas essa informação enfraqueceria meu argumento e não vi motivo para revelar isso a Rosie e abrir outros aspectos da minha vida pessoal ao seu interrogatório.

Rosie já tinha ido adiante e observava agora minha coleção de CDs. A investigação estava começando a me irritar. O jantar já estava atrasado.

— Você ama mesmo Bach — observou.

Era uma dedução razoável, pois minha coleção de CDs consiste apenas em obras desse compositor. Mas não era correta.

— Eu decidi me concentrar em Bach depois de ler *Gödel, Escher, Bach*, de Douglas Hofstadter. Infelizmente não fiz muito progresso. Acho que meu cérebro não funciona rápido o bastante para decodificar os padrões da música.

— Você não ouve para se divertir?

Isso estava começando a se parecer com as primeiras conversas que tive nos jantares com Daphne e não respondi.

— Você tem um iPhone? — perguntou ela.

— É claro, mas não uso para ouvir música. Baixo podcasts.

— Deixe eu adivinhar... sobre genética.

— Ciência em geral.

Fui até a cozinha para começar a preparar o jantar e Rosie me seguiu, parando para olhar minha agenda no quadro branco.

— Uau — disse ela, de novo. Essa reação estava começando a ficar previsível. Fiquei imaginando qual seria a reação dela ao DNA ou à evolução.

Retirei legumes e ervas da geladeira.

— Eu ajudo você — ofereceu ela. — Posso picar alguma coisa, sei lá.

Isso sugeria que picar e cortar poderia ser feito por uma pessoa não familiarizada com a receita. Depois de ela comentar que não conseguiria cozinhar nem numa situação de vida e morte, vislumbrei pedaços enormes de alho-poró e fragmentos de ervas tão pequenos que nem daria para passar por uma peneira.

— Não é necessário nenhum auxílio — falei. — Recomendo a leitura de um livro.

Observei Rosie ir até a estante, examinar brevemente o conteúdo e depois se afastar. Talvez ela usasse IBM em vez softwares Mac, embora vários daqueles manuais fossem aplicáveis para ambos.

O meu aparelho de som tinha uma entrada para iPod que uso para tocar podcasts enquanto cozinho. Rosie plugou seu celular e uma música começou a emanar das caixas de som. Não era alta, mas eu tinha certeza de que, se colocasse um podcast para tocar na casa de alguém sem pedir permissão, seria acusado de cometer um erro social. *Bastante* certeza, porque eu tinha cometido esse exato erro num jantar quatro anos e sessenta e sete dias atrás.

Rosie continuou sua exploração, como um animal num novo ambiente, o que era claramente o caso dela naquele momento. Abriu as persianas e as levantou, o que soltou um pouco de poeira. Eu me considero bastante meticuloso na faxina, mas não preciso abrir as persianas e por isso deve haver poeira em locais que não alcanço sem ter que fazer isso. Atrás das persianas existem portas, das quais Rosie soltou os ferrolhos e as abriu.

Eu estava me sentindo bastante incomodado com essa violação de meu ambiente pessoal. Tentei me concentrar na preparação da comida enquanto Rosie sumia de vista, na varanda. Eu conseguia ouvi-la arrastando os dois vasos grandes de plantas, que provavelmente estavam mortas depois de todos esses anos. Coloquei a mistura de legumes e ervas numa panela grande com água, sal, vinagre de arroz, mirin, casca de laranja e sementes de coentro.

— Não sei o que você está cozinhando — gritou Rosie lá de fora —, mas sou basicamente vegetariana.

Vegetariana! E eu já tinha começado a cozinhar! Com os ingredientes que havia comprado supondo que comeria sozinho. E o que "basicamente" queria dizer — será que isso implicava algum nível limitado de flexibilidade? Como no caso de minha colega Esther, que admitia, apenas sob o mais rigoroso interrogatório, que comeria carne de porco se fosse necessário para sobreviver?

Os vegetarianos e os veganos podem ser extremamente irritantes. Gene tem uma piada: "Como descobrir se uma pessoa é vegana? Espere dez minutos que ela mesma lhe dirá." Se fosse verdade mesmo, a coisa não seria um problema tão grande. Mas não! Os vegetarianos chegam para jantar e depois declaram: "Eu não como carne." *Era a segunda vez.* O Desastre do Pé de Porco aconteceu seis anos atrás, quando Gene sugeriu que eu convidasse uma mulher para jantar no meu apartamento. Disse que minhas habilidades culinárias me tornariam mais desejável e que eu não precisaria enfrentar a pressão do ambiente de um restaurante. "E você ainda pode beber o quanto quiser e depois ir cambaleando para o quarto."

A mulher se chamava Bethany e seu perfil na internet *não* mencionava o vegetarianismo. Percebendo que a qualidade da comida seria um ponto crítico, peguei emprestado na biblioteca um livro recém-publicado de receitas "do pé à cabeça" e planejei um jantar de vários pratos, com diversas partes do animal: miolo, língua, mesentério, pâncreas, rins etc.

Bethany chegou pontualmente e pareceu bastante simpática. Tomamos uma taça de vinho e então as coisas começaram a ir ladeira abaixo. Começamos com pé de porco frito, que tinha sido bastante complexo de preparar, mas Bethany comeu muito pouco.

— Não sou muito fã de pé de porco — disse.

Fazia até certo sentido: todos nós temos nossas preferências e talvez ela estivesse preocupada com o teor de gordura e colesterol. Mas quando anunciei quais seriam os pratos seguintes, ela declarou que era vegetariana. Inacreditável!

Ela se ofereceu para pagar um jantar num restaurante, mas, depois de ter gastado tanto tempo na cozinha, eu não queria desperdiçar a comida. Comi sozinho e nunca mais vi Bethany.

Agora Rosie. Nesse caso poderia ser até ser uma coisa boa: Rosie poderia ir embora e a vida voltaria ao normal. Era óbvio que ela não havia preenchido o questionário com honestidade ou então Gene tinha cometido um erro. Ou então ele a havia escolhido pelo alto nível de atração sexual, impondo as próprias preferências sobre mim.

Rosie voltou para dentro de casa e me olhou, como se esperasse uma reação.

— Frutos do mar, tudo bem — disse ela. — Desde que sejam de criação sustentável.

Fiquei confuso. É sempre satisfatório encontrar a solução para um problema, mas agora Rosie ficaria para jantar. Fui até o banheiro e Rosie foi atrás de mim. Peguei a lagosta na banheira, onde ela ficara passeando aquele tempo todo.

— Ai, merda — disse Rosie.

— Não gosta de lagosta? — Eu levei o bicho de volta para a cozinha.

— Adoro lagosta, mas é que...

O problema agora ficou óbvio e pude entender.

— Você acha o processo de matá-la desagradável. Concordo.

Coloquei a lagosta no congelador e expliquei para Rosie que havia pesquisado métodos de execução de lagostas. O do congelador era considerado o mais humano e dei a ela o nome de uma referência da internet.

Enquanto a lagosta morria, Rosie continuou bisbilhotando. Abriu a despensa e pareceu impressionada com o nível de organização: uma prateleira para cada dia da semana, mais espaços de armazenamento extra para materiais comuns, bebida, café da manhã etc., e uma lista do estoque atrás da porta.

— Quer fazer o mesmo na minha casa?

— Você quer implementar o Sistema de Refeições Padronizadas? — Apesar de suas vantagens substanciais, a maioria das pessoas o considerava esquisito.

— Só limpar a geladeira já seria bom — disse ela. — Acho que você vai querer os ingredientes de terça-feira, adivinhei?

Informei que, como hoje era terça-feira, não havia necessidade de adivinhações.

Ela me entregou as folhas de alga nori e os flocos de bonito. Pedi o óleo de macadâmia, o sal marinho e o moedor de pimenta, todos localizados na área dos materiais comuns.

— Vinho de arroz chinês — acrescentei. — Está na seção de bebidas.

— Naturalmente — disse Rosie.

Ela me passou o vinho, depois começou a olhar as outras garrafas da seção alcoólica. Compro apenas vinho em meias garrafas.

— Então você prepara essa mesma refeição todas as terças, certo?

— Correto.

Listei as oito maiores vantagens do Sistema de Refeições Padronizadas.

1. Nenhuma necessidade de acumular livros de receita.
2. Uma lista de supermercado padrão — e, como consequência, compras bastante eficientes.
3. Desperdício quase nulo: não existe nada na geladeira nem na despensa que não seja o necessário para alguma receita.

4. Dieta planejada e nutricionalmente equilibrada, programada com antecedência.
5. Nenhum desperdício de tempo pensando no que cozinhar.
6. Nenhum erro, nenhuma surpresa desagradável.
7. Comida excelente, superior à da maioria dos restaurantes, a um preço bem mais baixo (ver item 3).
8. Mínima carga cognitiva empregada.

— Carga cognitiva?

— Os procedimentos para cozinhar ficam localizados no meu cerebelo; não há praticamente nenhum esforço consciente necessário.

— Tipo andar de bicicleta.

— Correto.

— Você é capaz de preparar lagosta-sei-lá-o-quê sem pensar?

— Salada de lagosta, manga e abacate com ovas de peixe-voador cobertas de wasabi e guarnição de alga crocante e alho-poró frito. Correto. Meu atual projeto é desossar codornas, o que ainda requer esforço consciente.

Rosie estava rindo. Isso me trouxe lembranças dos meus tempos de escola. Boas lembranças.

Ao retirar da geladeira os ingredientes adicionais para o molho, Rosie passou por mim com duas meias garrafas de chablis e as colocou no congelador com a lagosta.

— Nosso jantar parece ter parado de se mexer.

— É necessário mais tempo para ter certeza de que está morta — informei. — Infelizmente, o Incidente do Paletó perturbou o tempo de preparação. Todos os tempos terão de ser recalculados.

Percebi então que devia ter colocado a lagosta no congelador assim que chegamos em casa, mas meu cérebro tinha sido sobrecarregado com os problemas criados pela presença de Rosie. Fui até o quadro branco e comecei a anotar os novos cálculos para os tempos de preparo. Rosie estava examinando os ingredientes.

— Você ia comer isso tudo sozinho?

Eu não havia revisto o Sistema de Refeições Padronizadas desde a partida de Daphne e por isso agora comia a salada de lagosta sozinho às terças, eliminando o vinho para compensar a ingestão adicional de calorias.

— A quantidade é suficiente para duas pessoas — falei.

— A receita não pode ser escalonada para baixo. É inviável comprar uma fração de lagosta viva. — Eu tinha falado essa última frase com uma intenção mais ou menos de brincadeira, e Rosie reagiu com uma risada. Inesperadamente tive outra sensação boa enquanto continuava recalculando os tempos.

Rosie voltou a me interromper:

— Se você estivesse seguindo sua programação normal, que horas seriam agora?

— 18h38.

O relógio no micro-ondas mostrava 21h09. Rosie localizou os controles e começou a ajustar o horário. Percebi o que ela estava fazendo. Uma solução perfeita. Quando ela terminou, o relógio mostrava 18h38. Não era mais necessário nenhum cálculo e eu a parabenizei pela ideia.

— Você acabou de criar um novo fuso horário. O jantar será servido às 20h55 do fuso de Rosie.

— Evita ficar fazendo contas — explicou ela.

Aquela observação me deu a chance de fazer outra pergunta do Projeto Esposa.

— Você acha matemática difícil?

Ela riu.

— Consegue ser a parte mais difícil do meu trabalho. Fico louca.

Se a aritmética simples das contas de um bar e restaurante ia além da capacidade dela, era difícil imaginar como poderíamos ter conversas interessantes.

— Onde você esconde o saca-rolha? — perguntou.

— Vinho não está na programação das terças-feiras.

— Que se dane — disse Rosie.

Havia uma certa lógica na resposta de Rosie. Agora eu só comeria uma única porção do jantar. Era o último passo para abandonar a programação original da noite.

Declarei a mudança:

— O tempo foi redefinido. As regras anteriores já não têm validade. Declaro agora o consumo de bebida obrigatório no Fuso Horário de Rosie.

8

Enquanto eu terminava de preparar o jantar, Rosie arrumava a mesa — não a mesa de jantar convencional da sala, mas uma mesinha improvisada na varanda, criada ao arrancar-se um dos quadros brancos da parede da cozinha e colocá-lo em cima de dois grandes vasos, dos quais as plantas mortas haviam sido removidas. Um lençol branco do armário de roupas de cama e banho foi acrescentado para fazer as vezes de toalha de mesa. Na mesa, talheres de prata — um presente de boas-vindas para a casa nova dado por meus pais que nunca havia sido usado — e as taças bonitas de vinho. Ela estava destruindo o meu apartamento!

Nunca havia pensado em comer na varanda. A chuva do início da noite havia passado quando saí com a comida e estimei a temperatura em vinte e dois graus.

— Precisamos comer agora mesmo? — perguntou Rosie, uma pergunta esquisita, já que há poucas horas ela mesma tinha dito que estava morrendo de fome.

— Não, a comida não vai esfriar. Já está fria. — Eu tinha consciência de como parecia estranho. — Existe algum motivo para atrasar o jantar?

— As luzes da cidade. A vista é incrível.

— Infelizmente é estática. Depois que você a examina, não há mais motivo para olhar novamente. É como um quadro.

— Mas ela muda o tempo todo. E de manhã bem cedo? Ou quando chove? E que tal vir para cá apenas para ficar sentado sem fazer nada?

Eu não tinha nenhuma resposta capaz de satisfazê-la. Já tinha olhado aquela vista quando comprei o apartamento. Ela não mudava muito sob condições diferentes. E as únicas vezes em que eu ficava sentado sem fazer nada era quando estava em alguma sala de espera ou quando refletia sobre algum problema, caso este em que um ambiente interessante seria uma distração.

Fui até o espaço ao lado de Rosie e tornei a encher sua taça. Ela sorriu. Quase com certeza estava usando batom.

Eu tentava sempre reproduzir uma refeição padronizada e repetível, mas obviamente os ingredientes variam em qualidade de semana para semana. Os de hoje pareciam ser de um padrão elevado e incomum. A salada de lagosta nunca teve um gosto tão bom.

Eu me lembrei da regra básica de pedir que uma mulher fale de si mesma. Rosie já havia levantado o assunto de lidar com clientes difíceis no bar; portanto, pedi que elaborasse um pouco mais. Foi uma jogada excelente. Rosie tinha várias histórias hilárias para contar e gravei algumas técnicas de relacionamento interpessoal para possível uso futuro.

Terminamos a lagosta. Então Rosie abriu a bolsa e sacou de lá um maço de cigarros! Como expressar o meu horror? Fumar não é só um hábito nocivo à saúde da pessoa e perigoso para quem está por perto. É também um claro indício de uma abordagem irracional da vida. Havia um bom motivo para que esse fosse o primeiro item do meu questionário.

Rosie deve ter notado meu choque.

— Relaxe. Estamos ao ar livre.

Não havia sentido em discutir. Eu nunca mais a veria de novo depois desta noite. Ela acendeu o isqueiro e o levou na direção do cigarro entre seus lábios artificialmente vermelhos.

— Bem, tenho uma pergunta de genética para lhe fazer — disse ela.

— Prossiga. — Agora eu estava de volta a um mundo que conhecia.

— Alguém me disse que é possível dizer se um homem é monógamo ou não pelo tamanho dos seus testículos.

Os aspectos sexuais da biologia sempre aparecem na imprensa popular, portanto aquela declaração não era tão boba quanto podia parecer, embora consistisse num típico erro de interpretação. Me passou pela cabeça que aquilo poderia ser alguma espécie de código para um avanço sexual, mas decidi enveredar pelo caminho seguro e responder à pergunta de modo literal.

— Ridículo — falei.

Rosie pareceu bastante satisfeita com minha resposta.

— Você é demais — disse ela. — Acabei de ganhar uma aposta.

Continuei a explicar e notei que a expressão de satisfação de Rosie sumiu. Acho que ela havia simplificado a pergunta, e minha explicação mais detalhada foi na verdade o que ela ouvira antes.

— Pode ser que exista alguma correlação no nível individual, mas a regra se aplica à espécie. O *Homo sapiens* é basicamente monógamo, mas taticamente infiel. Os machos se beneficiam engravidando o máximo possível de fêmeas, mas são capazes de sustentar apenas um conjunto de crias. As fêmeas buscam genes com o máximo de qualidade para seus filhos e, além disso, um macho para sustentá-los.

Eu estava justamente entrando no papel familiar de professor quando Rosie me interrompeu.

— E os testículos?

— Testículos maiores produzem mais sêmen. As espécies monógamas só exigem o bastante para sua parceira. Os seres humanos precisam de mais sêmen apenas para aproveitar as oportunidades ao acaso ou para atacar o esperma de invasores recentes.

— Legal — comentou Rosie.

— Na verdade, não — continuei. — Esse comportamento evoluiu no ambiente dos nossos ancestrais. O mundo moderno exige regras adicionais.

— É — disse Rosie. — Tipo estar ao lado dos filhos.

— Correto. Mas os instintos são incrivelmente poderosos.

— Nem me diga — comentou Rosie.

Comecei a explicar:

— Os instintos são uma expressão de...

— Foi uma pergunta retórica. Já vivi isso. Minha mãe escolheu transar com algum cara na festa de formatura de medicina dela por causa dos seus genes.

— Esse tipo de comportamento é inconsciente. As pessoas não agem deliberadamente...

— Já entendi.

Duvidei. As pessoas de fora da área com frequência interpretam mal as descobertas da psicologia evolutiva. Mas a história era interessante.

— Está me dizendo que sua mãe fez sexo sem proteção fora do relacionamento?

— Com algum outro aluno — respondeu Rosie. — Quando ela ainda estava namorando o meu... — Nesse ponto, Rosie levantou as mãos e fez um gesto para baixo, duas vezes, com os dedos indicadores e médio — ... pai. Meu pai verdadeiro é médico. Só não sei quem é. Isso me tira do sério, de verdade.

Fascinado com aqueles gestos, fiquei em silêncio enquanto tentava entendê-los. Seriam um sinal de aflição por ela não saber quem era seu pai? Se sim, eu não os conhecia. E por que ela havia escolhido pontuar sua fala naquele momento para... É claro! Sinais de pontuação!

— Aspas — falei em voz alta quando a ideia me ocorreu.

— O quê?

— Você fez um sinal de aspas na palavra "pai" para destacar o fato de que essa palavra não deveria ser interpretada do modo usual. Muito inteligente.

— Bem, lá vem você — disse ela. — E eu aqui pensando que você estava refletindo sobre o probleminha sem importância da porra da minha vida. E que talvez tivesse algo de inteligente a dizer.

Eu a corrigi.

— Não é de modo algum um probleminha sem importância! — Apontei o dedo no ar para indicar um ponto de exclamação. — Você deveria insistir em obter essa informação. — Apunhalei o mesmo dedo no ar para indicar um ponto final. Era bem divertido.

— Minha mãe já morreu. Em um acidente de carro quando eu tinha dez anos. Ela nunca disse a ninguém quem é o meu pai, nem mesmo para Phil.

— Phil? — Não consegui descobrir um modo de fazer um ponto de interrogação, por isso decidi deixar a brincadeira de lado temporariamente. Essa não era hora para experimentações.

— Meu — mãos para cima, dedos se mexendo — pai. Que ficaria puto da vida se eu dissesse que quero saber.

Rosie tomou o resto do vinho na sua taça e tornou a enchê-la. Agora a segunda meia garrafa estava vazia. A história dela era triste, mas não incomum. Embora meus pais ainda mantivessem um contato rotineiro e ritual comigo, segundo meu entendimento eles haviam perdido interesse em mim há alguns anos. O papel deles fora cumprido quando me tornei capaz de me sustentar. A situação dela era um pouco diferente, entretanto, pois envolvia um padrasto. Sugeri uma explicação genética.

— O comportamento dele é completamente previsível. Você não tem os genes dele. Os leões machos matam os filhotes de outros pais quando dominam o bando.

— Obrigada pela informação.

— Posso recomendar leituras complementares se estiver interessada. Você parece bastante inteligente para uma garçonete.

— Nossa, os elogios não param.

Parecia que eu estava indo bem, e me permiti desfrutar de um instante de satisfação, que compartilhei com Rosie.

— Excelente. Não sou proficiente em encontros. Há regras demais para lembrar.

— Você está se saindo bem — disse ela. — Exceto por ficar olhando meus peitos.

Isso foi um *feedback* decepcionante. O vestido de Rosie era bastante revelador, mas estive me esforçando bastante para manter o contato visual.

— Só estava olhando seu pingente — expliquei. — É extremamente interessante.

Rosie no mesmo instante o cobriu com a mão e perguntou:

— O que tem nele?

— Uma imagem de Ísis com a inscrição: *Sum omnia quae fuerunt suntque eruntque ego.* "Sou tudo o que foi, é e será." Espero ter lido o latim corretamente; as letras são bem pequenas.

Rosie pareceu impressionada.

— E o pingente que eu estava usando de manhã?

— Um punhal com três pedrinhas vermelhas e quatro brancas.

Rosie terminou seu vinho. Parecia estar pensando em alguma coisa. No fim descobri que não era nada profundo.

— Quer outra garrafa?

Fiquei meio espantado. Já havíamos bebido o máximo recomendado. Por outro lado, ela fumava, portanto, obviamente, tinha uma atitude despreocupada em relação à saúde.

— Quer mais álcool?

— Correto — disse ela, num tom estranho. Talvez estivesse me imitando.

Fui até a cozinha selecionar outra garrafa, decidindo reduzir a quantidade de álcool consumida no dia seguinte para compensar. Então vi o relógio: 23h40. Peguei o telefone e pedi um táxi. Com sorte ele chegaria antes do início da bandeira dois, à meia-noite. Abri uma meia garrafa de shiraz para tomarmos durante a espera.

Rosie queria continuar a conversa sobre seu pai biológico.

— Você acha que pode haver alguma espécie de motivação genética? Que a vontade de querer saber quem são nossos pais pode estar programada em algum lugar dentro de nós?

— Para os pais, a capacidade de reconhecer seus filhos é algo crucial. Desse modo, podem proteger os portadores de seus genes. Já as crianças pequenas precisam ser capazes de localizar seus pais para obter essa proteção.

— Então talvez isso seja um tipo de comportamento transferido dos pais.

— Parece improvável, mas é possível. Nosso comportamento é fortemente influenciado pelos instintos.

— É, você já disse isso. Seja lá o que for, está me matando por dentro. Detonando minha cabeça.

— Por que não pergunta aos candidatos?

— "Caro doutor. Você é meu pai? Ok". Acho que não.

Uma ideia óbvia cruzou minha cabeça, óbvia porque sou um geneticista.

— Seu cabelo é de uma cor bastante incomum. Talvez...

Ela riu.

— Não existem genes para esse tom de ruivo.

Ela deve ter percebido que fiquei confuso.

— Essa cor só se consegue em frasquinhos.

Entendi do que ela estava falando. Ela havia tingido o cabelo de uma cor artificialmente berrante de propósito. Inacreditável. Eu nem sequer havia pensado em colocar uma pergunta sobre tingir o cabelo no questionário. Fiz um lembrete mental para incluir isso.

A campainha tocou. Eu não havia mencionado o táxi para ela, portanto a atualizei sobre meus planos. Ela terminou depressa o vinho, depois estendeu a mão para mim e tive a impressão de que eu não era o único que estava me sentindo estranho.

— Bem — disse ela —, foi uma noite e tanto. Tenha uma boa vida.

Aquela era uma forma fora do padrão de se desejar boa noite. Achei que seria mais seguro prosseguir com a forma convencional.

— Boa noite. Eu gostei muito da noite de hoje. — Acrescentei à fórmula: — Boa sorte na busca por seu pai.

— Valeu.

Então ela foi embora.

Fiquei agitado, mas não de um modo ruim. Era mais um caso de sobrecarga sensorial. Fiquei satisfeito em ver que restava um pouco de vinho na garrafa. Servi-o na minha taça e liguei para Gene. Claudia atendeu e eu a dispensei com amenidades.

— Preciso falar com Gene.

— Ele não está — respondeu Claudia, que parecia meio desorientada. Talvez tivesse bebido. — Achei que estivesse comendo lagosta com você.

— Gene me mandou a mulher mais incompatível do mundo. Uma garçonete. Atrasada, vegetariana, desorganizada, irracional, nada saudável, fumante — fumante! —, com problemas psicológicos, que não sabe cozinhar, é matematicamente incompetente, com uma cor de cabelo artificial. Acho que ele estava fazendo uma brincadeira comigo.

Claudia deve ter interpretado isso como uma queixa, porque perguntou:

— Está tudo bem, Don?

— Claro — respondi. — Ela era altamente divertida. Mas nem um pouco adequada ao Projeto Esposa. — Quando pronunciei essas palavras, inegavelmente verdadeiras, senti uma pontada de arrependimento que não combinava com minha análise racional. Claudia interrompeu minha tentativa de conciliar meus estados cerebrais conflitantes.

— Don, você sabe que horas são?

Eu não estava usando relógio. Então percebi meu engano. Eu tinha usado o relógio do micro-ondas como referência ao ligar para o táxi. O relógio que Rosie tinha reprogramado. Deviam ser quase 2h30 da manhã. Como é possível que eu tenha perdido a noção do tempo desse jeito? Era uma lição grave sobre os perigos de brincar com os horários. Rosie pagaria a bandeira dois.

Deixei Claudia voltar a dormir. Ao apanhar os dois pratos e as duas taças para trazê-los para dentro, olhei mais uma vez para a vista noturna da cidade — aquela que eu nunca havia visto antes, muito embora sempre houvesse estado ali.

Decidi pular minha prática de aikido antes de dormir. E deixar a mesa improvisada onde ela estava.

9

— Eu lancei Rosie no jogo como um curinga — explicou Gene quando, no dia seguinte, eu o acordei do cochilo fora de hora que ele estava tirando embaixo da mesa da sala dele.

Gene parecia péssimo e eu lhe disse que ele deveria evitar ficar acordado até tão tarde — embora pela primeira vez eu tivesse cometido o mesmo erro. Era importante que ele almoçasse no horário certo para que seu ritmo circadiano voltasse ao normal. Ele tinha trazido almoço de casa e nós fomos até um gramado nos limites da universidade. No caminho, comprei uma salada de algas, missoshiro e uma maçã na lanchonete japonesa.

Estava um dia lindo. Infelizmente isso queria dizer que havia várias mulheres com pouca roupa para distrair Gene, sentadas na grama ou andando por ali. Gene tem cinquenta e seis anos, embora essa informação não deva ser revelada. Naquela idade, a testosterona dele deveria ter decaído até um nível em que seu desejo sexual ficasse significativamente reduzido. Segundo a minha teoria, a fixação incomum de Gene em sexo se deve ao hábito mental — mas a fisiologia humana varia e ele podia ser uma exceção.

Por sua vez, acho que Gene acredita que eu tenho um desejo sexual incomumente baixo. Não é verdade — a diferença é que não tenho tanta aptidão quanto ele para expressar meu desejo de um jeito socialmente aceitável. Minhas tentativas ocasionais de imitar Gene foram malsucedidas ao extremo.

Encontramos um banco e Gene começou suas explicações.

— Ela é uma conhecida minha — disse ele.

— Não é dos questionários?

— Não é dos questionários.

Isso explicava o fato de ela fumar. Na verdade, explicava tudo. Gene havia voltado à prática ineficiente de recomendar conhecidas para mim. A expressão em meu rosto deve ter denunciado minha irritação.

— Está perdendo tempo com esse questionário. Você se daria melhor se medisse o tamanho dos lóbulos das orelhas delas.

Atração sexual é a especialidade de Gene.

— Existe alguma correlação?

— As chances de quem tem lóbulos grandes escolher alguém com lóbulos grandes são imensas. É um prognóstico melhor do que o QI.

Era inacreditável, mas boa parte do comportamento humano desenvolvido no ambiente de nossos ancestrais parece mesmo inacreditável quando à luz do contexto da atualidade. A evolução não conseguiu acompanhar. Mas lóbulos de orelha?! Será possível existir uma base mais irracional do que essa para um relacionamento? Não admira os casamentos acabarem.

— E aí, você se divertiu? — perguntou Gene.

Informei que essa pergunta era irrelevante; meu objetivo era encontrar uma companheira, e Rosie era sem sombra de dúvida inadequada. Gene me fez desperdiçar uma noite.

— Mas você se divertiu ou não? — insistiu ele.

Estaria ele esperando uma resposta diferente para a mesma pergunta? Para ser sincero, eu não havia respondido exatamente o que ele perguntou, mas por um bom motivo. Não tive tempo de refletir sobre aquela noite e de determinar uma resposta adequada. Supus que dizer "me diverti" seria simplificar uma experiência bastante complexa.

Forneci a Gene um resumo dos acontecimentos. Quando estava contando a história do jantar na varanda, ele me interrompeu.

— Se você encontrar Rosie de novo...

— Não existe nenhum motivo para encontrar Rosie de novo.

— *Se você encontrar Rosie de novo* — continuou Gene —, talvez seja uma boa ideia não falar do Projeto Esposa. Já que ela não se adapta.

Ignorando a suposição incorreta de que eu poderia vê-la de novo, aquilo parecia ser um bom conselho.

Naquele ponto a conversa mudou radicalmente de direção e não tive a oportunidade de descobrir como Gene e Rosie haviam se conhecido. O motivo da mudança foi o sanduíche de Gene. Ele deu uma mordida, depois soltou um grito de dor e agarrou a garrafa de água.

— Puta merda. Puta merda. Claudia colocou pimenta no meu sanduíche.

Era difícil entender como Claudia cometeria um erro dessa natureza, mas a prioridade agora era reduzir a dor. Pimenta é insolúvel em água, portanto beber água não seria eficiente. Eu o aconselhei a encontrar óleo. Voltamos para a lanchonete japonesa e não conseguimos mais conversar sobre Rosie. Entretanto, eu já tinha as informações básicas das quais precisava. Gene havia escolhido uma mulher sem usar o questionário como referência. Vê-la de novo estaria em total contradição com a lógica do Projeto Esposa.

Ao pedalar de volta para casa, reconsiderei a questão. Pude enxergar três motivos pelos quais talvez fosse preciso ver Rosie de novo.

1. A elaboração de um bom questionário exige o uso de um grupo de controle. Seria interessante utilizar Rosie como padrão de comparação com mulheres selecionadas pelo questionário.
2. O questionário não havia rendido nenhuma possível parceira até então. Eu poderia interagir com Rosie nesse meio-tempo.
3. Como geneticista com acesso a análises de DNA e conhecimento para interpretá-las, eu estava em posição de ajudar Rosie a encontrar seu pai biológico.

Os motivos 1 e 2 eram inválidos. Rosie com certeza não era uma parceira adequada para a minha vida. Não havia sentido em interagir com alguém tão flagrantemente inapropriado. O motivo 3, porém, merecia consideração. Usar minhas habilidades para ajudá-la na busca de um conhecimento importante e alinhado com meu propósito de vida. Eu poderia fazer isso no tempo que destinei para o Projeto Esposa até surgir uma candidata adequada.

A fim de dar prosseguimento, eu precisava restabelecer contato com Rosie. Não queria contar a Gene que havia planejado vê-la novamente logo depois de ter falado que as chances de fazer isso eram nulas. Felizmente me lembrei do nome do bar onde ela trabalhava: Marquess of Queensbury.

Havia apenas um bar com esse nome, numa ruela da periferia. Eu já havia mesmo modificado a agenda daquele dia e cancelado minha ida ao mercado para recuperar o sono perdido. Compraria um jantar pronto em vez disso. Algumas vezes sou acusado de ser inflexível, mas acho que isso prova a capacidade que eu tenho de me adaptar às circunstâncias mais estranhas.

Cheguei às 19h04, para então descobrir que o bar só abria às 21h. *Inacreditável*. Não admira que as pessoas cometam erros no trabalho. Será que o lugar estaria cheio de cirurgiões e controladores de voo que bebem até de madrugada e depois vão trabalhar no dia seguinte?

Jantei num restaurante indiano ali perto. Quando consegui dar conta do meu banquete e voltar para o bar, já eram 21h27. Havia um segurança na porta e eu me preparei para uma reprise da noite anterior. Ele me examinou com atenção e depois perguntou:

— Você sabe que tipo de lugar é este?

Estou bastante familiarizado com bares, talvez até mais do que a maioria das pessoas. Quando viajo para conferências, em geral descubro algum bar agradável perto do meu hotel para comer e beber todas as noites. Respondi de modo afirmativo e entrei.

Fiquei me perguntando se tinha vindo ao lugar certo. A característica mais óbvia de Rosie é que era mulher, mas os clientes do Marquess of Queensbury eram todos, sem exceção, homens. Muitos usavam trajes nada convencionais, e levei alguns minutos para examinar o local. Dois homens notaram que eu estava olhando para eles e um deles deu um sorriso amplo e assentiu para mim. Sorri de volta. Parecia um lugar simpático.

Mas eu estava ali para encontrar Rosie. Fui até o bar. Os dois homens me seguiram e sentaram-se um de cada lado de mim. O barbeado usava uma camiseta cortada e obviamente passava um bom tempo na academia. Pode ser que o uso de anabolizantes também estivesse envolvido. O de bigode usava roupa de couro e boné preto.

— Nunca vi você aqui antes — disse Boné Preto.

Eu lhe dei a explicação mais simples:

— Nunca vim aqui antes.

— Posso lhe pagar uma bebida?

— Você está se oferecendo para me pagar uma bebida? — Era uma sugestão incomum de um estranho, e supus que seria esperado que eu retribuísse na mesma medida.

— Acho que foi o que eu disse — respondeu Boné Preto.

— Com o que podemos tentar você hoje?

Eu lhe disse que o sabor não importava, desde que contivesse álcool. Como acontece na maioria das situações sociais, eu estava nervoso.

Então Rosie apareceu do outro lado do bar, vestida de modo convencional para o seu papel, com uma camisa preta de colarinho. Senti um alívio imenso. Tinha vindo ao lugar certo e ela estava trabalhando. Boné Preto acenou para ela e pediu três Budweisers. Então Rosie me viu.

— Don.

— Saudações.

Rosie olhou para nós e perguntou:

— Vocês estão juntos?

— Em alguns minutos estaremos — respondeu o Homem Anabolizante.

Rosie disse:

— Acho que Don veio aqui pra me ver.

— Correto.

— Bom, desculpe então por interromper sua vida social lhe pedindo para servir bebidas — disse Boné Preto para Rosie.

— Você podia tentar DNA — falei para ela.

Rosie obviamente não entendeu, devido à falta de contexto.

— O quê?

— Para identificar seu pai. DNA seria a abordagem mais óbvia.

— Claro — disse Rosie. — Óbvio. "Por favor me envie seu DNA para que eu possa identificar se você é meu pai." Esqueça, eu falei sem pensar ontem.

— Você podia coletar o DNA. — Não tive certeza de como Rosie reagiria à parte seguinte da minha sugestão. — Sub-repticiamente.

Rosie ficou em silêncio. Ela estava pelo menos considerando a ideia. Ou então tentando decidir se me denunciava ou não. Sua resposta apoiou a primeira possibilidade:

— E quem vai analisar?

— Sou um geneticista.

— Você está me dizendo que, se eu conseguir uma amostra, você a analisaria para mim?

— É a coisa mais trivial do mundo — falei. — Quantas amostras precisaremos testar?

— Provavelmente apenas uma. Tenho um palpite bastante bom. Ele é amigo da família.

O Homem Anabolizante pigarreou alto e Rosie apanhou duas cervejas na geladeira. Boné Preto colocou uma nota de vinte no balcão, mas Rosie a empurrou de volta e fez um gesto para eles irem.

Tentei imitar aquele truque do pigarro. Rosie levou um instante para interpretar a mensagem dessa vez, mas depois me deu uma cerveja.

— Do que você precisa? — perguntou. — Para testar o DNA?

Expliquei que em geral usamos *swabs* para coleta de saliva, mas que seria impraticável fazer isso sem o conhecimento do indivíduo.

— Sangue seria excelente, mas raspas de pele, muco, urina...

— Deixa para lá — disse Rosie.

— Material fecal, sêmen...

— Nossa, a coisa só está melhorando — comentou Rosie. — Eu poderia transar com um amigo sessentão da família na expectativa de que ele seja meu pai.

Fiquei chocado.

— Você faria sexo com...

Rosie explicou que estava brincando. Com um assunto tão sério! Estava ficando cheio ao redor do bar e um monte de pigarros começou por toda parte. Um jeito muito eficiente de espalhar uma doença. Rosie anotou um número de telefone num papel.

— Me liga.

10

Na manhã seguinte, voltei com certo alívio para a rotina que havia sido tão perturbada nos dois últimos dias. Minhas idas de terças, quintas e sábados à feira são parte importante da minha agenda, pois combinam exercício, compra de ingredientes para as refeições e oportunidade para reflexão. Eu estava precisando muito dessa última.

Uma mulher havia me dado seu telefone e me pedido para ligar. Mais do que o Incidente do Esporte Fino, do Jantar na Varanda e até mesmo a empolgação do potencial Projeto Pai, isso havia abalado meu mundo. Eu sabia que era algo que acontecia com frequência: as pessoas nos livros, filmes e programas de TV fazem exatamente o que Rosie tinha feito. Mas isso nunca havia acontecido comigo. Nenhuma mulher jamais havia anotado seu telefone num papel de modo casual, automático, irrefletido, e dito, "Me liga". Eu havia sido temporariamente incluído numa cultura que considerava estar fechada para mim. Embora fosse completamente lógico que Rosie me fornecesse um meio de contato, eu tinha a sensação irracional de que, quando ligasse, ela perceberia que tinha cometido uma espécie de erro.

Cheguei à feira e comecei as compras. Pelo fato de os ingredientes de cada dia serem padronizados, eu sei a quais barracas devo ir, e os vendedores em geral já deixam meus itens pré-embalados. Eu só preciso pagar. Eles me conhecem bem e são sempre simpáticos.

Entretanto, não é possível conciliar uma atividade intelectual intensa com o processo de fazer compras e isso se deve à quantidade de obstáculos humanos e inanimados existentes: pedaços de legumes no chão, idosas com carrinhos de feira, atendentes que ainda estão montando as barracas, mulheres asiáticas comparando preços, gente entregando produtos e turistas tirando fotos uns dos outros na frente dos alimentos. Por sorte, em geral, eu sou o único que faz *jogging* por ali.

A caminho de casa, retomei minha análise da situação com Rosie. Percebi que minhas ações tinham sido motivadas mais por instinto do que pela lógica. Havia muitas pessoas precisando de ajuda, muitas delas em posição de maior aflição do que Rosie, diversos projetos científicos dignos de importância que representariam um uso melhor do meu tempo do que uma busca para descobrir o pai de um indivíduo. E, claro, eu deveria priorizar o Projeto Esposa. Melhor pressionar Gene para selecionar mulheres mais adequadas da lista ou então relaxar em alguns dos critérios menos importantes de seleção, como eu já havia feito no caso da regra de não beber.

A decisão lógica era entrar em contato com Rosie e explicar que o Projeto Pai não era uma boa ideia. Telefonei às 6h43, ao voltar da minha corrida, e deixei um recado pedindo para que ela ligasse de volta. Quando desliguei, estava suando, apesar de a manhã ainda estar fria. Torci para não ser sinal de uma febre.

Rosie retornou a ligação quando eu estava dando aula. Em geral desligo o celular nessas ocasiões, mas estava ansioso para dar fim a esse problema. Estava me sentindo estressado ante a perspectiva de uma interação em que seria necessário recusar uma oferta. Falar ao telefone diante de um auditório cheio de alunos era esquisito, principalmente porque eu estava usando um microfone de lapela.

Eles podiam ouvir o meu lado da conversa.

— Oi, Rosie.

— Don, só queria agradecer por você estar fazendo isso por mim. Eu não tinha me dado conta do quanto isso estava me corroendo por dentro. Conhece aquele café em frente ao Prédio do Comércio, o Barista's? Que tal amanhã, às duas da tarde?

Agora que Rosie havia aceitado minha oferta de ajuda, seria imoral, e tecnicamente uma quebra de contrato, retirá-la.

— Barista's às 14h, amanhã — confirmei, embora estivesse temporariamente incapacitado de acessar a agenda em minha cabeça graças à sobrecarga emocional.

— Você é demais — disse ela.

O tom dela indicava que este era o fim da sua contribuição à conversa. Era minha vez de usar um chavão tradicional para responder, e o mais óbvio seria apenas repetir "Você também é demais". Mas até eu pude perceber que aquilo não fazia o menor sentido. Ela seria a beneficiária da minha demais-ice em conhecimentos genéticos. Ao rever a conversa, penso que eu poderia apenas ter dito "Até mais" ou "A gente se vê", mas não havia tempo para reflexões. A pressão para dar uma resposta no tempo adequado era considerável.

— Também gosto de você.

Todo o auditório explodiu num aplauso geral.

Uma aluna da fileira da frente disse:

— Bacana. — Ela estava sorrindo.

Felizmente estou acostumado a provocar divertimento sem intenção.

Não me senti tão triste assim por ter falhado em encerrar o Projeto Pai. A quantidade de trabalho envolvida em uma testagem de DNA é trivial.

Nós nos encontramos no Barista's no dia seguinte às 14h07. Nem preciso dizer que o atraso foi culpa de Rosie. Meus alunos ficariam me esperando para a aula das 14h15. Minha intenção havia sido apenas instruí-la em como coletar uma amostra para teste de DNA, mas ela parecia incapaz de assimilar as instruções. Refletindo agora, acho que eu estava oferecendo opções demais e detalhes técnicos demais com muita rapidez. Tendo apenas sete minutos para discutir o problema (pois precisava reservar um minuto para correr até a aula), concordamos que a solução mais simples seria coletarmos juntos a amostra.

Chegamos na residência do Dr. Eamonn Hughes, o pai suspeito, na tarde de sábado. Rosie havia ligado antes.

Eamonn parecia mais velho do que eu havia esperado. Supus sessenta anos e um IMC de vinte e três. A esposa de Eamonn, que se chamava Belinda (cerca de cinquenta e cinco anos e IMC de vinte e oito), nos serviu um café, como previsto por Rosie. Isso era crítico, pois havíamos decidido que a borda da xícara de café seria uma fonte ideal de saliva. Eu me sentei ao lado de Rosie e fingi ser amigo dela. Eamonn e Belinda sentaram-se à nossa frente e tive dificuldade em afastar os olhos da xícara de Eamonn.

Por sorte, não foi necessário que eu enveredasse por uma conversa mole. Eamonn era cardiologista e tivemos uma conversa fascinante sobre marcadores genéticos para doenças cardíacas. Eamonn finalmente terminou o café e Rosie se levantou para levar as xícaras até a cozinha. Ali ela poderia raspar a borda da xícara e teríamos uma amostra excelente. Quando discutimos o plano, sugeri que levar as xícaras poderia ser uma quebra da convenção social, mas Rosie me garantiu que Eamonn e Belinda eram amigos muito próximos da família e que, sendo mais nova, deixariam que ela fizesse essa tarefa. Pela primeira vez na vida, porém, meus conhecimentos sobre as convenções sociais se provaram mais corretos. Infelizmente.

Quando Rosie apanhou a xícara de Belinda, ela disse:

— Pode deixar aí, eu lavo depois.

Rosie respondeu:

— Não, faço questão. — E pegou a xícara de Eamonn.

Belinda apanhou a minha xícara e a de Rosie e disse:

— Tudo bem, venha me dar uma mão.

As duas foram juntas até a cozinha. Era óbvio que seria difícil Rosie raspar a xícara de Eamonn sem Belinda ver, mas não pude pensar em nenhum jeito de tirar Belinda da cozinha.

— Rosie lhe contou que fui colega da mãe dela na faculdade de medicina?

Fiz que sim. Se eu fosse psicólogo, poderia ter conseguido inferir pela conversa e pela linguagem corporal de Eamonn se ele escondia ser pai de Rosie. Poderia inclusive levar a conversa para uma direção em que conseguiria montar uma armadilha para ele. Por sorte não estávamos nos baseando em minhas habilidades nessa área. Se Rosie conseguisse coletar a amostra, eu seria capaz de fornecer uma resposta muito mais confiável do que uma que derivasse de observações do comportamento.

— Se isso serve de encorajamento — disse Eamonn —, a mãe de Rosie era meio maluca na juventude. Muito inteligente, bonita, podia ter qualquer um. Todas as outras alunas de medicina se casariam com médicos. — Ele sorriu. — Mas ela surpreendeu todo mundo e escolheu um cara de fora que insistiu e ficou com ela.

Sorte que eu não estava procurando sinais. Minha expressão deve ter passado a minha total falta de compreensão.

— Desconfio que Rosie talvez siga os passos da mãe — continuou ele.

— Em que aspecto da vida dela? — Parecia mais seguro buscar esclarecimento do que supor que ele estava querendo dizer no quesito engravidar de um colega desconhecido ou morrer. Esses eram os únicos fatos que eu conhecia sobre a mãe de Rosie.

— Só estou dizendo que provavelmente você é bom para ela. E que ela passou por maus bocados. Pode me mandar cuidar da minha vida, se quiser. Mas ela é uma ótima menina.

Agora a intenção daquela conversa ficou clara, embora Rosie com certeza fosse velha demais para ser chamada de menina. Eamonn pensava que eu era namorado de Rosie. Um erro compreensível. Para corrigi-lo, eu necessariamente precisaria contar uma mentira, portanto decidi ficar quieto. Então ouvimos o som de louça se quebrando.

Eamonn gritou:

— Tudo bem aí?

— Quebrei uma xícara, só isso — respondeu Belinda.

Quebrar uma xícara não fazia parte do plano. Provavelmente Rosie a deixara cair de nervosismo ou tentando evitar que Belinda a pegasse. Fiquei irritado comigo mesmo por não ter um plano alternativo. Não havia tratado esse projeto como um trabalho de campo sério. Era constrangedoramente antiprofissional e agora era responsabilidade minha encontrar uma solução. Certamente seria necessário lançar mão de um embuste, e não sou muito bom em embustes.

A melhor abordagem era tentar obter uma amostra de DNA por meios legítimos.

— Já ouviu falar do Projeto Genográfico?

— Não — respondeu Eamonn.

Expliquei que, com uma amostra do DNA dele, seria possível rastrear seus ancestrais distantes. Ele ficou fascinado. Eu me ofereci para analisar os dados dele se ele pudesse fazer a coleta de saliva com um *swab* e depois enviá-la para mim.

— Vamos fazer isso agora mesmo, antes que eu me esqueça — disse ele. — Serve sangue?

— Sangue é ideal para testagem de DNA, mas...

— Sou médico — disse ele. — Me dê só um minuto.

Eamonn saiu da sala e pude ouvir Belinda e Rosie conversando na cozinha.

Belinda perguntou:

— Tem visto seu pai?

— Vamos passar para a próxima pergunta — disse Rosie.

Belinda em vez disso respondeu com uma afirmação.

— Don parece ser legal.

Excelente. Eu estava indo bem.

— É só um amigo — disse Rosie.

Se ela soubesse quantos amigos eu tenho, talvez tivesse se dado conta do grande elogio que havia me feito.

— Ah, sim — disse Belinda.

Rosie e Belinda voltaram para a sala ao mesmo tempo, bem quando Eamonn chegava com sua maleta de médico. Belinda deduziu com razão que devia haver algum problema médico, mas Eamonn explicou sobre o Projeto Genográfico. Belinda era enfermeira e tirou a amostra de sangue com profissionalismo.

Quando entreguei o tubo de ensaio cheio para Rosie guardar em sua bolsa, notei que as mãos dela tremiam. Diagnostiquei ansiedade, certamente relacionada à confirmação iminente da paternidade de Eamonn. Não me surpreendi quando ela perguntou se poderíamos analisar a amostra imediatamente. Isso exigiria abrir o laboratório numa noite de sábado, mas pelo menos o projeto estaria concluído.

* * *

O laboratório estava vazio: em toda a universidade, a ideia arcaica de trabalhar de segunda a sexta resulta numa subutilização inacreditável de instalações caras. A universidade estava testando um equipamento de análise capaz de detectar com grande rapidez as relações genéticas pais-filhos. É possível obter amostras de DNA de uma grande variedade de fontes e apenas algumas poucas células são necessárias para fazer uma análise, mas o trabalho de preparação pode ser demorado e complexo. Com sangue, era fácil.

A nova máquina ficava numa salinha que antes tinha sido uma copa, com pia e geladeira. Por um instante desejei que fosse mais imponente (uma invasão incomum do ego em meus pensamentos). Destranquei a geladeira e abri uma cerveja. Rosie pigarreou alto. Reconheci o código e abri uma para ela também.

Tentei explicar o processo para Rosie enquanto fazia os preparativos, mas ela parecia não conseguir parar de falar, mesmo enquanto usava o *swab* para me fornecer uma amostra das células da parte interna da própria boca.

— Não dá para acreditar que seja assim tão fácil. Tão rápido. Acho que eu sempre soube, em certo nível. Ele me dava presentes quando eu era pequena.

— Esta é uma máquina bastante específica para uma tarefa tão trivial.

— Uma vez ele me deu um tabuleiro de xadrez. Phil só me dava coisas de menina, caixinhas de joias, esse tipo de bosta. Bem esquisito para um personal trainer, se você parar para pensar.

— Você joga xadrez?

— Não exatamente. Mas a questão não é essa. Ele respeitava o meu cérebro. Ele e Belinda nunca tiveram filhos. Tenho a impressão de que ele sempre estava por perto. Talvez até tenha sido o melhor amigo da minha mãe, mas nunca pensei nele conscientemente como sendo meu pai.

— Ele não é — declarei.

O resultado havia surgido na tela do computador. Tarefa concluída. Comecei a arrumar minhas coisas para ir embora.

— Uau — disse Rosie. — Já pensou em ser conselheiro sentimental?

— Não. Já pensei em seguir diversas carreiras, mas todas no ramo da ciência. As habilidades interpessoais não são meu forte.

Rosie caiu na gargalhada.

— Você está prestes a receber um curso-relâmpago de conselheiro sentimental.

Descobri depois que isso era uma espécie de brincadeira, uma vez que o entendimento de Rosie sobre o que faz um conselheiro sentimental se baseava inteiramente na administração de álcool. Fomos ao Jimmy Watson's, na Lygon Street, que ficava a uma curta caminhada de distância, e como sempre, mesmo num fim de semana, estava lotado de acadêmicos. Sentamos ao balcão do bar e fiquei surpreso ao descobrir que Rosie, que servia bebidas profissionalmente, tivesse tão poucos conhecimentos sobre vinho. Alguns anos atrás, Gene sugeriu que vinhos eram o assunto perfeito para uma conversa segura, e fiz algumas pesquisas sobre o tema. Tinha familiaridade com a procedência dos vinhos que costumavam ser oferecidos naquele bar. Nós bebemos bastante.

Rosie tinha saído por alguns minutos por causa do seu vício em nicotina. O *timing* foi perfeito, porque um casal veio do pátio e passou pelo bar. O homem era Gene! A mulher não era Claudia, mas eu a reconheci: era Olivia, a indiana vegetariana do Table for Eight. Nenhum dos dois me viu e passaram depressa demais para que eu conseguisse dizer alguma coisa.

Minha confusão de ver os dois juntos deve ter ajudado na decisão seguinte. Um garçom apareceu e perguntou:

— Acaba de vagar uma mesa para dois no pátio. Os senhores vão jantar conosco?

Fiz que sim. Teria de congelar as compras que fiz hoje para comer no sábado que vem, o que resultaria em uma perda de nutrientes. O instinto mais uma vez havia suplantado a lógica.

A reação de Rosie ao voltar e descobrir que estavam arrumando uma mesa para nós pareceu ser positiva. Com certeza ela estava com fome, mas foi gratificante saber que não cometi um erro de análise, coisa que é sempre mais provável quando gêneros diferentes estão envolvidos.

A comida era excelente. Comemos ostras frescas (de criação sustentável), sashimi de atum (escolhido por Rosie e provavelmente não proveniente de criação sustentável), uma porção de beringela com muçarela (Rosie), pâncreas de vitela (eu), queijo (nós dois) e uma única porção de musse de maracujá (que dividimos). Pedi uma garrafa de marsanne, que foi um acompanhamento excelente.

Rosie passou boa parte do jantar tentando explicar por que queria localizar seu pai biológico. Não pude ver muito motivo. Antigamente, pode ser que esse conhecimento ajudasse a determinar o risco de doenças herdadas geneticamente, mas hoje Rosie poderia fazer a análise diretamente de seu próprio DNA. Do ponto de vista pragmático, seu padrasto Phil parecia ter desempenhado o papel de pai, embora Rosie tivesse várias reclamações sobre o desempenho dele. Era um homem egoísta; inconsistente na sua atitude em relação a ela; sujeito a variações de humor. Também se opunha fortemente a bebidas alcoólicas. Considerei esta uma posição bastante defensável, mas era causa de atrito entre eles.

A motivação de Rosie parecia ser emocional, e, embora eu não conseguisse entender a psicologia por trás disso, estava claro que era algo muito importante para a felicidade dela.

Depois que Rosie terminou a musse, pediu licença para "ir ao banheiro". Isso me deu tempo para refletir. Percebi que estava no processo de terminar um jantar sem incidentes, e na verdade extremamente agradável, com uma mulher, uma conquista significativa que eu estava ansioso para compartilhar com Gene e Claudia.

Concluí que a falta de problemas se devia a três fatores.

1. Eu estava em um restaurante familiar. Nunca me passou pela cabeça levar uma mulher (ou ninguém) para o Jimmy Watson's, um lugar que antes eu só havia utilizado como fonte de vinho.

2. A saída com Rosie não era um encontro romântico. Eu a havia rejeitado compreensivelmente como parceira em potencial, e só estávamos juntos por causa de um projeto comum. Era como se fosse uma reunião de negócios.

3. Eu estava meio inebriado — e portanto relaxado. Como resultado, pode ser que meus erros sociais tenham me passado despercebidos.

No fim do jantar, pedi duas taças de Sambuca e perguntei:

— Quem vamos testar agora?

11

Além de Eamonn Hughes, Rosie só conhecia dois outros "amigos da família" da turma de formatura da mãe. Para mim parecia bastante improvável que alguém que tivera sexo ilícito com a mãe dela continuasse mantendo contato com Rosie, dada a presença de Phil. Porém, existia o argumento evolutivo de que talvez ele quisesse ter certeza de que o portador de seus genes estava recebendo os cuidados adequados. Esse era basicamente o argumento de Rosie também.

O primeiro candidato era o Dr. Peter Enticott, que morava na região. O outro, Alan McPhee, morreu de câncer de próstata — uma boa notícia para Rosie porque, por não ter próstata, ela não poderia herdar aquilo. Parece que Alan tinha sido um oncologista, mas não conseguiu detectar o câncer em si mesmo, situação que não é incomum. Os seres humanos muitas vezes deixam de enxergar o que está perto deles e que parece óbvio para os demais.

Felizmente ele tinha uma filha, com quem Rosie socializara quando pequena. Rosie marcou um encontro com Natalie para dali a três dias com o pretexto de ver o bebê recém-nascido dela.

Voltei à minha rotina normal, mas o Projeto Pai não parava de se intrometer em seus pensamentos. Eu me preparava para a coleta de DNA (não queria repetir o problema da xícara quebrada). Também tive outra discussão acalorada com a Chefe do Departamento por causa do Incidente do Linguado.

Uma das minhas tarefas é ensinar genética aos alunos de medicina. Na primeira turma do semestre passado, um aluno, que não se identificou, levantou a mão logo depois que exibi meu primeiro slide. É um belo e brilhante resumo diagramático da evolução, dos organismos unicelulares, até a inacreditável variedade de formas de vida atuais. Somente meus colegas do Departamento de Física são capazes de oferecer uma história assim tão extraordinária quanto a que está contada ali. Não consigo entender por que algumas pessoas se interessam mais pelo resultado de uma partida de futebol ou pelo peso de uma atriz.

Esse aluno pertencia a outra categoria.

— Professor Tillman, o senhor usou a palavra "evoluiu".

— Correto.

— Acho que o senhor deveria observar que a evolução é apenas uma teoria.

Não era a primeira vez que eu recebia uma pergunta — ou afirmação — do gênero. Eu sabia por experiência própria que não conseguiria demover a visão do aluno, que inevitavelmente devia se basear em dogmas religiosos. A única coisa que podia fazer era garantir que ele não fosse levado a sério pelos outros médicos em treinamento.

— Correto — respondi —, mas o seu uso do termo "apenas" é enganoso. A evolução é uma teoria apoiada por evidências de peso. Como a teoria do germe nas doenças, por exemplo. Como médico, espera-se que o senhor se apoie na ciência, a menos que deseje ser um curandeiro que se baseia na fé, e, neste caso, você está no curso errado.

Algumas risadas. O Curandeiro protestou:

— Não estou falando de fé. Estou falando de *ciência* da criação.

Houve apenas uns poucos gemidos na classe. Sem dúvida vários alunos presentes vinham de culturas nas quais criticar a religião não é algo bem tolerado. Tal como a nossa. Eu fui proibido de fazer comentários sobre religião depois de um incidente anterior. Poderia ter insistido naquela argumentação, mas já sabia que era melhor não me deixar desviar por um aluno. Minhas aulas são programadas para durar precisamente cinquenta minutos.

— A evolução é uma teoria — falei. — Não existe nenhuma outra teoria sobre a origem da vida que tenha ampla aceitação entre os cientistas, nem que apresente qualquer utilidade para a medicina. Portanto, nós iremos admiti-la nessa aula.

Achei que tinha lidado bem com a situação, mas fiquei incomodado com a falta de tempo para argumentar contra a pseudociência do criacionismo.

Algumas semanas depois, quando estava comendo no Clube Universitário, descobri uma maneira de deixar claro meu ponto de vista, de modo sucinto. Ao entrar no bar, notei um dos membros comendo um linguado ainda com cabeça. Depois de uma conversa ligeiramente estranha, consegui a cabeça e o esqueleto do peixe, que embrulhei e armazenei na minha mochila.

Quatro dias depois, dei aula para aquela turma. Localizei o Curandeiro e lhe fiz uma pergunta preliminar.

— Você acredita que os peixes foram criados nas suas formas atuais por um criador inteligente?

Ele pareceu surpreso com a pergunta, talvez porque já tivessem se passado várias semanas desde a nossa discussão. Mas fez que sim, concordando.

Eu desembrulhei o linguado. Ele havia adquirido um cheiro forte, mas os alunos de medicina devem estar preparados para lidar com objetos orgânicos desagradáveis em nome do conhecimento. Indiquei a cabeça:

— Observe que os olhos não são simétricos. — Os olhos na verdade haviam se decomposto, mas a localização das órbitas continuava bastante evidente. — Isso ocorre porque o linguado evoluiu a partir de um peixe convencional, com olhos nas laterais da cabeça. Um dos olhos aos poucos migrou para a frente, mas apenas o bastante para funcionar de modo eficaz. A evolução não se importou em deixar a coisa bonitinha. Mas um criador inteligente com certeza não criaria um peixe com essa imperfeição.

Dei o peixe ao Curandeiro para que ele pudesse examiná-lo e continuei a aula.

Ele aguardou até o início do novo ano letivo para fazer uma reclamação formal.

Durante minha conversa com a Chefe do Departamento, ela sugeriu que eu havia tentado humilhar o Curandeiro, embora minha intenção houvesse sido dar andamento a uma discussão. Uma vez que ele havia utilizado o termo *"ciência da criação"* e não mencionou nada referente a religião, argumentei que eu não podia ser acusado de denegrir nenhuma crença religiosa. Eu estava simplesmente contrastando uma teoria com outra. Ele podia ficar à vontade para trazer exemplos que rebatessem aquele em sala de aula.

— Don — disse ela —, como sempre, tecnicamente, você não quebrou nenhuma regra. Mas... como posso dizer isso? Se alguém me dissesse que um professor levou um peixe morto para a sala e o deu a um aluno que fez uma declaração de cunho religioso, eu logo adivinharia que o professor foi você. Entende onde quero chegar?

— Você está dizendo que entre os docentes sou a pessoa com maior probabilidade de agir de modo não convencional.

E você quer que eu aja de modo mais convencional. Parece um pedido incoerente para se fazer a um cientista.

— Só quero que você não aborreça as pessoas.

— Ficar aborrecido e reclamar porque sua teoria foi rechaçada não é científico.

A conversa terminou, mais uma vez, com a Chefe do Departamento insatisfeita comigo, muito embora eu não tivesse quebrado nenhuma regra, e me lembrando de que eu precisava me esforçar mais para "me encaixar". Ao deixar a sala dela, sua assistente pessoal, Regina, veio falar comigo.

— Creio que ainda não vi o seu nome no baile da faculdade, professor Tillman. Acho que você é o único professor que ainda não comprou ingressos.

Ao pedalar de volta para casa, percebi um aperto no meu peito e me dei conta de que era uma resposta física ao conselho da Chefe do Departamento. Sabia que, se não conseguisse "me encaixar" no departamento de ciências de uma universidade, não conseguiria me encaixar em lugar nenhum.

Natalie McPhee, filha do falecido Dr. Alan McPhee, pai biológico em potencial de Rosie, morava a dezoito quilômetros da cidade, uma distância possível de se percorrer de bicicleta. Rosie, no entanto, decidiu que deveríamos ir de carro. Fiquei impressionado ao vê-la dirigindo um Porsche vermelho conversível.

— É do Phil.

— Do seu "pai"? — Fiz o sinal de aspas no ar.

— É, ele está na Tailândia.

— Achei que ele não gostasse de você. Mas ele lhe emprestou o carro?

— É o tipo de coisa que ele faz. Nada de amor, só coisas.

O Porsche seria o veículo perfeito para emprestar a alguém de quem não se gosta. Tinha dezessete anos (portanto usava uma tecnologia de emissão antiga), alto consumo de combustível, pouco espaço para esticar as pernas, barulho extremo de vento e sistema de ar-condicionado quebrado. Rosie confirmou minha suposição de que era um carro não confiável e de difícil manutenção.

Quando chegamos à casa de Natalie, percebi que durante todo o caminho eu tinha ficado calado, escutando e pensando sobre as deficiências do veículo. Se por um lado evitei conversa fiada, por outro não dei a Rosie as coordenadas sobre o método de coleta de DNA.

— Sua tarefa será distraí-la com uma conversa enquanto eu coleto o DNA.

Seria o melhor aproveitamento possível de nossas respectivas habilidades.

Logo ficou claro que seria necessário aplicar meu Plano B. Natalie não queria beber; estava se abstendo de álcool enquanto amamentava seu filho e estava muito tarde para tomar um café. Eram escolhas responsáveis, mas não conseguiríamos raspar nenhuma borda de copo ou xícara.

Armei o Plano B.

— Posso ver o bebê?

— Ele está dormindo — explicou ela —, por isso faça silêncio.

Eu me levantei e ela também.

— Só precisa me dizer onde ele está.

— Eu vou com você.

Quanto mais eu insistia que queria ver o bebê sozinho, mais ela objetava. Fomos ao quarto dele e, como ela previu, ele estava dormindo. Era muito irritante, porque eu tinha uma série de planos para coletar o DNA do bebê (que, claro, também era parente de Alan McPhee) de modo totalmente não invasivo. Infelizmente não tinha levado em consideração o instinto de proteção materno. Sempre que encontrava uma desculpa para sair da sala, Natalie vinha atrás de mim. Era muito esquisito.

Até que Rosie por fim pediu licença para ir ao banheiro. Mesmo que ela soubesse o que fazer, não teria conseguido visitar o bebê, pois Natalie se posicionou de modo a ficar de olho na porta do quarto e checava a todo momento.

— Já ouviu falar no Projeto Genográfico? — perguntei.

Não, e ela não estava interessada. Mudou de assunto:

— Você parece bastante interessado em bebês.

Com certeza haveria uma oportunidade ali, se eu soubesse aproveitá-la.

— Me interesso pelo comportamento deles. Sem a influência corruptora da presença dos pais.

Ela me olhou de um jeito estranho.

— Você faz alguma coisa com crianças? Tipo escotismo, grupos de igreja...

— Não — respondi. — É improvável que me considerassem adequado.

Rosie voltou e o bebê começou a chorar.

— Hora de mamar — anunciou Natalie.

— É melhor a gente ir — disse Rosie.

Fracasso! O problema foram as competências sociais. Se eu tivesse boas competências sociais, sem dúvida teria conseguido ter acesso ao bebê.

— Desculpe — disse, assim que começamos a caminhar em direção ao veículo ridículo de Phil.

— Não peça desculpas. — Rosie enfiou a mão na sua bolsa e sacou um punhado de cabelo. — Fiz um favor para ela e limpei sua escova de cabelo.

— Precisamos das raízes — falei, mas havia bastante cabelo e portanto era provável que encontrássemos uma mecha com as raízes.

Ela tornou a enfiar a mão na bolsa e sacou uma escova de dente. Levei alguns momentos para perceber o que isso significava.

— Você roubou a escova de dente dela!

— Havia uma nova no armário. Já estava na hora de trocar.

Fiquei chocado com o roubo, mas agora quase certamente teríamos uma amostra utilizável de DNA. Foi difícil não ficar impressionado com a desenvoltura de Rosie. Fora que, se Natalie não estivesse trocando a escova de dente com regularidade, Rosie lhe havia prestado um favor.

Rosie não quis analisar o cabelo ou a escova de dente logo em seguida. Queria coletar o DNA do último candidato e testar as duas amostras juntas. Isso me pareceu ilógico. Se a amostra de Natalie fosse a certa, não seria mais necessário coletar DNA de ninguém. Contudo, Rosie não parecia entender o conceito de sequenciar tarefas para minimizar custo e riscos.

Depois do problema do acesso ao bebê, decidimos juntos qual seria a maneira mais apropriada de abordar o Dr. Peter Enticott.

— Vou dizer que estou pensando em estudar medicina — disse ela. O Dr. Enticott era agora professor da Faculdade de Medicina da Universidade de Deakin.

Ela combinaria um café com ele. Isso nos daria a chance de usar o procedimento da raspagem da borda da xícara, que até então apresentava cem por cento de índice de fracasso. Achei improvável que uma garçonete convencesse um professor de que possuía credenciais para estudar medicina. Rosie pareceu ficar ofendida e argumentou que, seja como for, isso não tinha importância. Só precisávamos convencê-lo a tomar um café conosco.

O problema maior era como me apresentar, pois Rosie achava que não conseguiria fazer tudo sozinha.

— Vamos dizer que você é meu namorado — sugeriu ela. — Você vai bancar meus estudos, portanto é um acionista. — Ela me olhou com dureza: — Não precisa encarnar demais o papel.

Numa tarde de quarta-feira, quando Gene estava dando uma palestra em meu lugar para retribuir a que dei sobre a síndrome de Asperger, fomos no carrinho de brinquedo de Phil até a Universidade de Deakin. Eu já estivera ali muitas vezes para dar aulas como professor convidado e para ajudar em pesquisas. Inclusive conhecia alguns pesquisadores da Faculdade de Medicina, mas não Peter Enticott.

Nós o encontramos num café ao ar livre lotado de alunos de medicina que haviam voltado antes do tempo das férias de verão. Rosie foi espetacular! Falou com inteligência sobre medicina e até mesmo sobre psiquiatria, que, segundo ela, era a área em que pretendia se especializar. Disse que havia se formado com louvor em ciências do comportamento e possuía experiência em pesquisa na pós-graduação.

Peter parecia obcecado com a semelhança entre Rosie e a mãe dela, o que era irrelevante para nossos propósitos. Três vezes ele interrompeu Rosie para lembrar aquela semelhança física, e fiquei imaginando se isso poderia indicar a existência de alguma ligação específica entre ele e a mãe de Rosie — e, portanto, ser um sinal de paternidade. Procurei, como fiz na sala de Eamonn Hughes, similaridades físicas entre Rosie e seu pai em potencial, mas não vi nada óbvio.

— Tudo isso parece bastante positivo, Rosie — disse Peter. — Não tenho nada a ver com o processo seletivo, pelo menos não oficialmente. — O jeito como ele disse aquilo parecia sugerir a possibilidade de envolvimento não oficial, e portanto antiético. Seria esse um sinal de nepotismo e consequentemente um sinal de que ele era pai de Rosie?

— Seu histórico acadêmico é ótimo, mas você precisará prestar o GAMSAT. — Peter se virou para mim. — É o teste padrão para admissão no curso de medicina.

— Eu prestei o GAMSAT ano passado — declarou Rosie. — Tirei setenta e quatro.

Peter pareceu bastante impressionado.

— Você poderia entrar em Harvard com essa pontuação. Mas consideramos outros fatores aqui também; portanto, se decidir mesmo tentar, me avise.

Torci para que ele nunca fosse tomar um drinque no Marquess of Queensbury.

Um garçom trouxe a conta. Quando esticou o braço para recolher a xícara de Peter, automaticamente eu o impedi com um gesto. O garçom me olhou bastante incomodado e a arrancou da mesa. Fiquei observando enquanto ele a punha num carrinho, numa bandeja cheia de louças.

Peter olhou para seu celular.

— Preciso ir — anunciou. — Mas, agora que fizemos contato, não suma.

Enquanto Peter se afastava, vi o garçom olhando na direção do carrinho.

— Você precisa encontrar um jeito de distraí-lo — falei.

— Apanhe a xícara, só isso — disse Rosie.

Andei na direção do carrinho. O garçom estava me observando, mas, justamente quando estiquei o braço para a bandeja, ele virou a cabeça na direção de Rosie e começou a andar rápido até ela. Agarrei a xícara.

Nos encontramos no carro, que estava estacionado a certa distância. A caminhada me deu tempo para processar o fato de que eu agora era culpado de roubo, graças à pressão de alcançar um objetivo. Será que deveria enviar um cheque ao café? Quanto valia uma xícara? Toda hora se quebram xícaras num café, mas em situações ao acaso. Se todos roubassem as xícaras, o café provavelmente seria inviável do ponto de vista financeiro.

— Conseguiu?

Levantei a xícara.

— Tem certeza de que é essa? — perguntou ela.

Não sou bom em comunicação verbal, mas acredito que consegui expressar que, embora eu possa ser um ladrãozinho barato, não cometo erros de observação.

— Você pagou a conta? — perguntei.

— Foi assim que eu o distraí.

— Pagando a conta?

— Não, isso se paga no balcão. Eu simplesmente dei o fora.

— Precisamos voltar lá.

— Ah, que eles se danem — disse Rosie, enquanto entrávamos no Porsche. Aceleramos.

O que estava acontecendo comigo?

12

Rumamos em direção ao laboratório da universidade. O Projeto Pai em breve estaria concluído. O clima estava quente, ainda que houvesse algumas nuvens escuras no horizonte, e Rosie abaixou a capota do conversível. Eu estava remoendo o roubo.

— Ainda obcecado com a conta, Don? — berrou Rosie acima do barulho do vento. — Você é uma comédia. Estamos roubando DNA e você aí, preocupado com uma xícara de café.

— Recolher amostras de DNA não é ilegal — berrei de volta. Era verdade, embora no Reino Unido isso representasse uma violação da Lei dos Tecidos Humanos de 2004. — Deveríamos voltar.

— Seria uma utilização altamente ineficaz do tempo — disse Rosie com uma voz estranha, enquanto parávamos em um sinal de trânsito e, portanto, podíamos ter uma comunicação apropriada por um breve instante. Ela riu e percebi que estava me imitando. A declaração dela era correta, mas havia uma questão moral envolvida, e agir segundo a moral deveria superar todas as demais questões.

— Relaxe — disse ela. — Está um dia lindo, vamos descobrir quem é meu pai e depois eu mando um cheque para o café pelo correio. *Prometo.* — Ela olhou para mim. — Você sabe relaxar? Simplesmente se divertir?

Era uma pergunta complexa demais para responder com o barulho do vento, quando o sinal abril. E a busca por diversão não leva ao contentamento total. Pesquisas vêm demonstrando isso consistentemente.

— Você perdeu a saída — falei.

— Correto — respondeu ela, naquela voz de brincadeira.

— Estamos indo para a praia. — Ela falou, sem ligar para os meus protestos: — Não dá para ouvir, não dá para ouvir.

Então Rosie colocou uma música para tocar — um rock bem alto. Agora sim é que ela não poderia me escutar. Eu estava sendo sequestrado! Seguimos por noventa e quatro minutos. Não conseguia ver o velocímetro e não estava acostumado a andar num veículo aberto, mas estimei que estávamos excedendo consistentemente o limite de velocidade.

Som dissonante, vento, risco de morte... Tentei assumir o estado mental que utilizo quando vou ao dentista.

Por fim, paramos num estacionamento ao lado da praia. Estava quase vazio, numa tarde de dia útil.

Rosie olhou para mim:

— Sorria. Vamos dar um passeio, depois vamos ao laboratório e depois levo você para casa. E você nunca mais vai me ver.

— Será que não dá para a gente ir para casa agora? — falei, e percebi que estava parecendo uma criança. Lembrei a mim mesmo que era um homem adulto, dez anos mais velho e mais experiente do que a pessoa ao meu lado, e que devia haver um motivo para ela fazer o que estava fazendo. Perguntei qual.

— Estou prestes a descobrir quem é meu pai. Preciso clarear a cabeça. Então, será que não dá pra a gente caminhar por uma horinha mais ou menos, e será que não dá pra você fingir que é um ser humano normal e apenas me ouvir?

Eu não tinha muita certeza se conseguiria imitar um ser humano normal, mas concordei em caminhar. Era óbvio que Rosie estava confusa com as emoções, e respeitei sua tentativa de dominá-las. No fim, ela acabou quase nem falando. Isso tornou a caminhada bastante agradável — era praticamente como caminhar sozinho.

Ao nos aproximarmos do carro para voltar, Rosie perguntou:

— Que tipo de música você gosta?

— Por quê?

— Você não curtiu o que eu coloquei para tocar no caminho até aqui, né?

— Correto.

— Então é a sua vez de escolher. Mas não tenho nada de Bach.

— Eu não ouço música — falei. — Bach era só um experimento que não funcionou.

— Não dá para passar pela vida sem ouvir música.

— É que eu não presto a menor atenção. Prefiro ouvir informações.

Houve um longo silêncio. Havíamos chegado ao carro.

— Seus pais ouviam música? Seus irmãos, suas irmãs?

— Meus pais ouviam rock. Principalmente meu pai. Da época em que ele era jovem.

Entramos no carro e Rosie tornou a baixar a capota. Ela plugou o iPhone que estava usando como fonte para as músicas.

— Recordar é viver — disse ela, pondo a música para tocar

Eu estava justamente me acomodando de novo na cadeira de dentista quando percebi a precisão das palavras de Rosie. Eu conhecia aquela canção. Ela serviu de pano de fundo na minha infância e adolescência. De repente me vi de volta ao meu quarto, com a porta fechada, escrevendo em BASIC no meu computador de geração antiga, com a música ao fundo.

— Eu conheço essa música!

Rosie gargalhou.

— Se não conhecesse, seria a prova final de que você veio de Marte.

De volta a toda velocidade, num Porsche vermelho dirigido por uma linda mulher e ouvindo aquela música, tive a sensação de estar diante do precipício para outro mundo. Reconheci aquele sentimento, que, como se precisasse, se tornou mais forte quando a chuva começou a cair e a capota travou e não conseguimos mais subi-la. Era o mesmo que senti ao olhar para a cidade depois do Jantar na Varanda e quando Rosie anotou seu telefone para mim. Outro mundo, outra vida, próxima, mas inacessível.

Aquela ilusória sensação de... *SA- TIS-FAC-TION*.

Estava escuro quando chegamos à universidade. Nós dois estávamos molhados. Com a ajuda do manual de instruções, consegui fechar a capota do carro manualmente.

No laboratório, abri duas cervejas (não foi necessário nenhum pigarro) e Rosie bateu a garrafa dela contra a minha.

— Tim-tim — disse ela. — Bom trabalho.

— Promete mandar um cheque para o café?

— Tá bom. Prometo.

Ótimo.

— Você foi brilhante — elogiei. Fazia algum tempo que queria expressar isso. A atuação de Rosie como aspirante a aluna de medicina tinha sido bastante impressionante. — Mas por que você disse ter feito uma pontuação tão alta no exame de admissão para medicina?

— Por que você acha?

Expliquei que se pudesse deduzir a resposta não teria perguntado.

— Porque eu não queria parecer burra.

— Para o seu pai em potencial?

— É. Para ele. Para qualquer um. Estou ficando de saco cheio de certas pessoas acharem que sou burra.

— Eu considero você notavelmente inteligente...

— Pode parar por aí.

— Parar com o quê?

— Você ia dizer "para uma garçonete". Ia, não ia?

Rosie previu corretamente.

— Minha mãe era médica. Meu pai idem, se estivermos falando de genes. E ninguém precisa ser professor para ser inteligente. Vi sua cara quando eu disse que tirei setenta e quatro no GAMSAT. Você pensou: "Ele não vai acreditar que essa mulher é tão inteligente assim." Mas ele acreditou. Então, deixe seus preconceitos de lado.

Era uma crítica razoável. Tive pouco contato com pessoas de fora do meio acadêmico e formei minhas suposições sobre o resto do mundo principalmente assistindo a filmes e televisão quando era criança. Admito que os personagens de *Perdidos no Espaço* e *Jornada nas Estrelas* provavelmente não eram representativos dos seres humanos em geral. Com certeza Rosie não se encaixava no estereótipo de garçonete, e era bem provável que muitas das minhas demais suposições sobre as pessoas estivessem erradas. Isso não era nenhuma surpresa.

O analisador de DNA estava pronto.

— Tem alguma preferência? — perguntei.

— Tanto faz. Não quero tomar nenhuma decisão.

Percebi que ela estava se referindo à sequência de testagem, e não à escolha de um pai. Refiz minha pergunta.

— Não sei — respondeu. — Andei pensando nisso a tarde inteira. Alan morreu; se ele fosse meu pai, seria uma droga. E Natalie seria minha irmã, o que devo confessar que seria bem esquisito. Mas é uma espécie de ponto final, se é que faz sentido. Gosto de Peter, mas não sei muita coisa sobre ele. Provavelmente tem família.

Mais uma vez me ocorreu que esse Projeto Pai não tinha sido bem-pensado. Rosie havia passado a tarde inteira tentando dominar emoções indesejadas e, no entanto, a motivação para o projeto parecia ser completamente emocional.

Testei Peter Enticott primeiro, pois o cabelo da escova de Natalie tinha exigido mais tempo de preparo. Não era ele.

Eu havia encontrado diversas raízes no punhado de cabelo, portanto não teria havido necessidade de roubar a escova de dente. Enquanto eu as processava, refleti que os dois primeiros candidatos de Rosie, incluindo aquele que ela achava ser uma grande probabilidade, Eamonn Hughes, não eram os pais dela. Já estava prevendo que ela também não seria filha de Alan.

Estava certo. Eu me lembrei de olhar para Rosie para ver sua reação. Ela parecia muito triste. Acho que teríamos de nos embebedar de novo.

— Lembre-se — disse ela — que a amostra não é dele, é da filha.

— Já levei isso em consideração.

— Claro. Então acabou.

— Mas ainda não resolvemos o problema.

Como cientista, não estou acostumado a abandonar problemas difíceis.

— Nem vamos — respondeu Rosie. — Já testamos todo mundo que eu conhecia.

— As dificuldades são inevitáveis — contra-argumentei. — Grandes projetos exigem persistência.

— Guarde isso para algo que importe para você.

* * *

Por que nos focamos em certas coisas em detrimento de outras? Estamos dispostos a arriscar nossas vidas para salvar alguém de um afogamento e, no entanto, não fazemos a doação que poderia salvar dúzias de crianças da fome. Instalamos painéis solares quando seu impacto na redução das emissões de gás carbônico é mínimo — e que na verdade pode até exercer um impacto negativo no ambiente, se levarmos em consideração a fabricação e instalação — em vez de contribuir para projetos de infraestrutura mais eficientes.

Considero minhas decisões nessas áreas mais racionais do que as da maioria das pessoas, mas também cometo erros do mesmo gênero. Estamos geneticamente programados para reagir a estímulos em nosso âmbito mais imediato. Reagir a questões complexas, as quais somos incapazes de perceber diretamente, requer o uso da razão, que é menos poderosa do que o instinto.

Essa parecia ser a explicação mais provável para a continuidade do meu interesse no Projeto Pai. Racionalmente havia usos mais importantes para minhas habilidades de pesquisa, mas instintivamente eu estava motivado a ajudar Rosie com seu problema mais imediato. Enquanto bebíamos uma taça de pinot noir Muddy Water no Jimmy Watson's antes de Rosie ir trabalhar, tentei convencê-la a continuar o projeto, mas ela argumentou de modo bastante racional que agora não havia motivo para considerar nenhum membro da turma de graduação da sua mãe mais provável do que outro. Ela supunha que devia haver uns cem alunos ou mais e observou que, trinta anos atrás, por causa do machismo entranhado, a maioria devia ser do sexo masculino. A logística de encontrar e testar cinquenta médicos, muitos dos quais deviam viver em outras cidades ou países, seria proibitiva. Rosie disse que não se importava *tanto* assim.

Ela me ofereceu uma carona para casa, mas decidi ficar para beber.

13

Antes de abandonar o Projeto Pai, decidi verificar se a estimativa do número de candidatos a pai que Rosie me dera estava correta. Me ocorreu que algumas possibilidades poderiam ser facilmente eliminadas. Nas turmas de medicina em que dou aula há vários estrangeiros. Dada a pele bastante clara de Rosie, achei improvável que o pai dela fosse chinês, vietnamita, negro ou indiano.

Comecei fazendo uma pesquisa básica: uma busca na internet por informações sobre a turma de formatura da mãe dela com base nos três nomes que eu conhecia.

Os resultados superaram minhas expectativas, mas solucionar um problema quase sempre exige um golpe de sorte. Não foi surpresa descobrir que a mãe de Rosie se formou na minha atual universidade. Naquela época, havia apenas dois cursos de medicina em Melbourne.

Encontrei duas fotos relevantes. Uma era uma fotografia formal de toda a turma de graduação, com o nome de cento e quarenta e seis alunos. A outra foi tirada na festa de formatura e também continha nomes. Havia apenas cento e vinte e quatro rostos, provavelmente porque alguns alunos não compareceram. Uma vez que a escolha dos genes se deu na festa, ou depois dela, não precisaríamos nos preocupar com os ausentes. Verifiquei que os cento e vinte e quatro eram um subconjunto dos cento e quarenta e seis.

Eu esperava que minha busca resultasse numa lista de formandos e provavelmente numa foto, mas obtive um bônus inesperado. Um fórum de discussão chamado "Onde eles estão hoje em dia?" Mas o maior dos golpes de sorte foi a informação de que haviam marcado uma reunião de aniversário de formatura, cuja data seria dali a apenas três semanas. Precisaríamos agir rápido.

Jantei em casa e pedalei até o Marquess de Queensbury. Desastre! Rosie não estava trabalhando. O barman me informou que ela só trabalhava três noites por semana, o que me pareceu insuficiente para fornecer uma renda adequada. Talvez ela também tivesse um emprego diurno. Eu sabia muito pouco sobre ela, além de onde trabalhava, do seu interesse em encontrar o pai e da idade, que, com base no fato de a festa de formatura da mãe ter sido há trinta anos, devia ser vinte e nove. Eu não perguntara a Gene como ele a havia conhecido. Não sabia nem sequer o nome da mãe dela para identificá-la na foto.

O barman foi bastante simpático, portanto pedi uma cerveja e uns amendoins e revisei as anotações que eu havia trazido.

Havia sessenta e três homens na foto da festa de graduação, apenas dois a mais do que o número total de mulheres, algo insuficiente para corroborar a tese de machismo de Rosie. Alguns com toda certeza não eram caucasianos, embora não tantos quanto eu esperava. Aquilo tinha sido trinta anos atrás, antes do influxo de alunos chineses. Havia um grande número de candidatos, mas a reunião oferecia a chance de analisar vários.

A essa altura eu já havia deduzido que o Marquess of Queensbury era um bar gay. Na primeira visita, eu não tinha observado as interações sociais, pois estava focado demais em encontrar Rosie e iniciar o Projeto Pai, mas dessa vez pude analisar os arredores de modo mais detalhado. Lembrei-me do clube de xadrez de que eu participava quando adolescente. Pessoas unidas por um mesmo interesse. Foi o único clube de que participei na vida, fora o Clube Universitário, mas esse serve mais como uma espécie de lugar para jantar.

Eu não tinha nenhum amigo gay; não por preconceito, mas por meu número total de amigos ser bem pequeno. Será que Rosie era lésbica? Ela trabalhava num bar gay, embora todos os clientes fossem homens. Perguntei ao barman, que riu:

— Boa sorte com essa daí.

Aquilo não respondia à questão, mas ele já tinha ido servir outro cliente.

Quando terminei meu almoço no Clube Universitário no dia seguinte, Gene entrou, acompanhado de uma mulher que reconheci da festa dos solteiros: Fabienne, a Pesquisadora Carente de Sexo. Pelo visto ela havia encontrado uma solução para seu problema. Nos cruzamos na entrada do restaurante.

Gene piscou para mim e disse:

— Don, esta é Fabienne. Veio de visita da Bélgica e vamos discutir algumas opções de colaboração. — Ele piscou de novo e se afastou depressa.

Bélgica. Eu tinha imaginado que Fabienne era francesa. Bélgica explicava tudo. Gene já tinha a França.

Eu estava esperando na frente do Marquess of Queensbury quando Rosie abriu as portas às 21h.

— Don. — Ela parecia surpresa. — Está tudo bem?

— Tenho algumas informações para lhe dar.

— Seja rápido.

— Não dá para ser rápido, há muitos detalhes.

— Desculpe, Don, mas meu chefe está aqui. Vou arrumar problemas e preciso desse emprego.

— A que horas você sai?

— Às três.

Não pude acreditar! Que tipo de trabalho os clientes de Rosie tinham? Talvez todos trabalhassem em bares que abriam às 21h, tivessem quatro noites de folga por semana e aquilo tudo fosse uma subcultura noturna invisível. Subcultura essa que utilizava recursos que, de outro modo, permaneceriam ociosos. Respirei fundo e tomei uma grande decisão.

— Venho encontrar você depois então.

Pedalei para casa e coloquei o despertador para as 2h30. Cancelei a corrida que havia marcado com Gene na manhã seguinte para ganhar uma hora de sono. Também pularia o caratê.

Às 2h50 eu estava pedalando pela periferia. Não era uma experiência de todo desagradável. Na verdade, pude ver enormes vantagens para mim mesmo em trabalhar à noite. Laboratórios vazios. Nenhum aluno. Tempos de resposta mais rápidos na rede. Nenhum contato com a Chefe do Departamento. Se eu pudesse encontrar um cargo apenas de pesquisador, sem precisar dar aulas, seria completamente factível. Talvez eu pudesse dar videoaulas numa universidade situada em um fuso horário diferente.

Cheguei ao local de trabalho de Rosie exatamente às 3h. A porta estava trancada com uma placa na qual se lia FECHADO. Bati com força. Rosie veio atender.

— Estou puta da vida — disse ela. Isso não era nada surpreendente. — Entre, estou quase acabando.

Aparentemente o bar fechava às 2h30, mas Rosie precisava fazer a limpeza depois.

— Quer uma cerveja? — perguntou ela. Uma cerveja! Às 3h. Ridículo.

— Sim, por favor.

Fiquei sentado no bar observando-a fazer a faxina. A pergunta que eu tinha feito no mesmo lugar no dia anterior me veio à cabeça:

— Você é lésbica?

— Você veio até aqui para me perguntar isso?

— Não, a pergunta não tem qualquer relação com o propósito principal da minha visita.

— Fico feliz em saber disso, aqui, sozinha, às três da madrugada com um homem estranho, num bar.

— Não sou um estranho.

— Não muito — disse ela, mas estava rindo, supostamente fazendo uma piada particular com base nos dois significados de *estranho*. Continuei sem resposta para a pergunta do lesbianismo. Ela abriu a cerveja dela. Saquei minha pasta e tirei de lá a foto da festa.

— Foi nessa festa que sua mãe foi fecundada?

— Merda. De onde isso apareceu?

Falei sobre minha pesquisa e mostrei a ela minha planilha.

— Todos os nomes estão listados. Sessenta e três homens, sendo dezenove obviamente não caucasianos, conforme a aparência física e os nomes. E três previamente eliminados.

— Você só pode estar brincando. Não vamos testar... trinta e uma pessoas.

— Quarenta e uma.

— Que seja. Não tenho desculpa para encontrar nenhuma delas.

Eu lhe falei da reunião.

— Tem um probleminha — disse Rosie. — Não fomos convidados.

— Correto — concordei. — O problema é mesmo pequeno e já foi solucionado. Haverá bebidas.

— E...?

Indiquei o bar e a coleção de garrafas nas prateleiras atrás dele.

— Suas habilidades serão requisitadas.

— Você está brincando.

— Você conseguiria encontrar um trabalho no evento?

— Espere aí, espere aí. Isso aqui está ficando bem louco. Você acha que nós vamos dar as caras nessa festa e começar a roubar os copos das pessoas. Putz.

— Nós, não. Você. Eu não tenho as habilidades necessárias. Mas, quanto ao resto, correto.

— Esqueça.

— Achei que você quisesse descobrir quem é seu pai.

— Já lhe disse — respondeu ela. — Não tanto assim.

Dois dias depois, Rosie apareceu no meu apartamento. Eram 20h47 e eu estava limpando o banheiro, pois Eva, a faxineira de saia curta, havia cancelado por motivo de doença. Apertei o interfone para abrir a porta lá embaixo. Estava usando meu traje de limpar banheiro: short, sapatilhas cirúrgicas e luvas, mas nenhuma camisa.

— Uau. — Ela ficou me encarando por alguns instantes. — É isso que o treinamento em artes marciais faz, é?

Pelo visto, ela estava se referindo aos meus músculos peitorais. Então, de repente, começou a pular como uma criança.

— Conseguimos a parada! Encontrei a agência de empregos e me ofereci para receber uma merda; eles só disseram, tá bom, tá bom, tá bom, mas não conte para ninguém. Vou denunciar os caras para o sindicato assim que isso tudo acabar.

— Achei que você não quisesse mais fazer isso.

— Mudei de ideia. — Ela me entregou um livro manchado. — Memorize isso. Preciso ir trabalhar.

119

Ela se virou e foi embora.

Olhei para o livro: *Manual do Bartender*. *Um Guia Completo para Preparar e Servir Drinques*. Parecia especificar as tarefas do papel que eu iria representar. Memorizei as primeiras receitas antes de terminar de limpar o banheiro. Enquanto me preparava para dormir, depois de pular o treino de aikido para passar mais tempo estudando o livro, me ocorreu que as coisas realmente estavam *mesmo* sem sentido. Não era a primeira vez que minha vida virava um caos e eu havia estabelecido um protocolo para lidar com o problema e o consequente distúrbio da capacidade de pensamento racional. Liguei para Claudia.

Ela podia me encontrar no dia seguinte. Por eu não ser oficialmente um de seus pacientes, precisaríamos conversar num café, em vez de no seu consultório. E eu é que sou acusado de rigidez!

Fiz um resumo da situação, omitindo a questão do Projeto Pai, uma vez que não gostaria de admitir a coleta sub-reptícia de DNA, que Claudia provavelmente consideraria antiética. Em vez disso, dei a entender que Rosie e eu tínhamos o mesmo interesse em cinema.

— Você falou com Gene sobre ela? — perguntou Claudia.

Contei que Gene havia me apresentado Rosie como uma candidata ao Projeto Esposa e que ele só me aconselharia a fazer sexo com ela. Expliquei que Rosie era completamente inadequada como parceira, mas que provavelmente acreditava que eu estava interessado nela. Talvez achasse que nosso interesse comum era uma desculpa para eu estar atrás dela. Eu tinha cometido um enorme erro social ao perguntar qual era a orientação sexual dela, o que só reforçaria essa impressão.

No entanto, Rosie nunca mencionou o Projeto Esposa. Nós havíamos sido distraídos muito rapidamente pelo Incidente do Esporte Fino, e depois disso as coisas se desenrolaram de modo completamente não planejado. Mas eu antevia o risco de em algum momento magoá-la, ao lhe dizer que ela tinha sido eliminada do Projeto Esposa logo no primeiro encontro.

— Então é isso que está preocupando você — disse Claudia. — Ferir os sentimentos dela?

— Correto.

— Isso é excelente, Don.

— Incorreto. É um enorme problema.

— Quero dizer, o fato de você estar preocupado com os sentimentos dela. Mas você está gostando de passar tempo com ela?

— Imensamente — respondi, pela primeira vez me dando conta disso.

— E ela também?

— Eu diria que sim. Mas ela se candidatou ao Projeto Esposa.

— Não se preocupe com isso — aconselhou Claudia. — Ela parece ter bastante flexibilidade. Só se divirta um pouco.

Uma coisa estranha aconteceu no dia seguinte. Pela primeira vez, Gene marcou um encontro comigo na sala dele. Sempre era eu que marcava as nossas conversas, mas houve um intervalo estranhamente longo devido ao Projeto Pai.

A sala de Gene é maior do que a minha. Isso se deve a seu cargo mais elevado, e não a uma necessidade real de espaço. A Bela Helena me recebeu, pois Gene tinha se atrasado em uma reunião. Aproveitei a oportunidade para ver se em seu mapa-múndi agora havia alfinetes na Índia e na Bélgica. Eu tinha quase certeza de que o da Índia já estava ali antes, mas era possível que Olivia não fosse indiana. Ela disse que era hindu, e isso podia significar que era balinesa, fijiana ou de qualquer outro país que tivesse uma população hindu. Gene focava em nacionalidades, e não em etnias, do mesmo modo que os turistas contam os países que já visitaram. A Coreia do Norte permanecia sem alfinete, como era de se esperar.

Gene chegou e ordenou que a Bela Helena nos trouxesse cafés. Sentamos à mesa dele, como se fosse uma reunião.

— Então — começou Gene —, você andou conversando com Claudia.

Este era um dos aspectos negativos de não ser um dos pacientes de Claudia: eu não dispunha da proteção da confidencialidade médica.

— Fiquei sabendo que você tem visto Rosie. Como o expert aqui havia previsto.

Gene é meu melhor amigo, mas ainda não me sinto à vontade em compartilhar informações sobre o Projeto Pai com ele. Por sorte, ele não insistiu nisso, provavelmente porque supunha que eu tinha intenções sexuais em relação a Rosie. Para falar a verdade, fiquei espantado por ele não ter levantado imediatamente o assunto.

— O que você sabe sobre Rosie? — perguntou.

— Não muito — confessei. — Não conversamos muito sobre ela. Nossa discussão se concentrou em questões externas.

— Dá um tempo — disse ele. — Você sabe onde ela trabalha, onde ela passa o tempo.

— Ela é garçonete.

— Certo — disse Gene. — É só isso que você sabe?

— E não gosta do pai.

Gene riu sem nenhum motivo aparente.

— Acho que ele não é um Robinson Crusoé.

Aquela parecia uma afirmação ridícula sobre a paternidade de Rosie, mas depois me lembrei que a referência ao náufrago ficcional podia ser usada como uma metáfora para "não está sozinho", ou, nesse contexto, "não está sozinho por não ser o único de que Rosie não gosta". Gene deve ter percebido minha expressão confusa enquanto eu tentava entender aquilo e explicou:

— A lista de homens de que Rosie gosta não é muito longa.

— Ela é lésbica?

— É bem possível — respondeu Gene. — Olhe só o modo como ela se veste.

O comentário de Gene pareceu se referir ao tipo de traje que ela estava usando quando apareceu na minha sala pela primeira vez. Porém, ela se vestia de modo convencional para o trabalho no bar e em nossas visitas para coletar DNA tinha usado jeans e camisetas comuns. Na noite do Incidente do Esporte Fino ela se vestiu de modo nada convencional, mas extremamente atraente.

Talvez ela não desejasse enviar sinais de acasalamento no ambiente em que Gene a conheceu, provavelmente um bar ou restaurante. Boa parte das roupas femininas são feitas para aumentar a atração sexual da mulher e lhe garantir um parceiro. Se Rosie não estivesse em busca de um parceiro, pareceria perfeitamente racional que ela se vestisse de outro modo. Havia muita coisa que eu desejava perguntar a Gene sobre Rosie, mas desconfiei que fazer isso implicaria um nível de interesse que Gene interpretaria mal. Havia, porém, uma questão crítica.

— Por que ela desejava participar do Projeto Esposa?

Gene hesitou um instante.

— Quem sabe? Não acho que ela seja uma causa perdida, mas não espere muita coisa. Ela tem muitos problemas. Não se esqueça do resto da sua vida.

O conselho de Gene foi surpreendentemente perceptivo. Será que ele sabia quanto tempo eu estava gastando com aquele livro de coquetéis?

14

Meu nome é Don Tillman e sou um alcoólatra. Formei a frase na minha cabeça, mas não a disse em voz alta — não porque estivesse bêbado (coisa que eu estava), mas porque parecia que, se dissesse, aquilo se transformaria em realidade, e eu não teria outra escolha a não ser seguir o caminho racional: parar de beber permanentemente.

Minha embriaguez era resultado do Projeto Pai — mais especificamente da necessidade de obter competências como barman. Eu havia comprado uma coqueteleira, copos, azeitonas, limões, um descascador para cítricos e um estoque substancial de bebidas alcoólicas, como recomendado no *Manual do Bartender*, a fim de dominar o componente mecânico do preparo de coquetéis. Era algo surpreendentemente complexo e eu não sou uma pessoa naturalmente habilidosa. Na verdade, com exceção da escalada, que não pratico desde a época de estudante, e das artes marciais, sou desastrado e incompetente na maioria dos esportes. Minha proficiência no caratê e no aikido se deve ao treino considerável durante um longo período.

Treinei primeiro para obter precisão, depois velocidade. Às 23h07, estava exausto e decidi que seria interessante testar a qualidade dos coquetéis. Preparei um martíni clássico, um martíni de vodca, uma margarita e um coquetel à base de Baileys, que, segundo o livro, estavam listados entre os mais populares. Todos eram excelentes e tinham gostos bem diferentes um do outro, ao contrário das variedades de sorvete. Eu havia espremido mais limão do que o necessário para uma margarita, portanto preparei uma segunda para não desperdiçar.

As pesquisas mostram sempre que os riscos do consumo de álcool para a saúde superam os benefícios. Meu argumento é que os benefícios *para a saúde mental* justificam os riscos. O álcool parece ao mesmo tempo me acalmar e me animar, uma mistura paradoxal, porém agradável. Além disso, reduz meu desconforto em situações sociais.

Em geral administro meu consumo com cuidado, agendando dois dias de abstinência por semana, mas graças ao Projeto Pai essa regra foi quebrada diversas vezes. Meu nível de consumo em si não me qualifica como alcoólatra. Entretanto, suspeito que minha forte resistência em parar de beber talvez sim.

O Subprojeto da Coleta de DNA em Massa estava se desenrolando de modo satisfatório, e eu estava lendo o livro de coquetéis na velocidade desejada. Ao contrário da crença popular, o álcool não destrói os neurônios.

Enquanto me preparava para ir deitar, senti um forte desejo de ligar para Rosie e relatar meu progresso. É lógico que isso não era necessário. É um desperdício de esforço relatar que um projeto está andando de acordo com o planejado, pois essa deveria ser a suposição padrão. A racionalidade prevaleceu. Justo.

Rosie e eu nos encontramos para um café vinte e oito minutos antes da reunião. Ao meu diploma *suma cum laude* e meu Ph.D., podia agora acrescentar um certificado de Serviço Responsável de Bebidas. O exame não tinha sido difícil.

Rosie já estava de uniforme e trouxe um equivalente masculino para mim.

— Eu o apanhei com antecedência e o lavei — disse. — Não queria nenhuma exibição de caratê.

Ela estava obviamente se referindo ao Incidente do Esporte Fino, embora a arte marcial ali empregada tenha sido o aikido.

Eu havia feito preparativos cuidadosos para a coleta do DNA: sacos *ziplock*, lenços de papel e etiquetas adesivas com os nomes das pessoas da festa de formatura impressos. Rosie insistiu em que não precisávamos coletar amostras de quem tinha faltado à festa, portanto risquei esses nomes. Ela pareceu surpresa por eu ter decorado todos, mas eu estava decidido a não cometer erros por falta de conhecimentos.

A reunião seria em um clube de golfe, o que a mim parecia estranho, mas logo descobri que o lugar era usado mais para comer e beber do que para incentivar a prática do esporte. Também descobri que éramos superqualificados. Havia pessoas responsáveis pelo preparo dos coquetéis. Nosso trabalho era apenas anotar os pedidos, entregar as bebidas e, mais importante, coletar os copos vazios. As horas que passei desenvolvendo minhas habilidades coqueteleiras pelo visto tinham sido em vão.

Os convidados começaram a chegar, e recebi uma bandeja de drinques para servi-los. Imediatamente percebi um problema: ninguém estava de crachá! Como iríamos identificar nossas fontes de DNA? Dei um jeito de encontrar Rosie, que também havia percebido o problema, mas já tinha uma solução, com base em seus conhecimentos sobre condutas sociais.

— É só cumprimentar: "Oi, me chamo Don e vou servir o senhor esta noite, doutor..." — Ela demonstrou como passar a impressão de que a frase estava incompleta, incitando o convidado a me dizer seu nome. O mais extraordinário é que isso funcionou 72,5 por cento das vezes. Percebi que eu precisava fazer o mesmo com as mulheres, para não ser considerado machista.

Eamonn Hughes e Peter Enticott, os candidatos que havíamos eliminado, chegaram. Como amigo da família, Eamonn devia saber da profissão de Rosie, e ela explicou que eu trabalhava à noite para suplementar minha renda acadêmica. Rosie disse a Peter Enticott que trabalhava em bares em regime de meio período para financiar seu Ph.D. Talvez os dois tenham pensado que foi assim que nos conhecemos: trabalhando juntos.

Roubar os copos discretamente é que se provou o maior problema; eu conseguia no máximo obter uma amostra de cada bandeja que devolvia ao bar. Rosie estava enfrentando ainda mais problemas.

— Não consigo lembrar quem é quem — disse ela, freneticamente, quando nos cruzamos ao carregar bandejas de bebidas. Eu às vezes esqueço que muitas pessoas não têm familiaridade com técnicas básicas para memorizar informações. O sucesso do subprojeto estaria em minhas mãos.

— Vai haver uma oportunidade adequada quando eles se sentarem — eu disse. — Não há motivo para se preocupar.

Corri os olhos pelas mesas arrumadas para o jantar, dez lugares por mesa, mais duas mesas com onze lugares, e calculei que a presença estimada era de noventa e duas pessoas. Isso, claro, incluía as médicas também. Os maridos e as esposas não tinham sido convidados. Havia um pequeno risco de que o pai de Rosie fosse transexual. Fiz uma nota mental para observar as mulheres em busca de sinais masculinos e testar qualquer uma que parecesse suspeita. No geral, porém, os números pareciam promissores.

Quando os convidados se sentaram, o *modus operandi* passou de prover uma seleção limitada de bebidas a anotar pedidos. Aparentemente, esse era um procedimento anormal. Usualmente, apenas levaríamos garrafas de vinho, cerveja e água para as mesas, mas, como era um evento de alto padrão, o clube preferiu anotar pedidos e nos disse para "empurrar aos clientes as bebidas da prateleira de cima", pelo visto para aumentar os lucros. Pensei que, se eu conseguisse fazer isso bem, talvez fosse perdoado por quaisquer outros erros.

Eu me aproximei de uma das mesas de onze lugares. Já tinha me apresentado a sete dos convidados e obtido seis nomes.

Comecei com uma mulher cujo nome eu já sabia.

— Saudações, Dra. Collie. O que gostaria de beber?

Ela me olhou de um jeito estranho e por um instante pensei ter cometido um erro com o método de associações que eu estava usando e que seu nome talvez fosse Doberman ou Poodle. Mas ela não me corrigiu.

— Só um vinho branco, por favor.

— Recomendo uma margarita. O coquetel mais popular do planeta.

— Vocês estão preparando coquetéis?

— Correto.

— Nesse caso — disse ela —, vou querer um martíni.

— Comum?

— Sim, obrigada.

Fácil.

Eu me virei para o homem não identificado ao lado dela e tentei o truque de extração de nomes de Rosie.

— Olá, me chamo Don e vou servir o senhor esta noite, doutor...

— Você disse que estão preparando coquetéis?

— Correto.

— Já ouviu falar do Rob Roy?

— Claro.

— Bem, marque aí um para mim.

— Doce, seco ou perfeito? — perguntei.

Um dos homens em frente ao meu cliente riu.

— Escolha esse último, Brian.

— Perfeito — respondeu o homem que eu agora sabia ser o Dr. Brian Joyce. Havia dois Brians, mas eu já tinha identificado o primeiro.

A Dra. Walsh (feminina, sem características transexuais) pediu uma margarita.

— Padrão, premium, de morango, de manga, melão ou sálvia e abacaxi? — perguntei.

— Sálvia e abacaxi? Por que não?

Meu próximo cliente era o único que continuava sem identificação, o que havia rido do pedido de Brian. Ele já tinha evitado cair no truque da extração de nomes. Decidi não repeti-lo.

— O que gostaria de beber? — perguntei.

— Quero um veleiro curdo poché com twist carpado — disse ele. — Batido, não mexido.

Eu não estava familiarizado com esse drinque, mas supus que os profissionais do bar o conheceriam.

— Seu nome, por gentileza?

— Perdão?

— Estou solicitando seu nome. Para evitar erros.

Houve um silêncio. A Dra. Jenny Broadhurst, ao lado dele, disse:

— Ele se chama Rod.

— Dr. Roderick Broadhurst, correto? — falei para confirmar. A regra contra maridos e esposas não se aplicava, claro, aos que estavam envolvidos com alguém da mesma turma. Havia diversos casais do tipo e Jenny estava previsivelmente sentada ao lado do marido.

— Que...? — começou Rod, mas Jenny interrompeu.

— Corretíssimo. Sou Jenny e quero uma margarita de sálvia e abacaxi também, por favor. — Ela se virou para Rod. —

Por que está agindo feito um imbecil? E essa coisa de veleiro? Escolha alguém com seu próprio complemento de sinapses.

Rod olhou para ela e depois para mim.

— Foi mal, amigo, só estava brincando. Quero um martíni. Padrão.

Reuni o restante dos nomes e pedidos sem dificuldade. Entendi que Jenny tinha tentado dizer a Rod discretamente que eu não era inteligente, provavelmente por causa de minha função de garçom. Ela usou um ótimo truque social, que anotei para uso futuro, mas cometeu um erro factual que Rod não corrigiu. Talvez um dia ele ou ela cometessem um erro clínico ou de pesquisa só por causa desse mal-entendido.

Antes de voltar ao bar, fui até eles novamente.

— Não existe nenhuma evidência experimental da existência de uma correlação entre o número de sinapses e o nível de inteligência entre populações de primatas. Recomendo a leitura de Williams e Herrup, *Annual Review of Neuroscience* — disse, esperando que aquilo pudesse ajudar.

De volta ao bar, os pedidos de coquetéis causaram certa confusão. Apenas uma das três pessoas encarregadas dos drinques sabia como preparar um Rob Roy, e apenas o convencional. Eu lhe dei instruções da versão perfeita. Aí ocorreu um problema de ingredientes relacionado à margarita de sálvia e abacaxi. O bar tinha abacaxi (em lata — o livro recomendara "fresco, se possível", portanto decidi que seria aceitável), mas nada de sálvia. Fui até a cozinha, onde eles não puderam me oferecer nem sálvia seca. Era óbvio que aquele não era o que o *Manual do Bartender* havia chamado de "um bar bem estocado, preparado para qualquer ocasião". O pessoal da cozinha também estava ocupado, mas decidimos usar folhas de coentro e fiz um rápido inventário mental dos ingredientes do bar para evitar futuros problemas desse gênero.

Rosie também estava anotando pedidos. Ainda não havíamos progredido até o estágio de coletar os copos e algumas pessoas pareciam beber muito lentamente. Percebi que nossas chances melhorariam se houvesse um aumento do número de drinques. Infelizmente, eu não poderia estimular um consumo mais rápido, pois isso violaria meu papel, como descrito no certificado de Serviço Responsável de Álcool. Decidi escolher um meio-termo, lembrando as pessoas dos deliciosos coquetéis disponíveis.

Enquanto tomava os pedidos, observei uma mudança na dinâmica do ecossistema, que se evidenciou quando Rosie pareceu incomodada ao cruzar comigo.

— A mesa cinco não quer me deixar anotar seus pedidos. Querem que você os atenda.

Ao que parece, quase todo mundo queria tomar coquetéis em vez de vinho. Sem dúvida, os proprietários ficariam satisfeitos com os lucros. Infelizmente, parecia que o número de atendentes do bar foi calculado pensando que a maioria dos pedidos seria de cerveja ou vinho, e eles estavam tendo dificuldade em acompanhar o ritmo. O conhecimento de coquetéis do qual dispunham era surpreendentemente baixo, e eu agora precisava ditar as receitas junto com os pedidos.

A solução para ambos os problemas foi simples. Rosie foi para trás do bar ajudar enquanto eu mesmo tomava todos os pedidos. Uma boa memória é um recurso tremendo, pois eu não precisava anotar nada, nem processar apenas uma mesa de cada vez. Tomava os pedidos do salão inteiro, depois voltava ao bar a intervalos constantes para entregá-los. Se as pessoas precisavam de "tempo para pensar", eu as deixava de lado e voltava depois, em vez de ficar esperando. O processo foi bastante eficiente, e pareceu ser apreciado pelos convivas, que de vez em quando aplaudiam quando eu conseguia propor um drinque a fim de satisfazer determinada exigência ou repetia os pedidos de uma mesa quando eles ficavam receosos de eu não ter ouvido bem.

Todos estavam terminando seus drinques e descobri que podia roubar três copos entre o salão de jantar e o bar. O restante deles agrupei e indiquei para Rosie ao deixar a bandeja sobre o bar, avisando-a rapidamente do nome de seus donos.

Ela parecia meio estressada. Eu estava me divertindo imensamente. Tive a presença de espírito de verificar o estoque de creme de leite antes de servir as sobremesas. Como previsível, a quantidade era insuficiente para o número de coquetéis que eu esperava vender como acompanhamento da musse de manga e do pudim de tâmaras. Rosie seguiu para a cozinha para procurar mais. Quando voltei ao bar, um dos barmen me chamou:

— O chefe está ao telefone. Vai trazer creme de leite. Você precisa de mais alguma coisa?

Inspecionei as prateleiras e fiz algumas previsões baseadas nos "dez mais populares coquetéis para sobremesas".

— Conhaque, Galliano, *crème de menthe*, Cointreau, advocaat, rum escuro, rum claro.

— Mais devagar, mais devagar — pediu ele.

Agora não era hora de ir mais devagar. Eu estava, como dizem, no embalo.

15

O chefe, um homem de meia-idade (e IMC estimado em vinte e sete), chegou com os itens adicionais bem a tempo da sobremesa e fez uma reorganização nos procedimentos atrás do bar. A sobremesa foi divertidíssima, embora fosse difícil ouvir os pedidos por causa do volume das conversas. Vendi principalmente coquetéis à base de creme de leite, que a maioria dos convivas não conhecia, mas aos quais reagiram com entusiasmo.

Enquanto os garçons que serviam as comidas recolhiam os pratos de sobremesa, fiz um cálculo mental aproximado do que havíamos conseguido. Dependeria bastante de Rosie, mas eu achava ter amostras de pelo menos oitenta e cinco por cento dos homens. O que era bom, mas não um uso otimizado de nossa oportunidade. Depois de checar o nome dos convidados, eu havia determinado que todos os caucasianos da festa de formatura estavam presentes, menos doze. Os doze restantes incluíam Alan McPhee, que não pôde comparecer devido ao seu falecimento, mas que já tinha sido eliminado por meio da escova de cabelo da filha.

Fui até o bar e o Dr. Ralph Browning me seguiu.

— Posso incomodá-lo e pedir mais um Cadillac? Acho que foi o melhor drinque que já tomei.

O pessoal do bar já estava se preparando para ir embora, mas o chefe disse para Rosie:

— Prepare um Cadillac para esse homem.

Jenny e Rod Broadhurst apareceram, vindos do salão de jantar.

— Três — disse Rod.

Os outros funcionários do bar rodearam o dono, e houve uma conversa.

— Esses caras precisam ir embora — disse ele para mim, dando de ombros. Virou-se para Rosie. — Quer dobrar o período?

Enquanto isso, os convidados estavam formando uma fila ao redor do bar, levantando as mãos para chamar a atenção.

Rosie entregou um Cadillac ao Dr. Browning e depois se virou para o chefe.

— Desculpe, preciso que pelo menos duas pessoas fiquem também. Não posso servir cem pessoas sozinha.

— Eu e ele — disse o chefe, apontando para mim.

Finalmente eu teria a chance de usar minha expertise. Rosie levantou a tábua com dobradiças do bar e me deixou entrar.

A Dra. Miranda Ball levantou a mão.

— O mesmo de novo, por favor.

Gritei para Rosie, porque a área do bar agora estava muito barulhenta:

— Miranda Ball. Alabama Slammer. Uma parte cada de gim, uísque, Galliano, *triple sec*, suco de laranja, fatia de laranja e uma cereja.

— Acabou o *triple sec* — berrou Rosie.

— Substitua por Cointreau. Reduza a quantidade em vinte por cento.

O Dr. Lucas colocou seu copo vazio sobre o balcão do bar e levantou o dedo. Mais um.

— Gerry Lucas. Copo vazio — gritei.

Rosie apanhou o copo: torci para ela perceber que ainda não tínhamos uma amostra dele.

— Outro Anal Probe para o Dr. Lucas.

— Anotado — gritou ela da cozinha.

Excelente, ela tinha se lembrado de raspar a borda do copo. O Dr. Martin van Krieger perguntou em voz alta:

— Existe algum coquetel com Galliano e tequila?

A multidão se aquietou. Esse tipo de pergunta havia se tornado comum ao longo do jantar, e os convidados pareceram impressionados com minhas respostas. Levei alguns instantes para pensar.

Martin gritou de novo:

— Não tem problema se não tiver.

— Estou reindexando minha base de dados interna — falei, para explicar a demora. Levei alguns instantes. Mexican Gold ou Freddy Fudpucker.

A multidão aplaudiu.

— Quero um de cada — pediu ele.

Rosie sabia como preparar um Freddy Fudpucker. Dei a receita do Mexican Gold ao dono.

Continuamos nesses moldes, com enorme sucesso. Decidi aproveitar a oportunidade para testar todos os médicos do sexo masculino ali presentes, incluindo os que eu havia previamente filtrado devido à aparência étnica incompatível. À 1h22 eu tinha certeza de que havíamos testado todo mundo, menos um. Hora de ser proativo.

— Dr. Anwar Khan. Aproxime-se do bar, por favor.

Era uma expressão que eu havia ouvido na televisão. Torci para que transmitisse a autoridade necessária.

O Dr. Khan só tinha bebido de seu copo de água, e o levou consigo até o balcão.

— O senhor não pediu nem um só drinque a noite inteira — observei.

— Isso é um problema? Não bebo álcool.

— Muito sábio — falei, ainda que eu estivesse fornecendo um mau exemplo, com uma cerveja aberta ao meu lado.

— Recomendo um Virgin Colada. Um Virgin Mary. Ou um Virgin...

Nesse momento, a Dra. Eva Gold abraçou o Dr. Khan. Ela estava obviamente afetada pelo álcool.

— Relaxe um pouco, Anwar.

O Dr. Khan olhou para ela, depois para a multidão, que, segundo minhas observações, também estava exibindo os sinais dos efeitos do álcool.

— Ah, que se dane — disse ele. — Pode mandar as virgens.

E pousou o copo vazio sobre o balcão.

Saí bem tarde do clube de golfe. Os últimos convidados partiram às 2h32, duas horas e dois minutos depois do horário agendado para o término. Rosie, o dono e eu havíamos preparado cento e quarenta e três coquetéis. Rosie e ele também venderam algumas cervejas, as quais não contei.

— Vocês dois podem ir embora — disse o chefe. — A gente faz a limpeza de manhã. — Ele estendeu a mão para mim e eu a apertei segundo o protocolo, embora parecesse muito tarde para apresentações. — Me chamo Amghad — disse ele. — Bom trabalho, meninos.

Ele não apertou a mão de Rosie, apenas olhou para ela e sorriu. Notei que ela parecia meio cansada, mas eu continuava cheio de energia.

— Tem tempo para tomar um drinque? — perguntou Amghad.

— Excelente ideia.

— Vocês devem estar de brincadeira — disse Rosie. — Vou nessa. Todo o material está na sua bolsa, Don. Certeza de que não quer uma carona?

Eu tinha vindo de bicicleta e só havia bebido três cervejas durante a longa noite. Estimei que o nível de álcool em meu sangue estaria bem abaixo do permitido pela lei, mesmo depois de beber com Amghad. Rosie foi embora.

— Então, qual vai ser seu veneno? — perguntou Amghad.

— Veneno?

— O que quer beber?

Claro. Mas por que, por que, por que as pessoas não dizem simplesmente o que querem dizer?

— Uma cerveja, por favor.

Amghad abriu duas cervejas claras e nós batemos as garrafas.

— Há quanto tempo você está na profissão? — quis saber ele.

Embora certo embuste tenha sido necessário para os propósitos do Projeto Pai, eu não estava à vontade com isso.

— Este é meu primeiro trabalho de campo — respondi. — Cometi algum erro?

Amghad riu.

— Engraçadinho. Ouça — disse ele. — Este lugar aqui vai mais ou menos bem, mas serve basicamente bife, cerveja e vinho de qualidade mediana. Hoje foi um sucesso e principalmente por sua causa. — Ele bebeu um gole de cerveja e me olhou sem dizer nada durante algum tempo. — Estou pensando em abrir, na região do Inner West australiano, um barzinho de coquetéis com certa bossa. Estilo nova-iorquino, mas com algo a mais no bar, se entende o que quero dizer. Se estiver interessado...

Ele estava me oferecendo um emprego! Era lisonjeiro, considerando minha experiência limitada, e meu primeiro pensamento irracional foi desejar que Rosie estivesse ali para presenciar aquilo.

— Já tenho um emprego. Muito obrigado.

— Não estou falando de emprego. Estou falando de uma sociedade.

— Não, obrigado — falei. — Desculpe, mas acho que você me acharia insatisfatório.

— Talvez, mas julgo bastante bem as pessoas. Me ligue se mudar de ideia. Não tenho pressa.

O dia seguinte era um domingo.

Rosie e eu combinamos de nos encontrar no laboratório às 15h. Ela chegou atrasada, como previsível, e eu já estava trabalhando. Confirmei que havíamos obtido amostras de todos os convidados da reunião, ou seja, agora teríamos testado todos, menos onze dos homens caucasianos da turma.

Rosie chegou com um jeans justo e uma camisa branca e foi direto para a geladeira.

— Nada de cerveja até todas as amostras serem testadas — falei.

O trabalho levou certo tempo, e precisei buscar químicos adicionais no laboratório principal.

Às 19h06 Rosie saiu para comprar uma pizza, uma escolha pouco saudável, mas eu não havia jantado na noite anterior e calculei que meu corpo seria capaz de processar os quilojoules extras. Quando ela voltou, eu estava testando um dos quatro últimos candidatos. Enquanto abríamos a pizza, meu celular tocou. Percebi na mesma hora quem era.

— Ninguém atendeu na sua casa — disse minha mãe. — Fiquei preocupada. — Era uma reação compreensível da parte dela, pois aquele telefonema de domingo faz parte da minha rotina semanal. — Onde você está?

— No trabalho.

— Está tudo bem com você?

— Tudo ótimo.

Era constrangedor ter Rosie escutando uma conversa pessoal, e fiz todo o possível para desligar rapidamente, mantendo minhas respostas o mais breve que eu puder. Rosie começou a gargalhar — por sorte não alto o bastante para minha mãe ouvir — e a fazer caretas.

— É sua mãe? — perguntou, quando eu finalmente consegui desligar.

— Correto. Como você adivinhou?

— Você parecia um garoto de dezesseis anos falando com a mãe na frente da... — Ela parou. Meu incômodo deve ter ficado evidente. — Ou eu falando com Phil.

Era interessante que Rosie também achasse difícil conversar com um dos pais. Minha mãe é uma boa pessoa, mas é muito focada em compartilhar informações pessoais. Rosie pegou uma fatia de pizza e olhou para a tela do computador.

— Pelo visto, nenhuma novidade.

— Não, há muitas novidades. Mais cinco foram eliminados, só restam quatro agora. Incluindo este. — O resultado tinha aparecido enquanto eu estava falando ao telefone. — Pode deletar Anwar Khan.

Rosie atualizou a planilha.

— Que Alá seja louvado.

— Foi o pedido de drinque mais complicado deste mundo — eu a lembrei. O Dr. Khan havia pedido cinco drinques diferentes para compensar sua abstinência anterior. No fim da noite, saiu abraçado com a Dra. Gold.

— É, e eu errei. Coloquei rum na Virgin Colada.

— Você serviu álcool para ele? — Supus que aquilo seria uma violação dos dogmas pessoais ou religiosos do doutor.

— Pois é, pode ser que agora ele não encontre mais suas setenta e duas virgens.

Eu conhecia essa teoria religiosa. Minha posição pública, como acertado com a Chefe do Departamento, era tratar todas as crenças que não se baseiam na ciência com mérito equivalente às que se baseiam. Mas eu achava esta aí curiosa.

— Parece irracional — comentei. — Desejar virgens. Com certeza uma mulher com experiência sexual deve ser preferível a uma aprendiz.

Rosie riu e abriu duas cervejas. Depois me encarou, de um modo que eu não devo fazer com os outros.

— Impressionante. Você. Você é a pessoa mais impressionante que já conheci. Não sei por que está fazendo isso, mas obrigada. — Ela bateu a garrafa dela contra a minha e tomou um gole.

Era bom ser apreciado, mas isso era exatamente o que me preocupava quando conversei com Claudia. Agora Rosie me perguntava sobre quais eram meus motivos. Havia se candidatado ao Projeto Esposa e provavelmente tinha expectativas. Era hora de ser honesto.

— Provavelmente você considera que é para iniciar um relacionamento romântico.

— A ideia me passou pela cabeça — respondeu Rosie.

Suposição confirmada.

— Lamento muitíssimo se passei a impressão incorreta.

— Como assim? — perguntou Rosie.

— Não estou interessado em você como parceira. Eu deveria ter lhe dito isso antes, mas você é completamente inadequada. — Tentei avaliar a reação de Rosie, mas interpretar expressões faciais não é um dos meus fortes.

— Bom, você vai ficar feliz em saber que tudo bem por mim. Acho você um tanto inadequado também — retrucou ela.

Era um alívio. Eu não havia magoado os sentimentos dela. Mas ainda assim uma pergunta ficara sem resposta.

— Então por que você se candidatou ao Projeto Esposa? — Eu estava usando livremente o termo "candidatou", pois Gene não pedira que Rosie respondesse o questionário. A resposta dela, porém, sugeria um nível mais sério de problema de comunicação.

—*Projeto Esposa?* — perguntou ela, como se nunca tivesse ouvido falar naquilo.

— Gene mandou você como candidata ao Projeto Esposa. Como um curinga.

— Ele fez o quê?

— Você nunca ouviu falar do Projeto Esposa? — perguntei, tentando estabelecer o ponto de partida correto.

— Não — disse ela, falando no tom que tradicionalmente é usado para dar instruções a uma criança. — Nunca ouvi falar do Projeto Esposa. Mas estou prestes a ouvir. Em detalhes.

— Claro — respondi. — Mas deveríamos fazer isso enquanto nos dedicamos ao consumo de pizza e a ingestão de cerveja.

— Claro — disse Rosie.

Expliquei com detalhes o Projeto Esposa, incluindo a revisão feita com Gene e as visitas de campo a estabelecimentos próprios para encontrar parceiras. Terminei de falar ao consumirmos as últimas fatias de pizza. Rosie não tinha feito nenhuma pergunta, exceto soltar exclamações como "Meu Deus" e "Merda".

— Então — disse Rosie. — Você ainda está nessa? Fazendo o Projeto Esposa?

Expliquei que o projeto continuava tecnicamente ativo, embora não tivesse progredido na ausência de candidatas qualificadas.

— Que pena — comentou Rosie. — A mulher perfeita ainda não deu as caras.

— Eu supunha que existiria mais de uma candidata que correspondesse aos critérios necessários — falei —, mas é como encontrar um doador de medula. Não há inscrições suficientes.

— Minha única esperança é que uma quantidade suficiente de mulheres se dê conta de seu dever cívico e faça o teste.

Era um comentário interessante. Na verdade eu não considerava aquilo um dever. Nas últimas semanas, ao refletir sobre o Projeto Esposa e sua falta de êxito, fiquei triste em saber que tantas mulheres estavam em busca de um parceiro e desesperadas o bastante para se inscrever, mesmo que suas chances de corresponder aos critérios fossem baixas.

— É inteiramente opcional — expliquei.

— Que bom para elas. Aqui vai uma coisinha para você pensar. Qualquer mulher que faça esse teste se sente feliz em ser tratada como um objeto. Você pode até dizer que é escolha delas, mas, se você gastar dois minutos para observar como a sociedade obriga as mulheres a pensar em si mesmas como objetos, talvez tenha uma ideia diferente. O que eu quero saber é: você quer uma mulher que pense assim? É esse o tipo de esposa que você quer? — Rosie parecia irritada. — Sabe por que me visto deste jeito? Por que uso estes óculos? Porque *não quero* ser tratada como um objeto. Se você imaginasse o quão insultada estou por você ter achado que eu era uma *candidata*...

— Então por que você veio me ver naquele dia? — perguntei. — O dia do Incidente do Esporte Fino?

Ela balançou a cabeça.

— Lembra quando em seu apartamento, na sua varanda, eu lhe fiz uma pergunta sobre o tamanho dos testículos?

Fiz que sim.

— Não passou pela sua cabeça que era estranho eu perguntar sobre testículos num primeiro encontro?

— Na verdade, não. Num encontro fico focado demais em evitar que *eu* mesmo diga coisas estranhas.

— Certo, esqueça isso. — Ela parecia mais calma. — O motivo de ter feito aquela pergunta é porque havia apostado uma coisa com Gene. Ele, que é um porco machista, apostou comigo que os seres humanos eram naturalmente avessos à monogamia e que a prova disso era o tamanho de seus testículos. Ele me mandou consultar um especialista em genética para decidir a aposta.

Levei alguns minutos para processar totalmente as implicações do que Rosie estava me dizendo. Gene não tinha preparado Rosie para aceitar meu convite para jantar. Uma mulher — Rosie — aceitara sair comigo sem ser previamente advertida, sem que houvesse uma armação. Eu me senti repleto de uma sensação irracionalmente desproporcional de satisfação. Por outro lado, Gene tinha me enganado. E ao que parece havia se aproveitado de Rosie financeiramente.

— Você perdeu muito dinheiro? — perguntei. — Parece injusto um professor de psicologia fazer uma aposta com uma garçonete.

— Não sou uma porra de garçonete.

Pude perceber pelo uso daquela obscenidade que Rosie estava se irritando de novo, mas ela não podia contradizer as evidências.

— Esse é meu trabalho de meio período. Estou fazendo meu Ph.D. em psicologia, tá bom? No departamento de Gene. Agora a coisa faz sentido?

Claro! De repente me lembrei de onde a vira antes: discutindo com Gene depois da palestra dele. Eu me lembrei que Gene a chamou para tomar café — como ele costuma fazer com mulheres atraentes —, mas ela recusou. Por algum motivo fiquei feliz com isso. Mas, se eu a tivesse reconhecido quando ela veio à minha sala, todo o mal-entendido poderia ter sido evitado. Agora tudo fazia sentido, incluindo a atuação dela quando fingiu ser candidata a uma vaga em medicina. Com exceção de duas coisas.

— Por que você não me contou?

— Porque eu *sou* uma garçonete e não tenho vergonha disso. É me pegar ou largar como garçonete.

Supus que ela estivesse falando metaforicamente.

— Excelente — falei. — Isso explica quase tudo.

— Ah, que ótimo, então. Por que o "quase"? Você não precisa deixar nada em aberto, pode falar.

— Por que Gene não me disse nada?

— Porque ele é um imbecil.

— Gene é meu melhor amigo.

— Que Deus lhe proteja — disse ela.

Com tudo esclarecido, era hora de terminar o projeto, embora nossas chances de encontrar o pai dela hoje parecessem baixas. Ainda havia catorze candidatos e nós só tínhamos mais três amostras. Eu me levantei e fui até a máquina.

— Escute — disse Rosie. — Vou perguntar de novo. Por que você está fazendo isso?

Eu me lembrei das minhas reflexões sobre o assunto e da resposta que obtive, a qual envolvia desafio científico e altruísmo em relação a seres humanos adjacentes. Mas, quando comecei a dar minha explicação, percebi que não era verdade. Esta noite eu havia corrigido numerosas hipóteses inválidas e erros de comunicação. Era melhor não criar um novo.

— Não sei — respondi.

Eu me virei para a máquina e comecei a carregar a amostra. Meu trabalho foi interrompido por um súbito barulho de vidro se quebrando. Rosie tinha atirado um béquer na parede, por sorte não algum que contivesse uma amostra ainda não testada.

— Estou tão, tão, *tão* de saco cheio disso!

E foi embora.

Na manhã seguinte, alguém bateu à porta da minha sala. Rosie.

— Entre — falei. — Suponho que queira saber o resultado das três últimas amostras.

Rosie andou estranhamente devagar até minha mesa, onde eu estava revisando algumas informações capazes de mudar minha vida.

— Não — respondeu ela. — Imaginei que eram negativos. Até você teria me ligado se conseguisse um positivo.

— Correto.

Ela se levantou e olhou para mim sem dizer nada. Tenho consciência de que tais silêncios são oportunidades para que eu fale mais alguma coisa, mas não pude pensar em nada útil para dizer. Por fim, ela preencheu o vazio.

— Ei... desculpe por ter feito um escândalo ontem.

— É completamente compreensível. É incrivelmente frustrante trabalhar tanto e não obter nenhum resultado. Porém, é algo muito comum na ciência. — Eu me lembrei de que ela era formada em ciências, além de ser garçonete. — Como você bem sabe.

— Eu estava falando do seu Projeto Esposa. Acho que é errado, mas você não é diferente de todos os outros homens que conheço na coisificação das mulheres. Só é mais sincero ao fazer isso. Enfim, você me ajudou tanto que...

— Foi um erro de comunicação. Que por sorte agora está retificado. Podemos dar prosseguimento ao Projeto Pai sem o aspecto pessoal.

— Não até eu entender por que você está fazendo isso.

Aquela pergunta difícil de novo. Entretanto, Rosie tinha ficado feliz em prosseguir quando achou que eu estava motivado pelo interesse romântico, muito embora não fosse recíproco o interesse.

— Não houve qualquer mudança na minha motivação — falei, com sinceridade. — A sua motivação é que era uma preocupação para mim. Achei que você estava interessada em mim como parceiro. Por sorte, essa suposição se baseava em informações falsas.

— Você não deveria estar investindo seu tempo no seu projeto de coisificação?

A pergunta veio na hora exata. As informações que eu estava observando no computador indicaram uma descoberta sensacional.

— Boa notícia. Surgiu uma candidata que satisfaz todos os critérios.

— Bem — disse Rosie —, você não vai mais precisar de mim.

Era uma resposta verdadeiramente estranha. Eu não havia precisado de Rosie para outra coisa que não fosse o projeto dela.

16

O nome da candidata era Bianca Rivera e ela preenchia todos os critérios. Só havia um obstáculo, ao qual eu teria de dedicar algum tempo. Ela inseriu a observação de que venceu duas vezes o campeonato estadual de dança de salão e exigia um parceiro que fosse um dançarino proficiente. Parecia perfeitamente razoável que ela também tivesse alguns critérios próprios, e esse era fácil de satisfazer. E eu já sabia o lugar perfeito aonde levá-la.

Liguei para Regina, a assistente da Chefe do Departamento, para confirmar se ela ainda estava vendendo ingressos para o baile da faculdade. Então mandei um e-mail para Bianca e a convidei para me acompanhar. Ela aceitou! Eu tinha uma parceira com quem ir — a parceira perfeita. Agora tinha dez dias para aprender a dançar.

Gene entrou na minha sala quando eu estava praticando passos de dança.

— Creio que as estatísticas de longevidade se baseiam em casamentos com mulheres vivas, Don.

Ele se referia ao esqueleto que eu estava usando para praticar. Eu o obtivera no Departamento de Anatomia a título de empréstimo, e ninguém me perguntou para que eu o queria. A julgar pelo tamanho da bacia, era quase com certeza um esqueleto masculino, mas isso era irrelevante para o treino de dança. Expliquei seu propósito para Gene, apontando a cena de *Grease* que estava na parede da minha sala.

— Então — disse Gene —, quer dizer que a Sra. Ideal — desculpe, a Dra. Ideal, Ph.D., acabou de pintar na sua caixa de entrada.

— O sobrenome dela não é Ideal — falei. — É Rivera.

— Foto?

— Não é necessário. Os arranjos para o encontro são bastante precisos. Ela vai me acompanhar ao baile da faculdade.

— Ai, merda. — Gene ficou em silêncio por algum tempo enquanto eu voltava a praticar meus passos de dança. — Don, o baile da faculdade é daqui a pouco mais de uma semana, na sexta.

— Correto.

— Você não pode aprender a dançar em nove dias.

— Dez. Comecei ontem. Os passos são triviais de recordar. Só preciso praticar a mecânica. É consideravelmente mais fácil do que artes marciais.

Demonstrei uma sequência.

— Bastante impressionante — disse Gene. — Sente-se, Don.

Sentei.

— Espero que você não esteja muito puto comigo por causa da Rosie — disse ele.

Eu tinha quase esquecido.

— Por que você não me contou que ela era aluna de psicologia? Nem sobre a aposta?

— Pelo que Claudia me disse, vocês dois pareciam estar se divertindo juntos. Achei que se ela não tinha lhe dito nada, era por um bom motivo. Ela pode ser meio maluca, mas não é burra.

— Perfeitamente compreensível — falei. Em assuntos de interação humana, por que discutir com um professor de psicologia?

— Fico feliz por pelo menos um de vocês aceitar bem a coisa — disse Gene. — Preciso dizer que Rosie ficou meio chateada comigo. Meio chateada com a vida. Escute, Don, eu a convenci a ir ao baile. Sozinha. Se você soubesse quantas vezes Rosie aceita meus conselhos, perceberia como isso é excepcional. Eu vim sugerir que você fizesse o mesmo.

— Aceitar seus conselhos?

— Não, ir ao baile sozinho. Ou então convidar Rosie para ir com você.

Agora entendi o que Gene estava sugerindo. Gene é tão focado em sexo e atração sexual que enxerga isso em toda parte. Dessa vez ele estava completamente enganado.

— Rosie e eu já discutimos explicitamente a questão do relacionamento amoroso. Nenhum de nós está interessado.

— E desde quando as mulheres discutem alguma coisa explicitamente? — retrucou Gene.

Visitei Claudia em busca de conselhos para meu encontro crucial com Bianca. Supunha que ela compareceria ao baile como esposa de Gene e lhe disse que eu poderia precisar de ajuda naquela noite. No fim, porém, ela nem sequer sabia do baile.

— Apenas seja você mesmo, Don. Se ela não o quiser como você é, então não é a pessoa certa para você.

— Acho improvável que alguma mulher me aceite como eu sou.

— E Daphne? — perguntou Claudia.

Era verdade: Daphne era diferente de todas as mulheres com quem saí. Aquilo era uma terapia excelente; refutação por contraexemplo. Talvez Bianca fosse uma versão mais jovem e dançante de Daphne.

— E Rosie? — perguntou Claudia.

— Rosie é completamente inadequada.

— Não estava perguntando isso — disse Claudia. — Só se ela aceita você como você é.

Pensei no assunto por alguns instantes. Era uma pergunta difícil.

— Acho que sim. Porque ela não está me avaliando como um parceiro.

— Provavelmente é bom que você sinta isso — disse Claudia.

Sentir! Sentir, sentir, sentir! Os sentimentos estavam atrapalhando minha sensação de bem-estar. Além do desejo irritante de trabalhar no Projeto Pai em vez de no Projeto Esposa, agora eu tinha também um alto nível de ansiedade em relação a Bianca.

Durante toda a minha vida fui criticado pela minha suposta falta de emoções, como se isso fosse um defeito absoluto. As interações com os psiquiatras e psicólogos — inclusive Claudia — partem da premissa de que eu deveria estar "mais em contato" com minhas emoções. O que eles realmente querem dizer é que eu deveria me deixar levar por elas. Sou perfeitamente capaz de detectar, reconhecer e analisar as emoções. Esta é uma competência útil e que eu gostaria de aperfeiçoar. De vez em quando podemos desfrutar uma emoção — a gratidão que senti por minha irmã vir me visitar mesmo durante os momentos ruins, a sensação primitiva de bem-estar depois de uma taça de vinho —, mas precisamos ser vigilantes para que as emoções não nos prejudiquem.

Diagnostiquei sobrecarga cerebral e criei uma planilha para analisar a situação.

Comecei listando as perturbações recentes em minha rotina. Duas delas eram inquestionavelmente positivas. Eva, a faxineira de saia curta, estava fazendo um excelente trabalho e me liberando uma quantidade de tempo considerável. Sem ela, a maioria das recentes atividades adicionais não teria sido possível. E, deixando de lado a ansiedade, eu tinha a minha primeira candidata qualificada ao Projeto Esposa. Tomei a decisão de que gostaria de ter uma parceira e pela primeira vez tinha uma candidata viável. A lógica ditava que o Projeto Esposa, ao qual eu havia planejado alocar a maior parte do meu tempo livre, deveria agora receber o máximo de atenção. Ali identifiquei o Problema Número Um. Minhas emoções não estavam alinhadas com a lógica. Eu me sentia relutante em ir atrás daquela oportunidade.

Não tive certeza se listava o Projeto Pai como positivo ou negativo, mas ele havia consumido uma quantidade enorme de tempo a uma taxa zero de retorno. Meus argumentos para lhe dar continuidade sempre foram fracos; além disso, eu já tinha feito bem mais do que era de se esperar de mim. Se Rosie desejasse localizar e obter o DNA dos candidatos remanescentes, poderia fazer isso sozinha. Agora ela possuía uma quantidade substancial de prática com o procedimento de coleta. Eu poderia me oferecer para realizar os testes no laboratório. Mais uma vez, a lógica e as emoções não estavam em compasso. Eu desejava continuar com o Projeto Pai. Por quê?

É praticamente impossível fazer comparações úteis de níveis de felicidade, principalmente ao longo de grandes períodos de tempo. Contudo, se me pedissem que escolhesse o dia mais feliz da minha vida, eu teria respondido, sem hesitar, que foi o primeiro dia que passei no Museu de História Nacional em Nova York, quando fui para uma conferência na cidade durante meu Ph.D. O segundo melhor dia foi o segundo dia no museu, e o terceiro, o terceiro dia. Mas, depois dos acontecimentos recentes, a coisa não estava mais tão clara. Era difícil escolher entre o

Museu de História Natural e a noite de preparação de coquetéis no clube de golfe. Será, portanto, que eu deveria considerar pedir demissão da universidade e aceitar a oferta de sociedade de Amghad num bar de coquetéis? Será que isso me faria permanentemente feliz? A ideia parecia ridícula.

A causa da minha confusão era o fato de eu estar lidando com uma equação que possuía tanto imensos valores negativos (mais seriamente as perturbações na minha rotina) quanto positivos (as maravilhosas experiências resultantes disso). Minha incapacidade de quantificar esses fatores de modo preciso significava que eu não era capaz de determinar se o resultado líquido era positivo ou negativo. E a margem de erro era gigantesca. Anotei que o Projeto Pai tinha valor indeterminado e o coloquei no alto da lista de perturbações sérias.

O último item da minha planilha era: que o risco imediato de meu nervosismo e a ambivalência em relação ao Projeto Esposa impedissem minhas interações sociais com Bianca. Eu não estava preocupado com a dança: tinha confiança de que poderia me valer da minha experiência nos treinos para as competições de artes marciais, com a vantagem adicional de agora poder contar com um nível ótimo de ingestão de álcool, o que não é permitido nas artes marciais. Minha preocupação era muito mais em cometer algum deslize social. Seria terrível perder o relacionamento perfeito por não conseguir detectar sarcasmo ou por ter encarado Bianca por um tempo maior ou menor do que o convencional. Eu me tranquilizei dizendo que Claudia no fundo estava certa: se essas coisas incomodassem excessivamente Bianca, ela não seria a parceira perfeita para mim, e eu pelo menos poderia refinar o questionário para usos futuros.

Fui até um estabelecimento de aluguel de trajes formais como Gene recomendou e especifiquei que desejava o máximo de formalidade. Não queria repetir o Incidente do Esporte Fino.

17

O baile era numa noite de sexta-feira, num centro de eventos à beira do rio. Para ser mais eficiente, eu tinha levado meu traje para o trabalho, e pratiquei o chá-chá-chá e a rumba com meu esqueleto enquanto aguardava o horário de sair. Quando fui ao laboratório apanhar uma cerveja, senti uma forte pontada de emoção. Estava com saudades dos estímulos do Projeto Pai.

O fraque, com suas caudas e cartola, era totalmente impraticável para pedalar, portanto tomei um táxi e cheguei exatamente às 19h55, como planejado. Às minhas costas, outro táxi estacionou, e uma mulher alta, de cabelos escuros, saltou do carro. Estava usando o vestido mais impressionante do mundo, multicolorido e brilhante — em tons de vermelho, azul, amarelo, verde —, com uma estrutura complexa que incluía uma fenda lateral. Nunca tinha visto ninguém tão espetacular. Estimei trinta e cinco anos, IMC de vinte e dois, consistente com as respostas ao questionário. Nem um pouco adiantada nem um pouco atrasada. Estaria eu olhando para a minha futura esposa? Era quase inacreditável.

Ao sair do táxi, ela olhou para mim por um instante, depois se virou e caminhou em direção à porta. Respirei fundo e a segui. Ela entrou e olhou em volta, depois me viu de novo, e dessa vez me olhou com mais atenção. Eu me aproximei dela, apenas o bastante para poder conversar, mas tomando cuidado para não invadir seu espaço pessoal. Olhei em seus olhos. Contei um, dois. Depois abaixei os olhos um pouco — minimamente.

— Oi — cumprimentei. — Sou o Don.

Ela me olhou por um segundo antes de estender a mão e apertá-la com pouca pressão.

— Sou Bianca. Você... realmente caprichou na roupa.

— Claro, o convite especificava traje formal.

Depois de mais ou menos dois segundos, ela explodiu em uma risada.

— Você me pegou por um momento. Assim tão sério. Sabe, você coloca "senso de humor" na lista de coisas que está buscando, mas nunca espera encontrar um verdadeiro comediante. Acho que eu e você vamos nos divertir juntos.

As coisas estavam indo extremamente bem.

O salão de baile era gigantesco; dúzias de mesas com acadêmicos em trajes formais. *Todos* se viraram para nos olhar, e ficou óbvio que tínhamos causado uma impressão. No início achei que devia ser por causa do vestido espetacular de Bianca, mas havia várias outras mulheres com vestidos interessantes. Então percebi que os homens, quase sem exceção, estavam usando ternos pretos com camisa branca e gravata-borboleta. Ninguém estava de fraque ou cartola. Isso explicava a reação inicial de Bianca. Era irritante, mas não uma situação com a qual eu não estivesse acostumado. Atirei minha cartola para a multidão e todos gritaram vivas. Bianca pareceu gostar da atenção.

Estávamos na mesa doze, segundo o mapa de lugares, bem na beirada da pista de dança. Uma banda afinava os instrumentos. Observando-os, tive a impressão de que minhas habilidades no chá-chá-chá, na rumba, no foxtrote, na valsa, no tango e na lambada não seriam requisitadas. Eu precisaria me valer dos meus treinos do segundo dia do projeto de dança: rock'n'roll.

A recomendação de Gene de chegar trinta minutos após o início oficial da festa fez com que quase todos, exceto três lugares da mesa, estivessem ocupados. Um deles era de Gene, que estava andando por ali, servindo-se de champanhe. Claudia não viera.

Identifiquei Laszlo Hevesi, do Departamento de Física, que estava vestido de um modo completamente inapropriado, com calças militares e camisa de trilha, e sentado ao lado de uma mulher que reconheci, com surpresa, como sendo Frances, da noite de *speed dating*. Do outro lado de Laszlo estava A Bela Helena. Havia também um homem de cabelos escuros de uns trinta anos (IMC estimado em vinte) que parecia não se barbear há dias e, ao lado dele, a mulher mais linda que já vi. Em contraste com a complexidade da roupa de Bianca, ela usava um vestido verde sem adornos, tão minimalista que não tinha nem alças para segurá-lo no lugar. Levei um instante para reconhecer que a mulher que o vestia era Rosie.

Bianca e eu tomamos os dois lugares vagos entre Homem com Barba por Fazer e Frances, respeitando o padrão estabelecido, que alternava homens e mulheres. Rosie começou as apresentações e reconheci o protocolo que aprendi para utilizar nas conferências e que nunca cheguei a usar de fato.

— Don, este é Stefan.

Ela estava se referindo a Homem com Barba por Fazer. Estendi a mão e apertei a dele, imitando a pressão que ele usou e a qual julguei excessiva. Imediatamente tive uma reação negativa em relação a ele. Em geral não sou competente em avaliar outros seres humanos, exceto por meio da sua conversa ou da comunicação escrita. Porém, sou razoavelmente astuto em identificar alunos que provavelmente vão interromper a aula.

— Sua reputação vai longe — disse Stefan.

Talvez meu julgamento tenha sido apressado demais.

— Você está familiarizado com meu trabalho?

— Pode-se dizer que sim. — Ele riu.

Percebi que eu não poderia continuar a conversa antes de apresentar Bianca.

— Rosie, Stefan, deixe-me apresentar Bianca Rivera.

Rosie estendeu a mão e disse:

— Prazer em conhecê-la.

Elas deram um sorriso forçado uma para a outra e Stefan também apertou a mão de Bianca.

Dever cumprido, virei-me para Laszlo, com quem eu não falava há algum tempo. Laszlo é a única pessoa que conheço com competências sociais piores do que as minhas, e era reconfortante tê-lo por perto à guisa de contraste.

— Saudações, Laszlo — falei, supondo que a formalidade não seria adequada nesse caso. — Saudações, Frances. Você encontrou um parceiro. Quantos encontros foram necessários?

— Gene nos apresentou — explicou Laszlo. Ele estava olhando de modo não apropriado para Rosie. Gene levantou o polegar para Laszlo, depois entrou no espaço que havia entre mim e Bianca com a garrafa de champanhe. Bianca imediatamente emborcou sua taça.

— Don e eu não bebemos — disse ela, emborcando a minha também.

Gene me deu um sorriso enorme. Aquela era uma reação estranha a um erro irritante e não intencional da minha parte: Bianca pelo visto havia respondido ao questionário original.

Rosie perguntou a Bianca:

— Como você e Don se conheceram?

— Temos um interesse em comum, a dança — respondeu Bianca.

Achei que era uma resposta excelente, que não se referia ao Projeto Esposa, mas Rosie me olhou de um jeito esquisito.

— Que legal — disse ela. — Ando ocupada demais com meu Ph.D. para ter tempo de dançar.

— Ah, é preciso ser organizada — retrucou Bianca. — Eu acredito em ser *muito* organizada.

— Sim — disse Rosie. — Eu...

— Na primeira vez que fui até a final do campeonato nacional, eu estava no meio do meu Ph.D. Pensei em abandonar o triatlo ou o curso de culinária japonesa, mas...

Rosie sorriu, mas não do jeito que costumava sorrir.

— Não, teria sido besteira. Os homens adoram mulheres que sabem cozinhar.

— Prefiro pensar que eles superaram esse tipo de estereótipo — retrucou Bianca. — Don é um ótimo cozinheiro, por exemplo.

A sugestão de Claudia para que eu mencionasse minhas competências culinárias no questionário obviamente tinha sido eficaz. Rosie forneceu provas:

— Fabuloso. Outro dia comemos uma lagosta sensacional na varanda da casa dele.

— Ah, é mesmo?

Era bom que Rosie me recomendasse a Bianca, mas Stefan estava novamente exibindo aquela expressão de aluno que vai interromper a aula. Apliquei minha técnica de fazer uma pergunta antes disso.

— Você é namorado do Rosie?

Stefan não tinha uma resposta pronta. Se fosse uma aula, essa teria sido minha deixa para prosseguir, agora com o aluno saudavelmente tendo cautela comigo. Mas Rosie respondeu no lugar dele:

— Stefan está cursando seu Ph.D. comigo.

— Acredito que o termo seja *parceiro* — disse Stefan.

— Para esta noite — interrompeu Rosie.

Stefan sorriu.

— É nosso primeiro encontro.

Era estranho que eles não concordassem quanto à natureza de seu relacionamento. Rosie se virou de novo para Bianca.

— É o primeiro encontro seu e de Don, também?

— Isso mesmo, Rosie.

— O que você achou do questionário?

Bianca olhou depressa para mim, depois se virou de novo para Rosie.

— Maravilhoso. A maioria dos homens só quer falar de si mesmo. Foi bom ter alguém focado em mim.

— Tenho uma ideia de como isso deve agradar você — comentou Rosie.

— E que ainda por cima sabe dançar — continuou Bianca.

— Mal pude acreditar na minha sorte. Mas você sabe, é como diz o ditado: quanto mais me esforço, mais sorte tenho.

Rosie pegou sua taça de champanhe e Stefan disse:

— Há quanto tempo você dança, Don? Já ganhou algum prêmio?

Fui salvo de precisar responder com a chegada da Chefe do Departamento.

Ela usava um vestido cor-de-rosa complexo, cuja parte inferior se espalhava de modo amplo. Vinha acompanhada por uma mulher mais ou menos da mesma idade dela, vestida com roupas tradicionais masculinas de baile, terno preto e gravata-borboleta. A reação dos convidados foi semelhante à de quando eu cheguei, sem os vivas ao final.

— Ai, ai — disse Bianca.

Eu não tinha uma boa opinião a respeito da Chefe do Departamento, mas aquele comentário me deixou incomodado.

— Algum problema com lésbicas? — perguntou Rosie, ligeiramente agressiva.

— Nem um pouco — respondeu Bianca. — Meu problema é com a falta de noção para a moda.

— Você vai se divertir com Don, então — disse Rosie.

— Eu acho que Don está *fabuloso* — disse Bianca. — É preciso estilo para vestir algo um pouco diferente. Qualquer um é capaz de usar um terno ou um vestido simples, não acha, Don?

Assenti com educação. Bianca estava exibindo exatamente as características que eu estava buscando. As chances de que ela fosse perfeita eram enormes. Mas, por algum motivo, meus instintos se rebelaram. Talvez fosse a regra de não beber. Meu vício oculto em álcool fazia meu inconsciente enviar um sinal de rejeição para alguém que queria me fazer parar de beber. Eu precisava superar isso.

Terminamos as entradas e a banda tocou alguns acordes em volume alto. Stefan foi até eles e apanhou o microfone do cantor.

— Boa noite a todos — disse ele. — Achei que vocês deveriam saber que esta noite temos conosco uma ex-finalista dos campeonatos de dança nacionais. Talvez vocês a tenham visto na televisão. Bianca Rivera. Vamos deixar que Bianca e seu parceiro, Don, nos divirtam por alguns minutos.

Eu não esperava que minha primeira performance fosse tão pública, mas havia a vantagem da pista de dança desobstruída. Eu já tinha dado aulas para grandes públicos e participado de exibições de artes marciais na frente de multidões. Não havia motivo para ficar nervoso. Bianca e eu pisamos na pista.

Eu a segurei à moda do swing tradicional, que havia praticado com o esqueleto, e imediatamente senti a estranheza, a repulsão iminente, que sempre sinto quanto sou obrigado a fazer contato com outro ser humano. Eu havia me preparado mentalmente para isso, mas não para outro problema, mais sério: eu não havia praticado com música. Tenho certeza de que executei os passos corretamente, mas não na velocidade correta, nem no ritmo da música. Logo começamos a tropeçar um no outro e o efeito geral foi *desastroso*. Bianca tentou conduzir, mas eu não tinha nenhuma experiência com uma parceira viva, muito menos com alguém tentando assumir o controle.

Todos começaram a rir. Estou mais do que acostumado a que riam de mim, sou especialista nisso e, quando Bianca se afastou, olhei para o público para ver quem não estava rindo — um meio excelente de identificar amigos. Gene, Rosie e, surpreendentemente, a Chefe do Departamento e sua parceira eram meus amigos esta noite. Stefan, com toda certeza, não.

Algo sério deveria ser feito para salvar aquela situação. Em minhas pesquisas sobre dança, verifiquei alguns passos especializados que eu não tinha intenção de usar, mas que decorei por serem muito interessantes. Tinham a vantagem de não serem extremamente dependentes de sincronia nem de contato corporal. Agora era hora de empregá-los.

Fiz os passos do homem correndo, ordenhando a vaca e pescando, girando Bianca para dentro dos movimentos, embora ela não se mexesse de acordo com o exigido. Na verdade ela estava completamente parada. Até que eu, por fim, tentei uma manobra de contato físico que era tradicionalmente utilizada para finalizações espetaculares, na qual o homem segura a mulher e a passa dos dois lados do seu corpo, por trás das costas e entre suas pernas. Infelizmente isso requer a cooperação da parceira, ainda mais se ela for mais pesada do que um esqueleto. Bianca não ofereceu tal cooperação e o efeito foi como se eu a tivesse atacado. Ao contrário do aikido, o treinamento em dança pelo visto não ensina como cair com segurança.

Eu me ofereci para ajudá-la a se levantar, mas ela ignorou minha mão e andou na direção do banheiro, aparentemente sem machucados.

Voltei para a mesa e me sentei. Stefan não parava de rir.

— Seu canalha — disse Rosie para ele.

Gene falou alguma coisa para Rosie, provavelmente para evitar uma manifestação pública inapropriada de raiva, e ela pareceu se acalmar.

Bianca voltou ao seu assento, mas apenas para recolher sua bolsa.

— O problema foi sincronia — tentei explicar para ela. — O metrônomo na minha cabeça não está ajustado na mesma frequência do da banda.

Bianca me deu as costas, mas Rosie pareceu disposta a ouvir minha explicação.

— Eu desligava a música ao praticar para poder me concentrar em aprender os passos.

Rosie não disse nada, e ouvi Bianca falando com Stefan:

— Acontece. Não é a primeira vez, apenas a pior de todas. Os homens dizem que sabem dançar, mas... — Ela andou em direção à saída sem se despedir de mim, mas Gene a seguiu e interceptou sua passagem.

Isso me deu uma oportunidade. Desemborquei minha taça e a enchi de vinho. Era um moscatel ruim e com excessivo açúcar residual. Tomei tudo e servi outra dose. Rosie se levantou e foi até a banda. Falou com o cantor, depois com o baterista.

Voltou e apontou para mim de modo estilizado. Reconheci aquele gesto; já tinha visto uma dúzia de vezes. Era o mesmo sinal que Olivia Newton-John fez a John Travolta em *Grease* para começar a sequência de dança que eu estava praticando quando Gene me interrompeu, nove dias antes. Rosie me puxou na direção da pista.

— Dance — disse ela. — Apenas dance essa merda.

Comecei a dançar sem música. Era o que eu havia praticado. Rosie me acompanhou, seguindo meu ritmo. Então levantou o braço e começou a agitá-lo em sincronia com os nossos movimentos. Ouvi o baterista começar a tocar e percebi em meu corpo que ele estava sincronizado conosco. Mal notei o resto da banda começar a tocar também.

Rosie dançava bem e era bem mais fácil de manipular do que um esqueleto. Eu a conduzi pelos passos mais difíceis, completamente focado na mecânica e em não cometer erros. A canção de *Grease* terminou e todos bateram palmas. Mas, antes que pudéssemos voltar para a mesa, a banda começou a tocar de novo e as pessoas bateram palmas no ritmo: *Satisfaction*. Talvez tenha sido por causa do efeito do vinho nas minhas funções cognitivas, mas, de repente, fui tomado por uma sensação extraordinária — não de satisfação, mas de alegria absoluta. Era a mesma sensação que tive no Museu de História Natural e quando estava preparando coquetéis. Começamos a dançar de novo, e dessa vez permiti me focar nas sensações do meu corpo se mexendo ao ritmo da música da minha infância e de Rosie acompanhando o ritmo.

A música terminou e todos bateram palmas de novo.

Olhei para Bianca, minha parceira, e localizei-a perto da saída com Gene. Pensei que ela ficaria bem impressionada ao ver que o problema estava resolvido, mas mesmo à distância e com minha capacidade limitada de interpretar expressões faciais, percebi que ela estava furiosa. Ela deu as costas e foi embora.

O resto da noite foi incrível, modificado totalmente por uma única dança. *Todo mundo* veio elogiar Rosie e eu. O fotógrafo deu uma foto nossa para mim e outra para ela, sem nos cobrar. Stefan foi embora mais cedo. Gene conseguiu um champanhe de alta qualidade no bar e bebemos várias taças com ele e uma pós-doutoranda húngara chamada Klara, do Departamento de Física. Rosie e eu dançamos de novo, depois dancei com quase todas as mulheres do baile. Perguntei a Gene se eu deveria convidar a Chefe do Departamento ou sua parceira, mas ele considerou que a questão estava fora até mesmo da alçada dele, que possuía grande experiência. No fim não convidei, pois a Chefe do Departamento estava obviamente de mau humor. A multidão tinha deixado bem claro que preferia dançar a ouvir o discurso que ela havia ensaiado.

No fim da noite, a banda tocou uma valsa e, quando acabou, olhei ao redor e vi que estávamos apenas Rosie e eu na pista de dança. E todo mundo aplaudiu de novo. Só mais tarde percebi que havia experimentado contato próximo e duradouro com outro ser humano sem me sentir incomodado. Atribuí isso à minha concentração em executar corretamente os passos de dança.

— Quer rachar um táxi? — perguntou Rosie.

Parecia uma economia racional de combustível fóssil.

No carro, Rosie me disse:

— Você devia ter praticado com ritmos diferentes. Não é tão inteligente quanto eu pensei que fosse.

Eu apenas olhei pela janela do táxi.

Então ela disse:

— Não acredito. Não acredito *mesmo*, puta merda. Você foi em frente mesmo, né? Isso é que é pior. Você prefere fazer um papelão na frente de todo mundo a admitir para ela que ela não é seu tipo.

— Teria sido extremamente estranho. Eu não tinha nenhum motivo para rejeitá-la.

— Nenhum, fora não querer casar com um periquito — retrucou Rosie.

Achei isso incrivelmente engraçado, sem dúvida por causa do álcool e da descompensação pós-estresse. Nós dois rimos durante vários minutos, e Rosie inclusive me tocou algumas vezes no ombro. Não me importei, mas, quando paramos de rir, me senti esquisito de novo e desviei o olhar.

— Você é inacreditável — disse Rosie. — Olhe para mim quando eu estiver falando.

Continuei olhando pela janela. Já estava superestimulado.

— Eu sei qual a sua aparência.

— Qual é a cor dos meus olhos?

— Castanhos.

— Quando eu nasci, meus olhos eram azuis — disse ela. — Do tom azulado dos bebês. Como minha mãe. Ela era irlandesa, mas tinha olhos azuis. Depois eles ficaram castanhos.

Olhei para Rosie. Isso era incrível.

— Os olhos da sua mãe mudaram de cor?

— Não, os *meus*. Isso acontece com os bebês. Foi quando minha mãe percebeu que Phil não era meu pai. Os olhos dela eram azuis e os de Phil também. E então ela decidiu contar a ele. Acho que eu devo me sentir grata por ele não ser um leão.

Eu sentia dificuldade em entender tudo o que Rosie estava dizendo, sem dúvida por causa dos efeitos do álcool e do perfume dela. Entretanto, ela havia me dado a oportunidade de manter a conversa em terreno seguro. A herança de características influenciadas pela genética, como a cor dos olhos, é mais complexa do que se costuma entender normalmente, e eu tinha certeza de que conseguiria falar sobre o assunto durante todo o tempo restante do trajeto. Mas percebi que seria uma medida de defesa e, além disso, uma grosseria com Rosie, que por minha causa havia arriscado passar por um constrangimento considerável e prejudicado seu relacionamento com Stefan.

Afastei meus pensamentos e voltei a analisar gramaticalmente a declaração dela: "Acho que eu devo me sentir grata por ele não ser um leão." Supus que ela estivesse se referindo à nossa conversa na noite do Jantar na Varanda, quando eu lhe disse que os leões matam as crias de outros machos quando assumem um bando. Talvez ela quisesse conversar sobre Phil, o que também seria interessante para mim. Toda a motivação para o Projeto Pai era o fracasso de Phil nesse papel. Porém, Rosie não tinha me dado nenhuma prova concreta disso, além do fato de que ele se opunha ao álcool, possuía um veículo impraticável e escolhera uma caixinha de joias como presente.

— Ele era violento? — perguntei.

— Não. — Ela fez uma pausa por um instante. — Era só... confuso. Um dia eu era a menina mais especial do mundo; no outro, ele nem queria saber.

Isso parecia muito genérico e mal constituía justificativa para um enorme projeto de investigação de DNA.

— Você poderia fornecer um exemplo?

— Por onde começar? Certo, a primeira vez foi quando eu tinha dez anos. Ele prometeu me levar à Disneylândia. Eu contei a todo mundo na escola. Depois esperei, esperei, esperei e esperei, mas isso nunca aconteceu.

O táxi parou em frente a um conjunto de apartamentos. Rosie não parava de falar, olhando para a parte de trás do banco do motorista.

— Então, eu tenho todo esse lance com rejeição. — Ela se virou para mim. — Como é que *você* lida com isso?

— Esse problema nunca ocorreu — contei. Não era hora de começar uma nova conversa.

— Não me venha com essa — disse Rosie.

Parece que eu teria de responder com sinceridade. Estava na presença de alguém formado em psicologia.

— Houve alguns problemas na escola — falei. — Daí as artes marciais. Mas desenvolvi algumas técnicas de não violência para lidar com situações sociais difíceis.

— Tipo hoje.

— Eu enfatizava as coisas que as pessoas mais achavam divertidas.

Rosie não disse nada. Reconheci a técnica de terapia, mas não pude pensar em mais nada para fazer, a não ser continuar explicando.

— Eu não tinha muitos amigos. Basicamente nenhum, a não ser minha irmã. Infelizmente ela morreu há dois anos devido a um erro médico.

— O que aconteceu? — perguntou Rosie, em voz baixa.

— Uma gravidez ectópica não diagnosticada.

— Oh, Don — disse Rosie, bastante compreensiva. Senti que eu tinha escolhido uma pessoa apropriada para me abrir.

— Ela estava... com alguém?

— Não. — Antecipei a pergunta seguinte. — Nunca descobrimos a fonte.

— Como ela se chamava?

Era, na superfície, uma pergunta inócua, ainda que eu não visse nenhum propósito em Rosie saber o nome da minha irmã. A referência indireta não era ambígua, uma vez que eu só tinha uma irmã. Mas eu me senti muito incomodado. Levei alguns instantes para perceber por quê. Embora não tivesse sido uma decisão deliberada de minha parte, eu não havia dito o nome dela desde sua morte.

— Michelle — disse para Rosie. Depois disso, nenhum dos dois falou mais durante algum tempo.

O motorista do táxi soltou um pigarro artificial. Supus que ele não estava pedindo uma cerveja.

— Quer subir? — perguntou Rosie.

Eu estava me sentindo exausto. Conhecer Bianca, dançar, ser rejeitado por Bianca, receber uma supercarga social, conversar sobre assuntos pessoais... e agora, justamente quando achava que a provação havia acabado, Rosie parecia querer mais conversas. Eu não tinha certeza se conseguiria dar conta.

— Está extremamente tarde — respondi. Tinha certeza de que seria um modo socialmente aceitável de dizer que eu queria ir para casa.

— As tarifas de táxi voltam a se reduzir de manhã.

Se entendi corretamente, eu agora, sem dúvida, não estava entendendo mais nada. Precisava ter certeza de que não estava interpretando errado o que ela disse.

— Está sugerindo que eu passe a noite com você?

— Talvez. Primeiro você vai precisar ouvir a história da minha vida.

Cuidado! Perigo, Will Robinson. Alienígena não identificado se aproximando! Pude sentir que eu estava deslizando para um abismo emocional. Consegui encontrar um meio de me acalmar para responder.

— Infelizmente tenho uma série de atividades agendadas para a manhã seguinte. — Rotina, normalidade.

Ela abriu a porta do táxi. Torci para que ela fosse embora, mas Rosie tinha algo mais a dizer.

— Don, posso lhe perguntar uma coisa?

— Uma pergunta.

— Você me acha atraente?

Gene me disse no dia seguinte que respondi errado, mas ele não estava no táxi, depois de uma noite de sobrecarga sensória total, com a mulher mais linda do mundo. Acreditei que eu tinha me saído bem. Detectei a pegadinha. Queria que Rosie gostasse de mim, e me lembrei da declaração apaixonada que ela tinha dado sobre como os homens tratavam as mulheres como objetos. Ela estava me testando para ver se eu a enxergava como objeto ou como pessoa. Obviamente a resposta correta seria a última.

— Na verdade não prestei atenção — respondi para a mulher mais linda do mundo.

18

Mandei um SMS para Gene do táxi. Era 1h08, mas ele tinha saído do baile ao mesmo tempo que eu, e o caminho que eu precisava fazer até a minha casa era maior do que o dele. *Urgente: Corrida amanhã às 6h.* Gene respondeu: *Domingo às 8h: traga as informações pessoais de Bianca.* Eu estava quase insistindo na data anterior quando me lembrei que poderia usar bem aquele tempo para organizar meus pensamentos.

Parecia óbvio que Rosie havia me convidado para fazer sexo com ela. Eu estava certo em ter evitado a situação. Nós dois havíamos bebido uma quantidade substancial de champanhe, e o álcool é famoso por estimular a tomada de decisões impensadas em relação ao sexo. Rosie era o exemplo perfeito. A decisão da mãe dela, sem dúvida incitada pelo álcool, ainda trazia tristeza significativa para a vida de Rosie.

Minha experiência sexual era limitada. Gene havia me aconselhado que era prudente esperar até o terceiro encontro, mas meus relacionamentos jamais haviam passado do primeiro. Na verdade, Rosie e eu tecnicamente só tivéramos um encontro amoroso: a noite do Incidente do Esporte Fino e do Jantar na Varanda.

Eu não usava os serviços dos bordéis, não por algum motivo moral, mas por considerar a ideia detestável. Não era uma razão racional, mas uma vez que os benefícios que eu estava buscando eram de cunho apenas primitivo, uma razão primitiva era o suficiente.

Mas agora parece que eu tinha a oportunidade de fazer o que Gene chamava de "sexo sem compromisso". As condições necessárias estavam presentes: Rosie e eu já havíamos concordado que nenhum dos dois tinha interesse em investir num relacionamento romântico, e depois Rosie indicou que desejava fazer sexo comigo. Será que eu desejava fazer sexo com Rosie? Não parecia haver nenhum motivo lógico para não querer, o que me deixava livre para obedecer aos ditames dos meus desejos primitivos. A resposta era um sim extremamente claro. Depois de ter tomado essa decisão completamente racional, não pude pensar em mais nada.

Na manhã de domingo, fui me encontrar com Gene na frente da casa dele. Eu havia trazido as informações de contato de Bianca e verificado sua nacionalidade — panamenha. Gene ficou muito satisfeito com essa informação.

Ele queria detalhes completos do meu encontro com Rosie, mas eu decidi que era um desperdício de tempo explicar tudo duas vezes: eu contaria a ele e a Claudia ao mesmo tempo. Como eu não tinha mais nenhum outro assunto para discutir com Gene, e ele sentia dificuldade em correr e falar simultaneamente, passamos os quarenta e sete minutos seguintes em silêncio.

Quando voltamos à casa dele, Claudia e Eugenie tomavam café da manhã.

Eu me sentei e disse:

— Solicito um conselho.

— Isso pode esperar? — perguntou Claudia. — Precisamos levar Eugenie para a aula de equitação e depois vamos encontrar uns amigos para o *brunch*.

— Não. Cometi um erro social. Quebrei uma das regras de Gene.

Gene disse:

— Don, acho que a ave panamenha voou. Encare a perda como uma experiência.

— A regra se aplica a Rosie, não a Bianca. Jamais deixe passar uma chance de fazer sexo com uma mulher com menos de trinta anos.

— Gene lhe disse isso? — perguntou Claudia.

Carl havia entrado na cozinha e eu me preparei para me defender do seu ataque habitual, mas ele parou para olhar o pai.

— Achei que eu devia consultar você porque é psicóloga, e consultar Gene por causa da extensa experiência prática dele — continuei.

Gene olhou para Claudia, depois para Carl.

— Na minha juventude transviada — disse ele. — *Não* na minha adolescência. — Ele se virou para mim de novo. — Acho que isso pode esperar até o horário do almoço de amanhã.

Claudia se levantou da mesa.

— Tenho certeza de que não há nada que Gene não saiba.

Isso era muito encorajador, principalmente por ter sido dito pela esposa dele.

— Você disse o quê? — perguntou Gene. Estávamos almoçando no Clube Universitário, como combinado.

— Disse que não havia prestado atenção na aparência dela. Não queria que ela achasse que eu a enxergo como um objeto sexual.

— Meu Deus — exclamou Gene. — A única vez em que você pensa antes de dizer alguma coisa é a vez em que não devia ter feito isso.

— Eu devia ter falado que ela é linda? — Eu não podia acreditar.

— Acertou — respondeu Gene, incorretamente, pois o problema é que eu não tinha acertado de primeira. — Isso explica o bolo.

Eu devo ter parecido confuso. Por motivos óbvios.

— Ela anda comendo bolo de chocolate. Na mesa dela na faculdade. No café da manhã.

Isso me pareceu uma escolha pouco saudável, compatível com o ato de fumar, mas não um sinal de estresse. Gene, porém, me garantiu que ela estava fazendo isso para se sentir melhor.

Depois de fornecer a ele as informações necessárias, apresentei meu problema.

— Você está me dizendo que ela não é A Mulher Ideal — disse ele. — A parceira para sua vida.

— Completamente inadequada. Mas ela é extremamente atraente. Se eu tivesse de fazer sexo sem compromisso com alguém, ela seria a candidata perfeita. Ela também não tem nenhum envolvimento emocional comigo.

— Então por que tanto estresse? — indagou Gene. — Você já transou antes?

— É claro — respondi. — Meu médico é completamente a favor.

— As fronteiras da ciência médica — disse Gene.

Ele provavelmente estava fazendo uma gracinha. Acho que o valor do sexo regular é conhecido há algum tempo.

Expliquei melhor:

— É que acrescentar uma segunda pessoa torna o procedimento mais complicado.

— Naturalmente — disse Gene. — Eu devia ter pensado nisso. Por que não arrumar um livro?

* * *

As informações estavam disponíveis na internet, mas alguns minutos examinando os resultados da busca por "posições sexuais" me convenceram de que a opção livro forneceria um tutorial mais relevante, com menos informações insignificantes.

Não tive dificuldade em encontrar um livro adequado e, de volta à minha sala, selecionei uma posição ao acaso. Era chamada de Posição do Caubói de Costas (Variante 2). Experimentei-a — simples. Mas, como eu havia observado para Gene, o problema era envolver uma segunda pessoa. Apanhei o esqueleto do armário e o coloquei em cima de mim, seguindo a ilustração do livro.

Existe uma regra na universidade de que ninguém abre a porta dos outros sem bater primeiro. Gene viola esta regra no meu caso, mas somos bons amigos. Não considero a Chefe do Departamento minha amiga. Foi um momento constrangedor, principalmente porque a Chefe do Departamento estava acompanhada de outra pessoa, mas a culpa era dela. Foi sorte eu não ter decidido tirar a roupa.

— Don — disse ela —, se puder deixar de fazer reparos nesse esqueleto por um instante, gostaria de apresentar o Dr. Peter Enticott, do Conselho de Pesquisa em Medicina. Mencionei seu trabalho sobre cirrose e ele ficou ansioso para conhecê-lo. A fim de considerar um *financiamento*. — Ela enfatizou esse último termo como se eu estivesse tão desconectado da política da universidade que pudesse esquecer que financiamento era o centro do mundo dela. A Chefe do Departamento tinha razão em fazer isso.

Reconheci Peter na mesma hora. Era o ex-candidato a pai de Rosie, que trabalhava na Universidade de Deakin, e que havia incitado o incidente do roubo da xícara. Ele também me reconheceu.

— Don e eu já nos conhecemos — disse ele. — A namorada está pensando em se candidatar a uma vaga em medicina. Além disso, nos encontramos recentemente numa ocasião social. — Ele me deu uma piscadela. — Acho que vocês não andam pagando bem seus funcionários.

Tivemos uma conversa excelente sobre meu trabalho com ratos alcoólatras. Peter pareceu bastante interessado, e precisei enfatizar várias vezes para ele que eu havia organizado a pesquisa de modo a não necessitar de ajuda externa. A Chefe do Departamento começou a fazer gestos e a contorcer o rosto, e achei que queria que eu fingisse que minha pesquisa exigia financiamento, para que ela pudesse desviar o dinheiro para algum outro projeto que não havia recebido financiamento por seus próprios méritos. Escolhi fingir que não entendi, mas isso só fez aumentar a intensidade dos sinais da Chefe do Departamento. Só depois percebi que eu não devia ter deixado o livro de posições sexuais aberto no chão.

Decidi que dez posições seriam suficientes inicialmente. Poderia aprender mais se o encontro inicial fosse bem-sucedido. Não levei muito tempo; menos do que para aprender o chá-chá-chá. Em termos de custo-benefício, pareceu fortemente preferível a dançar, e eu estava ansioso para começar.

Fui visitar Rosie em seu ambiente de trabalho. A área dos alunos de Ph.D. era um espaço sem janelas com mesas encostadas nas paredes. Contei oito alunos, incluindo Rosie e Stefan, cuja mesa ficava ao lado da dela.

Stefan me deu um sorriso estranho. Eu continuava não confiando nele.

— Só dá você no Facebook, Don. — Ele se virou para Rosie. — Você vai precisar atualizar o seu status.

Na tela estava uma foto espetacular de Rosie e eu dançando, semelhante àquela que o fotógrafo me deu e que agora estava ao lado do meu computador em casa. Eu estava girando Rosie, e a expressão facial dela demonstrava extrema felicidade. Eu não tinha sido tecnicamente "marcado", pois não estava registrado no Facebook (as redes sociais não eram um interesse meu), mas nossos nomes tinham sido acrescentados: *Prof. Don Tillman, do Departamento de Genética, e Rosie Jarman, candidata ao Ph.D. em Psicologia.*

— Nem me fale — disse Rosie.

— Não gostou da foto? — Isso parecia um mau sinal.

— É Phil. Não quero que ele veja isso.

Stefan disse:

— E você acha que seu pai gasta o tempo dele olhando o Facebook?

— Espere só até ele ligar — respondeu Rosie. — "Quanto ele ganha?" "Você está transando com ele?" "Ele sabe puxar ferro?"

— Não dá para dizer que são perguntas incomuns que um pai faça sobre o homem que está saindo com sua filha — comentou Stefan.

— Não estou saindo com Don. Nós rachamos um táxi. É só isso. Certo, Don?

— Correto.

Rosie se virou de novo para Stefan.

— Então você pode enfiar sua teoriazinha onde ela merece. Permanentemente.

— Preciso falar com você em particular — falei para Rosie.

Ela me olhou de modo bem direto.

— Acho que não temos nada para conversar em particular.

Isso pareceu estranho, mas provavelmente ela e Stefan compartilhavam informações do mesmo modo que eu e Gene. Ele a acompanhara ao baile.

— Eu reconsiderei sua oferta de sexo — falei.

Stefan colocou a mão na boca. Houve um silêncio bastante longo — eu estimaria em seis segundos.

Então Rosie disse:

— Foi uma brincadeira. Uma brincadeira, Don.

Não consegui entender isso. Eu podia entender que ela tivesse mudado de ideia. Talvez a resposta sobre a coisificação sexual tivesse sido fatal. Mas brincadeira? Com certeza eu não devia ser assim tão insensível a dicas sociais para não entender que ela estava brincando. Sim, devia. Eu já havia deixado de identificar brincadeiras no passado. Com frequência. Uma brincadeira. Eu andara obcecado por causa de uma brincadeira.

— Oh! Quando vamos nos encontrar para continuar o outro projeto?

Rosie olhou para a mesa dela:

— Não existe outro projeto.

19

Durante uma semana, eu me esforcei ao máximo para voltar à minha rotina normal, usando o tempo liberado pela faxina de Eva e o cancelamento do Projeto Pai para retomar as aulas de caratê e aikido a que vinha faltando.

O sansei, quinto dan, um homem que fala muito pouco, principalmente com os faixas-pretas, me chamou de lado enquanto eu estava socando o saco de areia no dojô.

— Algo o deixou com muita raiva — disse ele. E só.

Ele me conhecia bem o bastante para saber que, uma vez que uma emoção fosse identificada, eu não deixaria que ela me derrotasse. Mas ele tinha razão em vir falar comigo, pois eu não havia percebido que estava com raiva.

Eu fiquei com raiva de Rosie por um breve momento, por ela ter recusado inesperadamente algo que eu queria. Mas depois fiquei com raiva de mim mesmo por causa da minha incompetência social, que sem dúvida constrangeu Rosie.

Fiz diversas tentativas de entrar em contato com Rosie e só consegui acessar sua caixa postal. Por fim deixei um recado: "E se você tiver leucemia e não souber onde procurar um doador para um transplante de medula óssea? Seu pai biológico seria um candidato excelente, com uma forte motivação para ajudar. Não completar o projeto poderia resultar em morte. Só restam onze candidatos."

Ela não retornou minha ligação.

— Essas coisas acontecem — disse Claudia em nosso terceiro encontro num café em quatro semanas. — Você se envolve com uma mulher, a coisa não dá certo...

Então era isso. Eu tinha, à minha própria maneira, me "envolvido" com Rosie.

— O que devo fazer?

— Não é fácil — respondeu Claudia —, mas qualquer um lhe daria o mesmo conselho. Passe para outra. Alguém vai acabar aparecendo.

A lógica de Claudia, baseada em fundamentações teóricas racionais e substancial experiência profissional, era obviamente superior a meus sentimentos irracionais. Porém, ao refletir sobre o assunto, percebi que o conselho dela, e na verdade a própria disciplina da psicologia em si, abrangiam os resultados de pesquisas em seres humanos normais. Estou bastante ciente de que possuo algumas características incomuns. Seria possível que o conselho de Claudia não fosse adequado para mim?

Decidi tomar um rumo conciliatório. Eu prosseguiria com o Projeto Esposa. Se (e apenas *se*) me sobrasse mais tempo disponível, eu o usaria para o Projeto Pai, dando-lhe continuidade sozinho. Se conseguisse descobrir a resposta, talvez eu e Rosie pudéssemos voltar a ser amigos.

Baseado no Desastre Bianca, revisei o questionário e adicionei critérios mais rigorosos. Incluí perguntas sobre dança, esportes com raquete e bridge para eliminar candidatas que me exigissem adquirir competências em atividades inúteis, e aumentei a dificuldade dos problemas de matemática, física e genética. A opção (c) *moderadamente* seria a *única* resposta aceitável para a pergunta sobre bebidas alcoólicas. Fiz um ajuste para que as respostas seguissem direto para Gene, que estava obviamente entretido na prática de pesquisa bastante utilizada de fazer uso secundário das informações. Ele me avisaria caso alguém se encaixasse em meus critérios. De modo exato.

Na ausência de candidatas ao Projeto Esposa, pensei bastante em qual seria a melhor maneira de coletar amostras de DNA para o Projeto Pai.

A resposta me veio quando estava desossando uma codorna. Os candidatos eram médicos que supostamente estariam dispostos a contribuir para uma pesquisa em genética. Eu só precisava encontrar uma desculpa plausível para pedir o DNA deles. Graças à preparação que fiz para a palestra sobre a síndrome de Asperger, eu tinha uma.

Saquei a lista de onze nomes. Dois estavam comprovadamente mortos. Restavam nove, sete dos quais moravam no exterior, o que explicava a ausência na reunião. Porém, dois tinham números de telefone locais. Um era o chefe do Instituto de Pesquisa em Medicina da minha própria universidade. Foi para quem liguei primeiro.

— Sala do professor Lefebvre — atendeu uma voz feminina.

— É o professor Tillman, do Departamento de Genética. Gostaria de convidar o professor Lefebvre a participar de um projeto de pesquisa.

— O professor Lefebvre está em período sabático nos Estados Unidos. Volta daqui a duas semanas.

— Excelente. O projeto é *Presença de Marcadores Genéticos para Autismo em Indivíduos de Grande Sucesso*. É preciso que ele complete um questionário e forneça uma amostra de DNA.

Dois dias depois, já havia conseguido localizar todos os nove candidatos vivos e lhes enviado questionários, criados a partir das pesquisas sobre Asperger, e *swabs* para coleta de saliva. Os questionários eram irrelevantes, mas necessários para a pesquisa parecer legítima. A folha de rosto deixava claro minhas credenciais como professor de genética numa universidade de prestígio. Nesse meio-tempo, eu precisava encontrar parentes dos dois médicos falecidos.

Encontrei um obituário do Dr. Gerhard von Deyn, vítima de ataque cardíaco, na internet. Mencionava a filha dele, que era aluna de medicina na época da sua morte. Não tive problemas para localizar a Dra. Brigitte von Deyn e ela ficou feliz em participar da pesquisa. Simples.

Geoffrey Case foi um desafio bem maior. Havia morrido um ano depois de se formar. Há tempos eu havia notado dados básicos sobre ele no site da reunião de formandos. Ele não havia se casado e não tinha filhos (conhecidos).

Enquanto isso, as amostras de DNA começaram a chegar. Dois médicos, ambos morando hoje em Nova York, se recusaram a participar. Por que dois praticantes de medicina se recusariam a participar de um estudo tão importante? Teriam eles algo a esconder? Tipo uma filha ilegítima na mesma cidade de onde viera a solicitação? Pensei que, se suspeitassem dos meus motivos, poderiam enviar o DNA de um amigo. Pelo menos isso era melhor do que cometer uma fraude.

Sete candidatos, incluindo a Dra. von Deyn, enviaram amostras. Nenhum deles era o pai de Rosie (ou meia-irmã). O professor Lefebvre voltou de seu período sabático e quis me conhecer pessoalmente.

— Vim aqui receber uma encomenda do professor Lefebvre — anunciei para a recepcionista do hospital onde ele trabalhava, esperando evitar um encontro e interrogatório pessoais. Não tive sucesso. Ela interfonou para ele, anunciou meu nome e o professor Lefebvre apareceu. Ele tinha, estimei, cerca de cinquenta e quatro anos. Eu já havia conhecido várias outras pessoas de cinquenta e quatro anos nas últimas treze semanas. Trazia um grande envelope consigo, provavelmente com o questionário, que estava destinado à lata de lixo, e seu DNA.

Quando me alcançou, tentei retirar o envelope da mão dele, mas ele estendeu a outra para me cumprimentar. Foi estranho, mas o resultado é que nos cumprimentamos com um aperto de mão enquanto ele continuou segurando o envelope.

— Simon Lefebvre — disse ele. — Então, o que você quer na verdade?

Isso era completamente inesperado. Por que ele deveria questionar meus motivos?

— Seu DNA — respondi. — E o questionário. Para um grande projeto de pesquisa. Crucial. — Eu estava estressado e minha voz sem dúvida refletiu isso.

— Tenho certeza que sim. — Simon riu. — E você escolheu por acaso o chefe de um departamento de pesquisa em medicina como sujeito de pesquisa?

— Estamos atrás de pessoas de grande êxito.

— O que é que Charlie quer agora, hein?

— Charlie? — Eu não conhecia nenhum Charlie.

— Certo — disse ele. — Pergunta boba. Com que quantia você quer que eu colabore?

— Não é necessária nenhuma colaboração. Não tem nenhum Charlie envolvido. Só preciso do DNA... e do questionário.

Simon riu de novo.

— Você conseguiu minha atenção. Pode dizer isso a Charlie. Quero receber a descrição do projeto. E a aprovação ética. A coisa toda.

— Quer dizer que posso levar minha amostra? — perguntei. — Um índice elevado de respostas é crítico para a análise estatística.

— Me mande a papelada e pronto.

O pedido de Simon Lefebvre não era de todo sem razão. Infelizmente eu não tinha a papelada exigida, pois o projeto era fictício. Desenvolver uma proposta de projeto plausível exigiria potencialmente centenas de horas de trabalho.

Tentei estimar a probabilidade de Simon Lefebvre ser pai de Rosie. Havia agora quatro candidatos não testados: Lefebvre, Geoffrey Case (morto) e os dois nova-iorquinos, Isaac Esler e Solomon Freyberg. Com base nas informações de Rosie, qualquer um deles tinha vinte e cinco por cento de probabilidade de ser o pai. Depois de ir tão longe sem obter nenhum resultado positivo, entretanto, eu precisava considerar outras possibilidades. Dois dos resultados se baseavam no material genético de parentes, e não em testes diretos. Era possível que uma ou ambas as filhas fossem, como Rosie, resultado de um relacionamento extraconjugal, que, como Gene observa, é um fenômeno muito mais comum do que se acredita popularmente. E existia a possibilidade de que um, ou mais, dos médicos que responderam ao projeto de pesquisa fictício pudesse ter enviado uma amostra falsa de propósito.

Eu também precisava levar em consideração que a mãe de Rosie talvez não tivesse dito a verdade. Levei muito tempo para pensar isso, pois minha hipótese padrão é de que as pessoas são honestas. Contudo, talvez a mãe de Rosie quisesse que ela acreditasse que seu pai era um médico, como ela mesma, e não alguém de menos prestígio. Equilibrando todos esses fatores, estimei que a chance de Simon Lefebvre ser pai de Rosie era de dezesseis por cento. Eu me lançaria a uma enorme quantidade de trabalho para fazer a documentação de um projeto sobre a síndrome de Asperger, com uma probabilidade baixa de que aquilo trouxesse a resposta.

Escolhi prosseguir. A decisão não foi muito racional.

No meio desse trabalho, recebi o telefonema de um advogado avisando que Daphne havia morrido. Apesar de ela estar efetivamente morta há algum tempo, detectei em mim mesmo uma sensação inesperada de solidão. Nossa amizade tinha sido simples. Tudo estava tão mais complicado agora.

O motivo da ligação é que Daphne me deixou em testamento o que o advogado chamou de "pequena soma". Dez mil dólares. E também uma carta, que escreveu antes de ser internada no asilo. Estava escrita à mão num papel decorado.

Querido Don,

Obrigada por tornar os últimos anos da minha vida tão estimulantes. Depois que Edward foi internado no asilo, não acreditava existir muita coisa ainda para mim. Tenho certeza de que você sabe o quanto me ensinou e o quanto as nossas conversas foram interessantes, mas não compreende o quanto sua companhia e seu apoio têm sido maravilhosos para mim.

Certa vez lhe disse que você daria um marido maravilhoso e, caso tenha esquecido, estou dizendo de novo. Tenho certeza de que se procurar direito vai encontrar a pessoa certa. Não desista, Don.

Sei que você não precisa do meu dinheiro, e meus filhos precisam, mas lhe deixei uma pequena soma. Eu ficaria feliz se você a utilizasse em algo irracional.

Com muito amor,

Sua amiga,

Daphne Speldewind

Levei menos de dez segundos para pensar em uma compra irracional: na verdade eu me permiti somente esse tempo, para garantir que a decisão não fosse afetada por nenhum processo de pensamento lógico.

O projeto de pesquisa sobre a síndrome de Asperger era fascinante, mas consumia bastante tempo. A proposta final ficou impressionante e eu tinha certeza de que teria passado pelo processo de revisão dos meus colegas caso eu a tivesse submetido a uma proposta de financiamento. Sugeri que era esse o caso, embora não tenha chegado a forjar uma carta de aprovação. Liguei para a secretária pessoal de Lefebvre e expliquei que havia esquecido de lhe enviar a documentação do projeto, mas que a entregaria pessoalmente. Eu estava me tornando cada vez mais competente nos embustes.

Cheguei na recepção do hospital e todo o processo de convocação de Lefebvre se repetiu. Dessa vez ele não trouxe nenhum envelope. Tentei lhe entregar os documentos e ele tentou apertar minha mão, e acabamos repetindo a mesma confusão da vez anterior. Lefebvre pareceu achar isso engraçado. Eu tinha consciência de que estava tenso. Depois de todo aquele trabalho, eu queria o DNA.

— Saudações — falei. — A documentação, como requisitado. Todos os requerimentos foram cumpridos. Agora preciso da amostra de DNA e do questionário.

Lefebvre riu de novo e me olhou de cima a baixo. Haveria algo de esquisito em minha aparência? Eu estava usando a camiseta que uso em dias alternados, aquela com a tabela periódica, presente de aniversário do ano seguinte à minha formatura, e minha calça era a básica e igualmente adequada para andar, dar aulas, pesquisar e executar tarefas físicas. E tênis de corrida de alta qualidade. O único erro eram minhas meias, que deviam estar aparecendo nas barras das calças e tinham cores ligeiramente diferentes, um erro comum quando nos vestimos em um ambiente de pouca iluminação. Mas Simon Lefebvre pareceu achar tudo aquilo divertido.

— Ótimo — disse ele. Depois repetiu minhas palavras com o que parecia ser uma tentativa de imitar minha entonação: — "Todos os requerimentos foram cumpridos." — Acrescentou com sua voz normal: — Diga a Charlie que prometo ler a proposta.

De novo esse tal de Charlie! Aquilo era ridículo.

— O DNA — pedi, de modo autoritário. — Preciso da amostra.

Lefebvre gargalhou como se eu tivesse contado a melhor piada de todos os tempos. Lágrimas corriam pelo seu rosto. Lágrimas de verdade.

— Você me fez ganhar o dia.

Ele apanhou um lenço de papel de uma caixa na recepção, enxugou o rosto, assoou o nariz e atirou o lenço usado na lixeira, enquanto se afastava com minha proposta.

Andei até a lixeira e recolhi o lenço.

20

Eu estava sentado com um jornal na sala de leitura do Clube Universitário pelo terceiro dia consecutivo. Queria que aquilo parecesse algo fortuito. Da minha posição, podia observar a fila no balcão onde Rosie às vezes comprava seu almoço, muito embora ela não se qualificasse como membro do clube. Gene me dera essa informação com relutância.

— Don, acho que está na hora de deixar isso para trás. Você vai acabar se machucando.

Discordei. Sou ótimo em lidar com emoções. Eu estava preparado para a rejeição.

Rosie entrou e foi para o fim da fila. Eu me levantei e fiquei atrás dela.

— Don — disse ela. — Que coincidência.

— Tenho novidades sobre o projeto.

— Não existe projeto nenhum. Desculpe pela... última vez em que nos vimos. Merda! Você me faz passar vergonha e eu é que peço desculpas.

— Desculpas aceitas — falei. — Preciso que você venha comigo para Nova York.

— O quê? Não. Não, Don. Absolutamente não.

Havíamos chegado ao caixa, mas como não escolhemos nenhuma comida, tivemos de voltar para o fim da fila. Quando por fim nos sentamos, eu tinha explicado o projeto de pesquisa sobre a síndrome de Asperger.

— Precisei inventar uma proposta inteira, trezentas e setenta e uma páginas, por causa de um dos professores. Agora sou especialista na síndrome do idiota-prodígio.

Era difícil decodificar a reação de Rosie, mas ela pareceu ficar mais maravilhada do que impressionada.

— Um especialista desempregado se pegarem você — retrucou ela. — Aposto que ele não é meu pai.

— Correto. — Eu tinha ficado aliviado quando a amostra de Lefebvre deu negativo, mesmo depois do esforço considerável que foi necessário para obtê-la. Eu já havia feito planos, e um teste positivo os teria perturbado.

— Agora só há três possibilidades. Dois estão em Nova York, e ambos se recusaram a participar do estudo. Eu os categorizei como difíceis, e portanto preciso que você venha comigo.

— Nova York! Don, não. Não, não, não, não. Você não vai para Nova York, nem eu.

Eu havia considerado a possibilidade de Rosie recusar, mas o legado de Daphne tinha sido o bastante para comprar duas passagens.

— Se necessário eu irei sozinho, mas não confio que conseguirei lidar com os aspectos sociais da coleta.

Rosie balançou a cabeça.

— Isso é loucura, sério.

— Você não quer saber quem eles são? — perguntei. — Dois dos três homens que podem ser seu pai?

— Diga.

— Isaac Esler. Psiquiatra.

Pude ver Rosie tentando puxar o fio da memória.

— Pode ser. Isaac. Acho que sim. Talvez seja amigo de alguém. Merda, faz tanto tempo. — Ela fez uma pausa. — E?

— Solomon Freyberg. Cirurgião.

— Nenhuma relação com Max Freyberg?

— Maxwell é o nome do meio dele.

— Merda. Max Freyberg. Ele está em Nova York agora? Caramba. Você está me dizendo que tenho uma chance em três de ser filha dele. E duas chances em três de ser judia.

— Supondo que sua mãe tenha dito a verdade.

— Minha mãe não teria mentido.

— Quantos anos você tinha quando ela morreu?

— Dez. Sei o que você está pensando, mas sei que estou certa.

Obviamente não era possível conversar sobre esse assunto com racionalidade. Passei para a outra afirmação dela:

— Algum problema em ser judia?

— Não, tudo bem. O problema é Freyberg. Por outro lado, se for Freyberg, isso explicaria por que minha mãe resolveu ficar quieta. Você nunca ouviu falar dele?

— Só por causa do projeto.

— Se você acompanhasse futebol, teria ouvido.

— Ele era jogador de futebol?

— Presidente de clube. E um imbecil bem conhecido. E a terceira pessoa?

— Geoffrey Case.

— Oh, meu Deus. — Rosie ficou branca. — Ele morreu.

— Correto.

— Minha mãe falava muito dele. Sofreu um acidente. Ou teve alguma doença, câncer, sei lá. Alguma coisa séria, obviamente, mas não achava que ele fosse da turma dela.

Então me ocorreu que havíamos sido extremamente descuidados na abordagem do projeto, acima de tudo por causa dos mal-entendidos que levaram a abandonos temporários seguidos de retomadas. Se tivéssemos verificado os nomes desde o início, tais possibilidades óbvias não teriam passado em branco.

— Sabe mais sobre ele?

— Não. Mamãe sentia muito pelo que aconteceu com ele. Merda. Faz sentido, total, né? Tipo, o fato de ela não me contar nada.

Não fazia sentido para mim.

— Ele era do interior — continuou Rosie. — Acho que o pai dele era médico por lá.

O site informava que Geoffrey Case era de Moree, no nordeste de Nova Gales do Sul, mas isso não explicava por que a mãe de Rosie teria escondido a identidade dele caso Geoffrey fosse o pai. A única característica marcante dele era estar morto; portanto, talvez fosse a isso que Rosie estivesse se referindo: ao fato de sua mãe não querer lhe dizer que o pai havia morrido. Porém, com certeza ela poderia ter dado essa informação a Phil, para que ele a transmitisse a Rosie quando ela tivesse idade o bastante para lidar com isso.

Enquanto conversávamos, Gene entrou. Com Bianca! Eles acenaram para a gente e depois subiram para a área de jantar privativa. Inacreditável.

— Que nojo — disse Rosie.

— Ele está pesquisando a atração por diferentes nacionalidades.

— Há-há. Tenho pena da esposa dele.

Contei a Rosie que Gene e Claudia tinham um casamento aberto.

— Sorte dela — disse Rosie. — Está planejando propor o mesmo acordo à vencedora do Projeto Esposa?

— Claro — respondi.

— Claro — repetiu Rosie.

— Se for o que ela quiser — acrescentei, para o caso de Rosie ter interpretado mal.

— Acha isso provável?

— Se eu encontrar uma parceira, coisa que parece cada vez mais *improvável*, eu não vou desejar ter um relacionamento sexual com mais ninguém. Mas não sou muito bom em entender o que as pessoas querem.

— Me diga algo que eu não saiba — disse Rosie, por nenhum motivo óbvio.

Vasculhei minha mente com rapidez em busca de algum fato interessante.

— Ahhh... Os testículos dos zangões e das aranhas-vespas explodem durante o ato sexual.

Era irritante que a primeira coisa que me veio à cabeça fosse relacionada a sexo. Como pós-graduanda em psicologia, Rosie talvez tenha visto alguma explicação freudiana para isso, mas olhou para mim e balançou a cabeça. Depois riu.

— Não posso bancar uma viagem a Nova York, mas você não vai estar seguro se for sozinho.

Havia um número na lista telefônica referente a um M. Case, em Moree. A mulher que atendeu me contou que o Dr. Case pai, cujo nome confusamente também era Geoffrey, havia falecido alguns anos atrás e que sua viúva, Margaret, estava internada no asilo local com mal de Alzheimer fazia dois anos. Era uma boa notícia. Melhor que a mãe estivesse viva, e não o pai: quase nunca existe dúvida quanto à identidade da mãe biológica.

Eu podia ter perguntado se Rosie queria vir junto, mas ela já havia concordado em ir para Nova York comigo e eu não queria me arriscar a cometer algum erro social que pudesse prejudicar a viagem. Sabia, por minha experiência com Daphne, que seria fácil coletar uma amostra de DNA de uma pessoa com mal de Alzheimer. Aluguei um carro e levei *swabs* para coleta de saliva, sacos tipo *ziplock* e pinças. Também levei um cartão de visitas da época anterior à minha promoção a professor universitário associado. O *doutor* Don Tillman recebe um tratamento superior em clínicas, hospitais e laboratórios.

Moree fica a mil duzentos e trinta quilômetros de distância de Melbourne. Apanhei o carro alugado às 15h43, depois da minha última aula na sexta. O programa on-line de rotas estimou um trajeto de catorze horas e trinta e quatro minutos de carro, na ida e na volta.

Quando eu era universitário, dirigia com frequência até a casa dos meus pais em Shepparton e descobri que as viagens longas de carro exerciam em minha mente um efeito semelhante ao das minhas corridas na feira. Pesquisas mostram que a criatividade aumenta quando se está executando tarefas absolutamente mecânicas, como correr, cozinhar e dirigir. Tempo desimpedido para pensar é sempre útil.

Segui a rodovia Hume na direção norte e usei o indicador preciso de velocidade do GPS para programar o *cruise control* do carro para o limite exato de velocidade, em vez de me valer do número artificialmente aumentado fornecido pelo velocímetro. Assim eu pouparia alguns minutos sem me arriscar a infringir nenhuma lei. Sozinho no carro, tive a sensação de que toda a minha vida havia se transformado em uma aventura, cujo ápice seria a jornada para Nova York.

Eu havia decidido não tocar nenhum podcast na viagem para reduzir a carga cognitiva e estimular meu inconsciente a processar os dados inseridos recentemente. Mas, depois de três horas, percebi que estava ficando entediado. Para evitar acidentes, presto pouca atenção, além do necessário, nos meus arredores, e de qualquer forma a rodovia era basicamente destituída de interesses. O rádio seria algo tão distrativo quanto os podcasts; portanto, decidi comprar meu primeiro CD desde o experimento com Bach. O posto de gasolina quase na fronteira de Nova Gales do Sul contava com uma seleção limitada de álbuns, mas reconheci alguns da coleção do meu pai. Escolhi *Running on Empty*, de Jackson Browne. Graças ao botão de *repeat*, ele se tornou a trilha sonora da minha viagem e das minhas reflexões durante três dias. Ao contrário da maioria das pessoas, a repetição não me incomoda em nada. Provavelmente era uma sorte eu estar viajando sozinho.

Uma vez que meu inconsciente estava se negando a colaborar, arrisquei fazer uma análise objetiva da atual situação do Projeto Pai.

O que eu sabia?

1. Eu havia testado quarenta e um dentre quarenta e quatro candidatos possíveis. (E mais diversos outros com aparência étnica incompatível.) Nenhum deles era o pai de Rosie. Havia a possibilidade de que um dos sete sujeitos que responderam à pesquisa de Asperger tivesse forjado sua amostra e usado o DNA de outra pessoa, mas eu considerava isso improvável. Teria sido mais simples se recusar a participar, como Isaac Esler e Max Freyberg.

2. Rosie identificou quatro candidatos como conhecidos da sua mãe: Eamonn Hughes, Peter Enticott, Alan McPhee e, recentemente, Geoffrey Case. Como ela havia considerado bastante alta a chance de um dos três primeiros ser seu pai, o mesmo devia valer para Geoffrey Case. Consequentemente, agora ele era o candidato mais provável.

3. Todo o projeto se apoiava na declaração da mãe de Rosie de ter realizado o ato sexual em questão na sua festa de formatura. Ela podia ter mentido, caso

o pai biológico fosse alguém de menos prestígio. Isso explicaria por que nunca revelou a identidade dele.

4. A mãe de Rosie escolheu permanecer com Phil. Era a primeira vez que essa ideia me ocorria, mas apoiava a hipótese de que o pai biológico fosse alguém menos destacado ou, quem sabe, comprometido. Seria interessante descobrir se naquela época Esler ou Freyberg já eram casados ou estavam namorando.

5. A morte de Geoffrey Case, e provavelmente também a percepção de que Phil não era o pai de Rosie, ocorreu meses depois do parto. Talvez a mãe de Rosie tivesse demorado para organizar um teste confirmatório de DNA e, quando o fez, Geoffrey Case já estivesse morto e, portanto, indisponível como parceiro.

Esse foi um exercício muito útil. A situação do projeto agora estava mais clara na minha mente. Acrescentei alguns pequenos *insights* à minha percepção geral e tive certeza de que minha viagem se justificava pela probabilidade de que Geoffrey Case fosse o pai de Rosie.

Decidi dirigir até cansar — uma decisão radical, pois em geral eu teria estipulado um número de horas de direção de acordo com os resultados das pesquisas sobre fadiga e feito reservas em hotéis com antecedência. Mas eu andava ocupado demais para planejar alguma coisa. Apesar disso, parei para descansar a cada duas horas e percebi que assim conseguia manter a concentração. Às 23h43 detectei cansaço, mas, em vez de dormir, parei num posto e tomei quatro espressos grandes. Abri o teto solar e aumentei o volume do CD player para combater a fadiga, e às 7h19 do sábado, com a cafeína ainda ativa em meu cérebro, Jackson Browne e eu entramos em Moree.

21

Programei o GPS para me indicar o caminho até o asilo, onde me apresentei como amigo da família.

— Receio que ela não vá reconhecer o senhor — avisou a enfermeira.

Era o que eu havia pensado, embora estivesse preparado para oferecer uma história plausível caso fosse necessário. A enfermeira me conduziu até uma suíte. A Sra. Case estava dormindo.

— Quer que eu a acorde? — perguntou ela.

— Não, vou ficar aqui sentado, esperando.

— Vou deixar o senhor à vontade. Ligue se precisar de alguma coisa.

Achei que seria estranho ir embora cedo demais, portanto fiquei sentado ao lado da cama por algum tempo. Estimei que Margaret Case tivesse uns oitenta anos, mais ou menos a mesma idade que Daphne tinha quando foi internada no asilo. Dada a história de Rosie, era bem possível que eu estivesse olhando para a avó dela.

Enquanto Margaret Case continuava imóvel e silenciosa em sua cama de solteira, pensei no Projeto Pai. Ele só era possível por causa da tecnologia. Se não fossem pelos últimos anos da existência humana, o segredo teria morrido com a mãe de Rosie.

Acredito que é dever da ciência, da humanidade, descobrir o máximo que pudermos. Mas sou um cientista físico, não um psicólogo.

A mulher à minha frente não era um médico de cinquenta e quatro anos que talvez tivesse fugido às responsabilidades de pai. Era alguém completamente impotente. Seria fácil coletar uma amostra de seu cabelo ou da sua escova de dente, mas aquilo me parecia errado.

Por esse motivo, e por outros que não consegui entender completamente naquele momento, decidi não coletar a amostra.

Então Margaret Case acordou. Abriu os olhos e me olhou nos olhos.

— Geoffrey? — perguntou em voz baixa, mas bastante clara.

Estaria ela perguntando pelo marido ou pelo filho falecido há tanto tempo? Houve uma época em que eu teria respondido sem pensar: "Eles morreram." Não por maldade, mas porque estou programado para reagir aos fatos e não aos sentimentos dos outros. Alguma coisa, porém, tinha mudado dentro de mim, e consegui suprimir essa afirmação.

Ela deve ter percebido que eu não era a pessoa que ela estava esperando ver e começou a chorar. Não fazia nenhum ruído, mas havia lágrimas em seus olhos. Automaticamente, por já ter vivenciado esse tipo de situação com Daphne, saquei meu lenço do bolso e enxuguei as lágrimas dela. Margaret fechou os olhos de novo, mas o destino me entregara uma amostra.

Estava exausto, e quando saí do asilo havia lágrimas em meus próprios olhos por não ter dormido. Era início do outono, mas, aqui, no extremo norte do país, o dia já estava quente. Deitei embaixo de uma árvore e caí no sono.

Acordei com um médico usando guarda-pó branco de pé na minha frente, e, por um instante assustador, fui transportado de volta ao período ruim de vinte anos atrás. Foi apenas momentâneo; logo me lembrei de onde estava, e ele só queria verificar se eu estava vivo ou morto. Eu não havia quebrado nenhuma regra. Fazia quatro horas e oito minutos desde que saí do quarto de Margaret Case.

O incidente foi um lembrete providencial dos perigos da exaustão e planejei minha viagem de volta com mais cuidado. Programei uma pausa de cinco minutos a cada hora e às 19h06 parei num motel, comi um bife passado demais e fui dormir. Por ter me deitado cedo, consegui começar a viagem às 5h da manhã no domingo.

A rodovia passa ao largo de Shepparton, mas peguei o desvio e fui até o centro da cidade. Decidi não visitar meus pais. Os dezesseis quilômetros a mais que seriam necessários para ir até a casa deles e voltar para a rodovia representariam um acréscimo perigoso e imprevisto a uma viagem que já demandava um esforço considerável. Contudo, eu queria ver a cidade.

Passei pela Loja de Material de Construção Tillman, que estava fechada por ser domingo. Meu pai e meu irmão deviam estar em casa com minha mãe. Meu pai, provavelmente, estaria endireitando os quadros nas paredes, e minha mãe, pedindo para meu irmão tirar o projeto de construção dele de cima da mesa de jantar para que ela pudesse arrumá-la para o almoço de domingo. Eu não voltava para casa desde o funeral da minha irmã.

O posto de gasolina estava aberto e enchi o tanque. Um homem de uns cinquenta e cinco anos, IMC estimado em trinta, estava atrás do balcão. Quando me aproximei, eu o reconheci e reajustei a idade dele para trinta e nove. Ele tinha ficado careca, deixado a barba crescer e engordado, mas obviamente era Gary

Parkinson, que estudou comigo no colégio. Na época, ele queria entrar para o exército e viajar. Pelo visto não realizara essa ambição. Lembrei-me de como eu tinha sorte de ter conseguido sair da cidade e reinventar minha vida.

— E aí, Don — disse ele, obviamente me reconhecendo também.

— Saudações, GP.

Ele riu.

— Você não mudou nada.

Estava escurecendo no domingo quando cheguei a Melbourne e devolvi o carro à locadora. Deixei o Jackson Browne no CD player.

Dois mil quatrocentos e setenta e dois quilômetros, segundo o GPS. O lenço estava a salvo num saco *ziplock*, mas sua existência não mudava em nada minha decisão de não testar Margaret Case.

Ainda precisaríamos ir a Nova York.

Eu e Rosie nos encontramos no aeroporto. Ela continuava incomodada com o fato de eu ter pagado a passagem para ela, portanto, disse-lhe que poderia retribuir, selecionando algumas candidatas do Projeto Esposa para mim.

— Vá se ferrar — respondeu ela.

Pelo visto agora éramos amigos de novo.

Não acreditei na quantidade de bagagem de Rosie. Eu tinha lhe dito para trazer a menor quantidade possível, mas ela excedeu o limite de sete quilos de bagagem de mão. Felizmente consegui transferir parte do excesso para a minha mala, que incluía meu laptop ultraleve, escova de dente, aparelho de barbear, uma camiseta extra, shorts de ginástica, outra cueca e os (irritantemente) volumosos presentes de despedida de Gene e

Claudia. A universidade só me permitiu tirar uma semana de folga e, ainda assim, a Chefe do Departamento colocou empecilhos. Era cada vez mais evidente que ela estava procurando um motivo para se livrar de mim.

Rosie nunca tinha ido aos Estados Unidos, mas estava familiarizada com os procedimentos de viagens internacionais. Ficou muito impressionada com o tratamento especial que recebi. Fizemos check-in no balcão de serviços do aeroporto, onde não havia fila, e fomos conduzidos até a sala de espera da classe executiva, apesar de estarmos viajando na classe econômica.

Enquanto bebíamos champanhe na sala, expliquei que havia conquistado esses privilégios por ter sido bastante atento às regras e aos procedimentos de voo anteriormente e por ter feito um número substancial de sugestões úteis quanto a procedimentos de check-in, agendamento de voos, treinamento de pilotos e modos com os quais os sistemas de segurança poderiam ser subvertidos. Já não esperavam que eu fornecesse mais conselhos, pois tinha contribuído "com o suficiente para uma vida inteira de viagens de avião".

— Isso é que é ser especial — comentou Rosie. — Então, qual é o plano?

Organização é obviamente algo crítico quando se viaja, e eu tinha feito um planejamento hora a hora (com subdivisão das horas quando necessário) para substituir minha agenda semanal costumeira. Ela incorporava os encontros que Rosie tinha marcado com os dois candidatos a pai — Esler, o psiquiatra, e Freyberg, o cirurgião plástico. Surpreendentemente, ela não havia feito nenhum plano além de me encontrar no aeroporto. Pelo menos isso significava que não seria necessário conciliar programações incompatíveis.

Abri minha programação no laptop e comecei a explicá-la em linhas gerais para Rosie. Eu ainda nem havia terminado de listar as atividades programadas para aquele voo quando Rosie me interrompeu.

— Acelera essa parte, Don. O que vamos fazer em Nova York? Entre o jantar no sábado na casa dos Eslers e o encontro com Freyberg na quarta-feira... que vai ser à noite também, certo? Temos quatro dias inteiros na cidade entre uma coisa e outra.

— Sábado, depois do jantar, ir a pé até a estação de metrô da Marcy Avenue e pegar as linhas J, M ou Z até a Delancey Street, então fazer baldeação e tomar a linha F...

— Resumo, resumo. De domingo a quarta. Uma frase por dia. Excluindo alimentação, horas de sono e trajetos.

Isso tornou tudo mais fácil.

— Domingo, Museu de História Natural; segunda, Museu de História Natural; terça, Museu de História Natural; quarta...

— Espere. Não me diga o que vai ser na quarta. Faça uma surpresa.

— Você provavelmente vai adivinhar.

— Provavelmente — retrucou Rosie. — Quantas vezes você esteve em Nova York?

— Essa será a terceira.

— E suponho que não será sua primeira visita ao museu.

— Não.

— O que imaginou que eu iria fazer enquanto você estivesse no museu?

— Não pensei nisso. Supus que você tivesse feito planos independentes dos meus para a sua estadia em Nova York.

— Supôs errado — disse Rosie. — *Nós* vamos conhecer Nova York. No domingo e na segunda, eu estou no comando. Na terça e na quarta, você. Se quiser que eu passe dois dias no museu, eu passo dois dias no museu. Com você. Mas no domingo e na segunda o guia turístico sou eu.

— Mas você não conhece Nova York.

— Nem você.

Rosie levou as nossas taças de champanhe até o balcão do bar para tornar a enchê-las. Eram apenas 9h42 em Melbourne, mas eu já estava no fuso horário de Nova York. Enquanto ela se afastava, abri de novo meu computador e o conectei ao site do Museu de História Natural. Eu precisaria replanejar as visitas.

Rosie voltou e imediatamente invadiu meu espaço pessoal: fechou a tampa do meu laptop! Inacreditável. Se *eu* tivesse feito isso com um *aluno* jogando Angry Birds, teria ido parar na sala da Chefe do Departamento no dia seguinte. Segundo a hierarquia universitária, sou um professor associado e Rosie, uma aluna do Ph.D. Eu merecia respeito.

— Converse comigo — disse ela. — Não tivemos tempo de falar de outra coisa a não ser DNA. Agora temos uma semana, e quero saber quem você é. Além disso, se vai ser você quem vai me dizer quem é meu pai, precisa saber quem eu sou.

Em menos de quinze minutos, toda a minha programação tinha sido destruída, virado uma coisa redundante. Rosie havia assumido o controle.

Um funcionário da sala de espera nos conduziu até o avião para o voo de catorze horas e meia até Los Angeles. Por causa de minha condição VIP, Rosie e eu sentamos sozinhos numa fileira de três assentos. Só me colocam ao lado de outro passageiro quando o voo está cheio.

— Comece pela sua infância — disse Rosie.

Ela só precisaria acender a luzinha acima de nós para que o cenário de interrogatório estivesse completo. Eu agora era um prisioneiro, portanto tentei negociar — e elaborar um plano de fuga.

— Precisamos dormir. É noite em Nova York.

— São sete horas. Quem vai dormir às sete? E seja lá como for, não vou conseguir dormir.

— Trouxe pílulas para isso.

Rosie ficou impressionada por eu usar soníferos. Achou que eu fizesse objeção ao uso de químicos. Ela estava certa quando disse que não sabia muito sobre mim. Concordamos que eu lhe faria um resumo das minhas experiências de infância, que, devido à formação em psicologia, ela sem dúvida consideraria extremamente significativas. Depois jantaríamos, tomaríamos o remédio e dormiríamos. Com o pretexto de ir ao banheiro, pedi ao comissário de bordo para servir nosso jantar o mais rápido possível.

22

Contar a história da minha vida para Rosie não foi difícil. Todos os psicólogos e psiquiatras que já consultei na vida me pediram um resumo; logo, os fatos essenciais estão claros na minha cabeça.

Meu pai é dono de uma loja de material de construção numa cidade do interior. Mora nessa mesma cidade com minha mãe e meu irmão caçula, que, provavelmente, vai assumir os negócios depois que meu pai se aposentar ou morrer. Minha irmã mais velha morreu aos quarenta anos devido a um erro médico. Quando isso aconteceu, minha mãe ficou de cama por duas semanas e só se levantou nesse período para ir ao funeral. Fiquei muito triste com a morte da minha irmã. Sim, fiquei com raiva também.

Meu pai e eu temos um relacionamento eficiente, mas não emocional, o que é satisfatório para ambos. Minha mãe é muito carinhosa, mas eu a acho sufocante. Meu irmão não gosta de mim. Acho que é porque ele me via como uma ameaça ao seu sonho de herdar a loja de material de construção e agora não respeita minha escolha alternativa. A loja pode ter servido de metáfora para o carinho do nosso pai. Se foi esse o caso, meu irmão ganhou, mas não me sinto mal por ter perdido. Não vejo minha família com frequência. Minha mãe me liga aos domingos.

Na escola, minha vida passou sem grandes percalços. Eu gostava das matérias de ciências. Não tinha muitos amigos e por um breve período fui vítima de bullying. Eu era o melhor aluno da escola em todas as matérias menos inglês, na qual era o melhor aluno homem. Quando terminei os estudos, saí de casa para fazer faculdade. No começo estudei ciências da computação, mas no meu vigésimo primeiro aniversário tomei a decisão de mudar para genética. Talvez tenha sido por um desejo inconsciente de continuar na posição de estudante, mas no fundo foi uma escolha lógica. O campo da genética estava crescendo. Não existe nenhum histórico de doenças mentais na minha família.

Eu me virei para Rosie e sorri. Já tinha lhe contado sobre minha irmã e o bullying. A declaração sobre doenças mentais era correta, a menos que eu também me incluísse na definição de "família". Em algum lugar, num arquivo de alguma clínica médica, existe uma pasta de vinte anos de idade com meu nome e as palavras "depressão, transtorno bipolar? TOC?" e "esquizofrenia?". Os pontos de interrogação são importantes, pois, além da constatação óbvia de que eu estava deprimido, nenhum diagnóstico definitivo jamais foi feito em meu caso, apesar das tentativas dos psiquiatras de me encaixarem em alguma categoria simplista. Hoje acredito que praticamente todos os meus problemas vêm do fato de meu cérebro ter uma configuração diferente daquela da maioria dos seres humanos. Todos os sintomas psiquiátricos resultam daí, não de alguma doença. É claro que eu estava deprimido: não tinha amigos, vida social ou sexo por causa da minha incompatibilidade com as outras pessoas. Minha intensidade e meu foco foram confundidos com o estado de mania, e minha preocupação em ser organizado, com um sintoma de transtorno obsessivo compulsivo. Talvez as crianças com síndrome de Asperger de Julie enfrentem problemas semelhantes em suas vidas. Entretanto, elas foram rotuladas com uma síndrome, e pode ser que os psiquiatras sejam inteligentes o bastante para aplicar o princípio da navalha de Occam e perceber que os problemas que essas crianças podem vir a enfrentar se devem, em grande parte, à configuração dos seus cérebros.

— O que aconteceu no seu vigésimo primeiro aniversário? — perguntou Rosie.

Será que ela tinha lido meus pensamentos? O que aconteceu em meu vigésimo primeiro aniversário é que eu decidi dar um novo rumo à minha vida, porque qualquer mudança era melhor do que ficar no fundo do poço da depressão. Eu enxergava aquilo como um fundo de poço de verdade.

Contei parte da verdade para Rosie. Não costumo comemorar aniversário, mas aquele minha família fez questão de celebrar. Convidaram vários amigos e parentes para compensar a minha falta de amigos.

Meu tio fez um discurso. Eu sabia que era tradição tirar sarro do aniversariante, mas meu tio ficou tão encorajado com as risadas que não parou mais e foi contando uma história atrás da outra. Fiquei chocado ao descobrir que ele sabia de alguns fatos extremamente íntimos e percebi que minha mãe devia ter lhe contado. Ela começou a puxar o braço dele, tentando fazer com que parasse, mas ele a ignorou e só parou quando viu que ela estava chorando. Àquela altura, porém, ele já tinha feito uma exposição detalhada e completa dos meus defeitos e do constrangimento e da dor que eles causavam. O xis do problema, aparentemente, é que eu era o estereótipo de um *geek* da informática. Portanto, decidi mudar.

— E virar um *geek* da genética — disse Rosie.

— Esse não era exatamente meu objetivo.

Mas obviamente tinha sido o resultado. E saí do fundo do poço para me dedicar com todas as forças a uma nova área. Onde estaria o jantar?

— Me conte mais sobre seu pai.

— Por quê?

Na verdade eu não queria saber o porquê. Só estava fazendo o equivalente social a dizer "basta", a fim de jogar de volta a responsabilidade para Rosie. Claudia sugerira aquele truque para lidar com perguntas pessoais difíceis. Lembrei-me de seu conselho sobre não abusar do recurso, mas aquela era a primeira vez que o usava.

— Acho que é porque quero entender se é seu pai o motivo de você ser fodido.

— Não sou fodido.

— Certo, fodido não. Desculpe, não quis ser crítica, mas digamos que você não é exatamente o tipo padrão de indivíduo — explicou Rosie, candidata a Ph.D. em psicologia.

— Concordo. "Fodido" quer dizer "não exatamente o tipo padrão de indivíduo"?

— Humm, escolhi mal o termo. Vamos começar de novo. Acho que estou perguntando isso porque o meu pai é o motivo de *eu* ser fodida.

Que declaração extraordinária! Com exceção da atitude descuidada em relação à saúde, Rosie jamais havia demonstrado nenhum sinal de mau funcionamento cerebral.

— Quais são os sintomas de ser fodido?

— Existe muita merda na minha vida que eu gostaria que não existisse. E não sei lidar bem com ela. Faz sentido?

— Claro — respondi. — Ocorrem acontecimentos indesejados e lhe faltam certas habilidades para minimizar o impacto pessoal. Quando você disse "fodida", entendi que havia algum problema na sua personalidade que você desejava consertar.

— Não, eu gosto de ser eu mesma.

— Então qual é a natureza dos danos causados por Phil?

Rosie não tinha uma resposta pronta para essa pergunta crucial. Talvez fosse um sintoma de ser fodida. Finalmente ela respondeu.

— Caramba, por que estão demorando tanto pra servir o jantar?

Rosie foi ao banheiro e eu aproveitei a oportunidade para abrir os presentes de Gene e Claudia. Eles haviam me dado carona até o aeroporto, portanto foi impossível não aceitá-los. Sorte que Rosie não estava aqui quando os abri. O de Gene era um novo livro de posições sexuais, no qual ele escreveu a dedicatória: "Para o caso de suas ideias acabarem." Embaixo, desenhou o símbolo de gene que ele usa como sua assinatura. O presente de Claudia, apesar de não ser constrangedor, era irrelevante para esta viagem: uma calça jeans e uma camisa. Roupas são sempre úteis, mas eu já havia colocado uma camisa extra na mala e não vi necessidade de usar outra calça numa viagem de apenas oito dias.

Gene havia errado mais uma vez ao interpretar a atual natureza do meu relacionamento com Rosie, mas isso era compreensível. Como não consegui explicar o verdadeiro objetivo de levá-la a Nova York, ele fez uma suposição consistente com sua forma de ver o mundo. A caminho do aeroporto, pedi a Claudia conselhos para enfrentar tanto tempo ao lado de uma pessoa.

— Lembre-se de escutar — disse Claudia. — Se ela lhe fizer uma pergunta estranha, pergunte por que ela está perguntando. Devolva-lhe a pergunta. Se ela estuda psicologia, vai adorar falar de si mesma. Observe suas próprias emoções e não apenas a lógica. As emoções têm uma lógica própria. E tente deixar rolar.

Na verdade, Rosie passou o resto do voo até Los Angeles dormindo ou assistindo a filmes, mas confirmou — duas vezes — que eu não a tinha ofendido e que ela só precisava ficar um tempo sozinha.

Eu não reclamei.

23

Sobrevivemos à Imigração dos Estados Unidos. As experiências prévias haviam me ensinado a não fazer nenhuma observação ou sugestão, e não precisei recorrer à carta de recomendação de David Borenstein, da Universidade de Columbia, que me descrevia como uma pessoa sã e competente. Rosie parecia extremamente nervosa, mesmo para alguém que, como eu, não sabe julgar bem os estados emocionais. Por isso, temi que ela levantasse suspeitas e que recusassem nossa entrada no país "sem motivos justificáveis", como já aconteceu comigo em uma ocasião anterior.

O funcionário perguntou "Qual sua profissão?", e eu respondi "Pesquisador de genética", e ele perguntou "O melhor do mundo?", e eu disse "Sim". Pronto. Rosie quase saiu correndo em direção à Alfândega e à saída. Eu estava vários metros atrás dela, levando as duas malas. Era óbvio que havia algo de errado.

Eu a alcancei do lado de fora das portas automáticas, onde ela estava com a mão dentro da bolsa.

— Preciso fumar — disse ela, e então acendeu um cigarro e deu uma longa tragada. — Fique quieto, está bem? Se eu precisava encontrar um motivo para parar, acabei de achar. Dezoito horas e meia. Puta que o pariu.

Sorte que Rosie me pediu para ficar quieto. Fiquei em silêncio, mas estava chocado com o impacto do vício na vida dela.

— Que negócio foi aquele de "melhor geneticista do planeta"?

Expliquei que eu tinha um visto especial, do tipo O-1, para Indivíduo com Habilidade Extraordinária. Eu precisava de um visto depois que minha entrada foi negada, e este foi considerado a escolha mais segura. Os vistos do tipo O-1 são bastante raros, e dizer "sim" era a resposta correta a qualquer pergunta relativa ao caráter extraordinário de minhas habilidades. Ela terminou de fumar e fomos para o bar. Eram apenas 7h48 em Los Angeles, mas podíamos adotar o fuso de Melbourne até nossa chegada em Nova York.

Uma vez que não tínhamos despachado nenhuma bagagem e que o processo de imigração havia corrido bem, consegui lançar mão dos meus planos para uma situação em que tudo tivesse corrido bem e pegamos um voo mais cedo para Nova York. Eu já tinha planejado o que fazer com o tempo que ganharíamos com essa manobra.

No JFK, conduzi Rosie até o AirTrain.

— Temos duas opções de metrô — falei.

— Suponho que você decorou os horários — disse Rosie.

— Não vale o esforço. Conheço apenas as linhas e estações necessárias para nossa viagem.

Eu amo Nova York. O projeto da cidade é tão lógico, pelo menos a partir da 14th Street.

Quando Rosie ligou para a esposa de Isaac Esler, ela ficou bastante satisfeita em receber alguma notícia da Austrália e da reunião dos formandos. No metrô, Rosie disse:

— Você vai precisar de um álibi. Para o caso de Esler reconhecer seu nome da pesquisa sobre a síndrome de Asperger.

Eu já tinha pensado nisso.

— Austin — falei. — Do *Austin Powers*. Homem Internacional do Mistério.

Rosie achou aquilo hilário. Eu tinha feito uma brincadeira proposital e bem-sucedida que não se relacionava a exibir nenhuma estranheza da minha personalidade. Foi um momento memorável.

— Profissão? — perguntou ela.

— Dono de loja de materiais de construção. — A ideia apareceu no meu cérebro espontaneamente.

— Ooooook — disse Rosie. — Então tá.

Pegamos a linha E até a Lexington Avenue com a 53rd Street e seguimos para o norte da cidade.

— Onde fica o hotel? — perguntou Rosie quando caminhávamos pela Madison Avenue.

— Lower East Side. Mas precisamos fazer compras antes.

— Porra, Don, já são mais de 17h30. Precisamos estar nos Esler às 19h30. Não temos tempo para compras. Preciso de tempo para me trocar.

Olhei para Rosie. Ela estava de jeans e camiseta — um traje convencional. Não vi qual era o problema, mas tínhamos tempo.

— Eu não havia planejado ir ao hotel antes do jantar, mas já que chegamos mais cedo...

— Don, estamos viajando há vinte e quatro horas. Não vamos fazer mais nada dessa sua programação até eu ter eliminado todas as maluquices dela.

— Agendei quatro minutos para essa transação — falei.

Já estávamos na frente da Hermès, que minha pesquisa identificou como a melhor loja de echarpes do mundo. Entrei e Rosie me seguiu.

Éramos os únicos clientes. Perfeito.

— Don, você não está exatamente com a roupa adequada para isso.

Roupa adequada para fazer compras! Eu estava com uma roupa adequada para viajar, comer, socializar, ir ao museu... e fazer compras: tênis, calça cargo, camiseta e o suéter tricotado pela minha mãe. Isso aqui não era o Le Gavroche. Parecia extremamente improvável que eles se recusassem a participar de uma troca comercial baseando-se no meu traje. Eu tinha razão.

Havia duas mulheres atrás do balcão, uma delas (idade aproximada de cinquenta e cinco anos e IMC de dezenove) usava anéis em oito dedos, e a outra (idade aproximada de vinte e IMC de vinte e dois), óculos roxos gigantescos que a faziam parecer uma formiga humana. As duas estavam com roupas bastante formais. Iniciei a transação.

— Solicito uma echarpe de alta qualidade.

A Mulher dos Anéis sorriu.

— Posso ajudar o senhor. É para a senhorita?

— Não. Para Claudia. — Percebi que isso não ajudava muito, mas não tinha certeza de como explicar.

— E Claudia teria... — perguntou ela, fazendo círculos com a mão — ... que idade?

— Quarenta e um anos, trezentos e cinquenta e seis dias.

— Ah! — disse a Mulher dos Anéis. — Então quer dizer que temos um aniversário por aí.

— Claudia tem. — Meu aniversário seria dali a trinta e dois dias, portanto não tinha certeza se era possível dizer que ele estivesse "chegando". — Claudia usa echarpes, mesmo quando está quente, para esconder as rugas do pescoço, as quais ela considera pouco atraentes. Então a echarpe não precisa ser funcional, apenas decorativa.

A Mulher dos Anéis apresentou uma echarpe.

— Que acha desta?

Era surpreendentemente leve — e ofereceria quase nada de proteção contra o vento e o frio. Mas com certeza era decorativa, como especificado.

— Excelente. Quanto é? — Estávamos a ponto de nos atrasar.

— Esta seria mil e duzentos dólares.

Abri a carteira e saquei o cartão de crédito.

— Opa, opa, *opaaa*! — exclamou Rosie. — Acho que gostaríamos de dar uma olhada no que mais vocês têm antes de fazer uma escolha apressada.

Eu me virei para Rosie.

— Nossos quatro minutos estão quase no fim.

A Mulher dos Anéis colocou três outras echarpes sobre o balcão. Rosie olhou uma delas. Eu a imitei, olhando para outra. Parecia bonita. Todas pareciam bonitas. Eu não tinha referências para discriminar uma da outra.

Aquilo continuou. A Mulher dos Anéis não parava de atirar echarpes no balcão e Rosie e eu as olhávamos. A Mulher Formiga veio ajudar. Por fim identifiquei uma sobre a qual pude fazer um comentário inteligente.

— Essa echarpe tem um defeito! Não é simétrica. A simetria é um componente-chave para a beleza humana.

Rosie tinha uma resposta brilhante:

— Talvez a falta de simetria da echarpe acentue a simetria de Claudia.

A Mulher Formiga mostrou uma echarpe cor-de-rosa com pompons. Até eu percebi que Claudia não gostaria daquilo e a coloquei imediatamente na pilha de echarpes rejeitadas.

— Qual o problema dessa? — quis saber Rosie.

— Não sei. Não é adequada.

— Ora, vamos — insistiu. — Você consegue explicar melhor que isso. Imagine quem poderia usá-la.

— Barbara Cartland — respondeu a Mulher dos Anéis.

Eu não conhecia esse nome, mas a resposta me veio subitamente à cabeça:

— A Chefe do Departamento! No baile.

Rosie caiu na gargalhada.

— Cor-rrrrrrrre-to. — Ela tirou outra echarpe da pilha.
— E esta aqui? — Era quase transparente.

— Julie — respondi automaticamente, depois contei para
Rosie e para as duas mulheres sobre a mulher da palestra sobre
síndrome de Asperger e sua roupa reveladora: provavelmente
ela não desejaria que echarpe nenhuma reduzisse seu impacto.

— E esta?

Era uma echarpe que eu tinha gostado muito por causa das
cores vivas, mas Rosie a rejeitou por ser "extravagante demais".

— Bianca.

— Exato. — Rosie tinha parado de rir. — Você sabe mais
sobre roupas do que pensa que sabe.

A Mulher Formiga mostrou uma echarpe com estampa de
pássaros. Peguei esta, cujas imagens eram extremamente preci-
sas. A echarpe era bem bonita.

— Pássaros do mundo — explicou a Mulher Formiga.

— Ai, meu Deus, não! — disse Rosie. — Não para Claudia.

— Por que não? É extremamente interessante.

— Pássaros do mundo! Pense só nisso. Gene.

Echarpes eram retiradas de diversos locais, começavam a se
empilhar com rapidez, eram analisadas e atiradas para o lado.
Tudo acontecia tão rápido que me lembrou a Grande Noite dos
Coquetéis, com a diferença de que agora os clientes éramos nós.
Fiquei imaginando se aquelas mulheres estariam gostando tan-
to do seu trabalho quanto eu tinha gostado do meu.

No fim, deixei a escolha para Rosie. Ela escolheu a primeira
echarpe que elas haviam nos mostrado.

Ao sairmos da loja, Rosie disse:

— Acho que acabei de desperdiçar uma hora da sua vida.

— Não, não, o resultado foi irrelevante — falei. — Foi
tudo muito divertido.

— Bem — disse Rosie —, da próxima vez que quiser se divertir, não vou ficar triste com um par de Manolo Blahnik. — Pela palavra "par", adivinhei que deviam ser sapatos. — Temos tempo? — Já tínhamos gastado o tempo que Rosie pretendia usar no hotel. — Brincadeirinha, brincadeirinha.

Foi uma sorte, pois tínhamos de nos apressar para chegar na hora certa na casa dos Esler. Rosie, porém, precisava se trocar. Havia um banheiro na estação da Union Square. Rosie entrou correndo e saiu com uma aparência impressionantemente diferente.

— Isso foi incrível — falei. — E com que rapidez.

Rosie olhou para mim:

— Você vai assim? — O tom dela sugeria insatisfação.

— Essas são minhas roupas — expliquei. — Mas eu trouxe outra camisa.

— Quero ver.

Eu enfiei a mão na mala para pegar a camisa, que eu duvidava que Rosie fosse gostar mais do que a que eu estava usando. Então me lembrei do presente de Claudia. Mostrei a camisa para Rosie.

— Foi presente de Claudia — expliquei. — Ganhei uma calça jeans também, se isso ajuda.

— Abençoada seja Claudia — disse Rosie. — Ela mereceu aquela echarpe.

— Vamos chegar atrasados.

— Um atraso educado é aceitável — retrucou Rosie.

Isaac e Judy Esler moravam num apartamento em Williamsburg. Meu cartão telefônico americano estava funcionando segundo suas especificações e conseguimos ir até lá seguindo as indicações do GPS. Torci para que um atraso de quarenta e seis minutos se encaixasse na definição de Rosie para "educado".

— Austin, não se esqueça — disse Rosie ao tocar a campainha.

Judy veio atender. Estimei sua idade em cinquenta anos e seu IMC em vinte e seis. Ela falava com sotaque nova-iorquino e estava preocupada com a possibilidade de que estivéssemos perdidos. Seu marido, Isaac, era a própria caricatura do psiquiatra: cinquenta e poucos anos, baixo, cabelo rareando, cavanhaque preto, IMC de dezenove. Ele não era tão simpático quanto a esposa.

Os dois nos ofereceram martínis. Eu me lembrei do efeito que esse drinque teve sobre mim durante os preparativos para a Grande Noite de Coquetéis e resolvi não tomar mais do que três. Judy havia preparado canapés de peixe e pediu detalhes sobre nossa viagem. Queria saber se já havíamos estado em Nova York antes, que estação do ano era agora na Austrália (pergunta nada desafiadora) e se planejávamos fazer compras e ir a museus. Rosie respondeu a todas essas questões.

— Isaac viaja para Chicago amanhã de manhã — informou Judy. — Conte a eles o que você vai fazer por lá, Isaac.

— É só uma conferência — disse Isaac. Ele e eu não precisávamos falar muito para garantir que a conversa prosseguisse.

Porém, ele me fez uma pergunta antes de passarmos para a sala de jantar.

— O que você faz, Austin?

— Austin tem uma loja de materiais de construção — disse Rosie. — Muito bem-sucedida.

Judy serviu um jantar delicioso à base de salmão cultivado e garantiu a Rosie que o peixe era de origem sustentável. Eu havia comido muito pouco da comida de baixa qualidade do avião e desfrutei imensamente a de Judy. Isaac abriu um pinot gris do Oregon e foi generoso ao reabastecer minha taça. Conversamos sobre Nova York e as diferenças entre a política australiana e a americana.

— Bem — disse Judy —, fico muito feliz por terem conseguido vir. Compensa um pouco o fato de termos faltado à reunião. Isaac ficou muito chateado de não ter conseguido comparecer.

— Na verdade, não — corrigiu Isaac. — Revisitar o passado não é algo a se fazer de modo impensado. — Ele comeu o último pedaço de peixe do seu prato e olhou para Rosie. — Você se parece muito com sua mãe. Ela devia ser um pouco mais nova do que você da última vez em que a vi.

Judy disse:

— Nos casamos no dia seguinte ao da formatura e nos mudamos para cá. Isaac estava com uma ressaca gigantesca no casamento; tinha se comportado mal. — Ela sorriu.

— Acho que já chega de história, Judy — interrompeu Isaac. — Tudo isso foi há muito tempo.

Ele encarou Rosie. Rosie o encarou também.

Judy apanhou o prato de Rosie e o meu, um em cada mão. Decidi que este era o momento de agir, quando todos estavam distraídos. Eu me levantei e apanhei o prato de Isaac com uma das mãos e o de Judy com a outra. Isaac estava ocupado demais com o joguinho de encarar Rosie para protestar. Levei os pratos até a cozinha e raspei o garfo de Isaac no caminho.

— Imagino que Austin e Rosie devem estar exaustos — comentou Judy quando voltamos para a mesa.

— Você disse que é o homem dos materiais de construção, não é, Austin? — perguntou Isaac, levantando-se. — Poderia dar uma olhada numa torneira para mim? Cinco minutinhos. Certamente é trabalho para um encanador, mas talvez seja apenas a arruela.

— Ele quis dizer anilha — disse Judy, provavelmente esquecendo que somos do mesmo país que Isaac.

Isaac e eu descemos até o porão. Eu estava certo de que poderia ajudar com a torneira. Tinha passado as férias escolares fornecendo conselhos exatamente para esse tipo de coisa. Mas, ao chegarmos ao pé da escada, as luzes se apagaram. Não entendi direito o que estava acontecendo. Falta de luz?

— Tudo bem aí, Don? — perguntou Isaac, parecendo preocupado.

— Sim — respondi. — O que aconteceu?

— O que aconteceu é que você atendeu pelo nome Don, Austin.

Ficamos ali parados, de pé, no escuro. Duvidei que existisse alguma convenção social para lidar com o interrogatório de um psiquiatra num porão escuro.

— Como você adivinhou? — perguntei.

— Dois comunicados não solicitados da mesma universidade no mesmo mês. Uma busca na internet. Vocês dois formam uma bela dupla de dança.

Mais silêncio e escuridão.

— Conheço a resposta à sua pergunta, mas prometi que não vou revelá-la. Se achasse que era uma questão de vida ou morte, ou um problema de saúde mental grave, eu reconsideraria, mas não vejo motivo para quebrar a promessa. Ela só foi feita porque as pessoas envolvidas pensaram muito no que seria certo ou não. Você veio de muito longe para conseguir meu DNA, e suponho que agora o conseguiu, quando tirou a mesa. Talvez seja melhor olhar para além dos desejos da sua namorada antes de seguir em frente.

Ele acendeu a luz.

Algo me incomodava quando voltamos a subir as escadas. Lá em cima, parei.

— Se você sabia o que eu queria, por que nos deixou vir até sua casa?

— Boa pergunta — disse ele. — Já que perguntou, tenho certeza de que é capaz de adivinhar a resposta. Eu queria ver Rosie.

24

Graças ao uso bem planejado do sonífero, acordei sem nenhuma desorientação às 7h06.

Rosie havia adormecido no metrô, a caminho do hotel. Eu havia decidido não lhe contar logo sobre a conversa no porão, nem mencionar o que eu havia visto em cima do bufê. Era uma enorme foto do casamento de Judy e Isaac. Ao lado de Isaac, trajando as roupas formais que se exige de um padrinho, estava Geoffrey Case, que só teria mais trezentos e setenta dias de vida. Ele sorria.

Eu mesmo ainda estava processando todas as informações. Além disso, Rosie provavelmente teria uma reação emocional capaz de estragar nossa experiência em Nova York. Ela ficou impressionada por eu ter conseguido coletar o DNA, e mais impressionada ainda por eu ter agido de um modo tão natural quando apanhei os pratos para ajudar a tirar a mesa.

— Você está correndo o risco de aprender a se comportar socialmente.

O hotel era perfeitamente confortável. Depois de fazermos o check-in, Rosie confessou que tinha ficado com medo de eu querer que ela dividisse um quarto comigo, por eu ter pagado a viagem até Nova York para ela. Como se ela fosse uma prostituta! Fiquei extremamente ofendido. Ela pareceu satisfeita com minha reação.

Fiz um treino excelente na academia do hotel e, ao voltar, vi a luz de recados piscando. Rosie.

— Onde você estava? — perguntou ela.

— Na academia. Praticar exercícios é crucial para diminuir os efeitos do *jet lag*. A luz do sol também. Planejo caminhar vinte e nove quarteirões sob o sol.

— Não está se esquecendo de nada? Hoje é meu dia. E amanhã também. Você é meu até a meia-noite de segunda-feira. Agora desça esse seu traseiro para cá. Vamos sair para tomar o café da manhã.

— Com minha roupa de ginástica?

— Não, Don, com a roupa de ginástica, não. Tome banho, se vista. Você tem dez minutos.

— Sempre tomo o café da manhã antes de tomar banho.

— Quantos anos você tem? — disse Rosie, agressivamente. Ela não esperou pela resposta. — Você parece um velho: sempre tomo o café da manhã antes de tomar banho, não sente na minha cadeira, eu sempre sento aí... *Não se meta comigo, Don Tillman.* — Ela pronunciou aquelas últimas palavras bem devagar. Decidi que era melhor não me meter com ela. À meia-noite de amanhã tudo isso teria acabado. Naquele ínterim, eu adotaria o estado mental do dentista.

Pelo visto estava prestes a enfrentar um tratamento de canal. Cheguei no térreo e imediatamente Rosie fez uma crítica:

— Há quanto tempo você tem essa camiseta?

— Catorze anos — falei. — Ela seca muito rápido. É perfeita para viagens. — Na verdade era uma camiseta especial para caminhadas, embora a tecnologia têxtil houvesse sofrido grandes avanços desde sua fabricação.

— Ótimo — disse Rosie. — Ela não lhe deve nada. Já pra cima. Outra camisa.

— Está molhada.

— Estou falando da camisa que Claudia lhe deu. Aproveite e coloque o jeans também. Não vou ficar andando por Nova York com um mendigo.

Quando desci para a segunda tentativa de sair para tomar o café da manhã, Rosie sorriu.

— Sabe, no fundo você não é um cara assim tão feio. — Ela parou para me olhar. — Don, você não está curtindo nada disso, né? Você preferia estar sozinho no museu, certo? — Ela era extremamente perceptiva. — Tô sabendo. Mas você fez tudo isso por mim, me trouxe para Nova York e, por falar nisso, ainda não terminei de gastar seu dinheiro. Então quero fazer algo por você.

Eu poderia ter argumentado que o *desejo* dela de fazer algo por mim, no fim das contas, significava que ela estava agindo para seus próprios interesses, mas isso poderia causar mais daquele temperamento de "não se meta comigo".

— Você está num lugar diferente, com roupas diferentes. Quando os peregrinos medievais chegavam a Santiago depois de caminhar centenas de quilômetros, queimavam as roupas que vestiam para simbolizar que haviam mudado. Não estou lhe pedindo para queimar as suas... ainda. Pode colocá-las de novo na terça. Só estou pedindo que fique aberto a coisas diferentes. Deixe eu lhe mostrar meu mundo durante dois dias. Começando pelo café da manhã. Estamos na cidade que tem o melhor café da manhã do mundo.

Ela deve ter percebido que eu estava resistindo.

— Ei, você programa seu tempo para não desperdiçá-lo, certo?

— Correto.

— Então, você comprometeu dois dias da sua agenda comigo. Se você se fechar e resistir, vai desperdiçar dois dias da sua vida que alguém está tentando tornar empolgantes, produtivos e divertidos para você. Eu vou... — Ela parou. — Deixei o guia de viagens no meu quarto. Quando eu voltar, vamos sair para tomar o café da manhã. — Ela virou as costas e andou na direção dos elevadores.

Eu estava perturbado com a lógica de Rosie. Sempre justificara minha programação conforme a eficiência. Mas será que meu comprometimento era com a eficiência ou com a programação em si? Seria eu na verdade parecido com meu pai, que insistia em sentar na mesma cadeira todas as noites? Jamais mencionei esse fato a Rosie. Eu também tinha a minha cadeira especial.

Havia outro argumento que ela não havia apresentado, pois não tinha como conhecê-lo. Nos últimos dois meses eu havia vivido dois dos três melhores momentos da minha vida adulta, considerando como um só todas as visitas ao Museu de História Natural. Ambos tinham sido com Rosie. Haveria aí uma correlação? Era crucial descobrir.

Quando ela voltou, eu já tinha feito uma reprogramação cerebral, exercício que exigiu uma considerável força de vontade. Mas agora eu estava configurado para a adaptabilidade.

— E então? — perguntou ela.

— E então, como encontramos o melhor café da manhã do mundo?

Encontramos o Melhor Café da Manhã do Mundo virando a esquina. Pode ter sido o café da manhã menos saudável que já comi na vida, mas eu não ganharia peso significativo, nem deixaria de ter boa forma, acuidade cerebral ou habilidade nas artes marciais se os negligenciasse durante dois dias. Agora era esse o modo de operação do meu cérebro.

— Não acredito que você comeu tudo isso — disse Rosie.

— Estava muito gostoso.

— Nada de almoço. Jantar tardio — falou ela.

— Podemos comer a hora que você quiser.

Nossa garçonete se aproximou da mesa. Rosie indicou nossas xícaras de café vazias.

— Estavam ótimos. Acho que tanto eu quanto ele daríamos conta de mais um.

— Hã? — fez a garçonete. Era óbvio que ela não tinha entendido o que Rosie disse. Também era óbvio que Rosie tinha um péssimo gosto para café — ou então tinha feito como eu, havia ignorado o termo "café" e estava desfrutando daquilo como se fosse uma bebida completamente diferente. A técnica estava funcionando às mil maravilhas.

— Um café normal com leite e um café normal sem leite... por favor — pedi.

— Claro.

Esta era uma cidade em que as pessoas falavam sem rodeios. O tipo de cidade que eu gosto. Estava gostando do jeito americano de falar. Eu havia decorado uma lista de diferenças entre o inglês americano e o australiano antes da minha primeira visita aos Estados Unidos, e tinha me surpreendido com a rapidez com que meu cérebro passara a usá-las de modo automático.

Seguimos em direção à área residencial da cidade. Rosie estava consultando um guia chamado *Para não turistas*, o que me pareceu uma péssima escolha.

— Para onde vamos? — perguntei.

— Não vamos a lugar nenhum. Já chegamos.

Estávamos diante de uma loja de roupas. Rosie perguntou se tudo bem se entrássemos.

— Não precisa me pedir — falei. — Você é quem manda.

— Eu pergunto quando se trata de lojas. É uma coisa de menina. Eu ia dizer: "Imagino que você já deve ter ido à Quinta Avenida antes", mas creio que com você eu não imagino nada.

A situação era simétrica. Eu sabia que não deveria imaginar nada com Rosie, senão teria ficado surpreso ao vê-la se descrever como uma "menina", termo que, segundo meu entendimento, era inaceitável entre as feministas ao se referirem a mulheres adultas.

Rosie estava ficando cada vez mais perceptiva a meu respeito, o que era notável. Nunca havia ido a nenhum lugar além dos centros de conferência e do museu, mas, com minha nova configuração mental, estava achando tudo fascinante. Uma loja só de charutos. Os preços das joias. O Edifício Flatiron. O museu do sexo. Rosie olhou este último e escolheu não entrar. Provavelmente foi uma boa decisão: podia ser fascinante, mas o risco de cometer uma gafe seria muito alto.

— Quer comprar alguma coisa? — perguntou ela.

— Não.

Alguns minutos depois, um pensamento me veio à cabeça.

— Existe algum lugar que venda camisas masculinas?

Rosie riu.

— Na Quinta Avenida, em Nova York. Talvez a gente dê sorte. — Detectei sarcasmo, mas de um jeito simpático. Encontramos uma nova camisa do mesmo gênero daquela que Claudia me deu numa loja gigantesca chamada Bloomingdale's, que na verdade não ficava na Quinta Avenida. Não conseguimos nos decidir entre duas camisas e compramos ambas. Meu guarda-roupa ia ficar lotado!

Chegamos ao Central Park.

— Vamos pular o almoço, mas um sorvete eu consigo encarar — disse Rosie. Havia um sorveteiro no parque, que servia tanto casquinhas quanto sorvetes embalados, industrializados.

Fui tomado por um terror irracional e o identifiquei imediatamente. Mas precisava saber:

— O sabor é importante?

— Qualquer coisa com amendoim. Estamos nos Estados Unidos.

— Todos os sorvetes têm o mesmo gosto.

— Besteira.

Expliquei sobre as papilas gustativas.

— Quer apostar? — perguntou Rosie. — Se eu conseguir descobrir a diferença entre amendoim e baunilha, são duas entradas para o *Homem-Aranha*. Na Broadway. Hoje.

— As texturas serão diferentes. Por causa do amendoim.

— Então quaisquer outros dois. Você escolhe.

Pedi um de damasco e um de manga.

— Feche os olhos — falei. Na verdade não era necessário: as cores eram quase idênticas, mas não queria que Rosie me visse atirando uma moeda para decidir qual deles mostrar a ela. Estava com medo de que, com suas habilidades de psicóloga, ela conseguisse adivinhar minha sequência.

Atirei a moeda e lhe ofereci um dos sorvetes.

— Manga — respondeu Rosie, corretamente. Atirei a moeda, cara de novo. — Manga de novo. — Ela identificou o de manga corretamente três vezes, depois o de damasco, depois o de damasco de novo. As chances de obter esse resultado ao acaso eram de uma em trinta e duas. Eu podia ter noventa e sete por cento de certeza de que ela era capaz de diferenciá-los. Incrível.

— E aí, *Homem-Aranha* hoje?

— Não. Você errou uma.

Rosie me olhou com muita atenção, depois caiu na gargalhada.

— Você está de brincadeira comigo, né? Não acredito que você está fazendo piada!

Ela me deu um dos sorvetes.

— Já que para você tanto faz, fique com o de damasco.

Olhei para ele. Como dizer? Ela tinha lambido o sorvete. Mais uma vez ela leu minha mente.

— Como você vai beijar uma garota se não quer dividir um sorvete com ela?

Durante vários minutos, fui inundado por uma sensação irracional de enorme prazer, banhado no sucesso da minha piada e analisando gramaticalmente a frase sobre o beijo: beijar *uma* garota, dividir um sorvete com *ela*. Estava na terceira pessoa, mas com certeza se relacionava à garota que naquele exato momento dividia o próprio sorvete com Don Tillman, vestido com sua camisa e seus jeans novos, enquanto caminhávamos entre as árvores do Central Park, em Nova York, numa tarde ensolarada de domingo.

Eu precisava dos cento e catorze minutos de descanso na volta ao hotel, embora houvesse desfrutado imensamente daquele dia. Banho, e-mails, exercícios de relaxamento combinados com alongamentos. Mandei um e-mail para Gene, com cópia para Claudia, relatando um resumo de nossas atividades.

Rosie chegou três minutos atrasada para nosso encontro no *foyer* às 19h. Eu estava prestes a ligar para o quarto quando ela chegou usando as roupas que compramos naquele dia — jeans branco e uma espécie de blusa azul — mais o blazer que ela tinha usado na noite anterior. Eu me lembrei de um Gene-ísmo, algo que o ouvi dizer a Claudia.

— Você está muito elegante — falei.

Era uma declaração arriscada, mas a reação dela pareceu ser positiva. Ela de fato estava muito elegante.

Tomamos coquetéis num bar com a Maior Lista de Coquetéis do Mundo, incluindo vários que eu não conhecia, e assistimos a *Homem-Aranha*. Depois, Rosie me disse que achou a história meio previsível, mas eu fiquei embasbacado com tudo, de um jeito extremamente positivo. Não ia ao teatro desde que era criança. Poderia ter ignorado a história e me concentrado apenas na mecânica do voo — era simplesmente incrível.

Pegamos o metrô de volta até o Lower East Side. Eu estava com fome, mas não queria quebrar as regras sugerindo que fôssemos jantar. Porém, Rosie havia planejado isso também. Uma reserva às 22h num restaurante chamado Momofuku Ko. Estávamos no fuso Rosie de novo.

— Este é meu presente por você ter me trazido aqui — disse ela.

Sentamos diante de uma bancada para doze pessoas, de onde podíamos observar os chefs trabalhando. Havia muito pouco das formalidades que tornam os restaurantes tão estressantes.

— Alguma preferência, alergia, coisas que não gostem? — perguntou o chef.

— Sou vegetariana, mas como frutos do mar de produção sustentável — respondeu Rosie. — Ele come de tudo, e, quando digo tudo, é tudo mesmo.

Perdi a conta dos pratos. Comi pâncreas, *foie gras* (pela primeira vez!) e ovas de ouriço. Bebemos uma garrafa de champanhe rosé. Conversei com os chefs e eles me explicaram o que estavam fazendo. Comi a melhor comida da minha vida. E não precisei usar traje esporte fino para isso. Na verdade, o homem sentado ao meu lado usava uma roupa que poderia ter sido considerada extrema no Marquess of Queensbury, incluindo múltiplos piercings faciais. Ele me ouviu conversando com o chef e perguntou de onde eu era. Respondi.

— O que está achando de Nova York?

Eu lhe disse que estava achando extremamente interessante e expliquei o que fizemos naquele dia, mas tive consciência de que, devido ao estresse de conversar com um estranho, meu comportamento tinha mudado — ou, para ser mais exato, *se revertido* — ao modo de sempre. Durante o dia, com Rosie, eu havia relaxado, e por isso falara e agira de um jeito diferente. Isso continuou durante minha conversa com o chef, que na verdade não passou de uma troca de informações profissionais. Mas interagir de modo informal com outra pessoa havia desencadeado meu comportamento costumeiro. E meu comportamento e meu jeito de falar costumeiros são, sei muito bem, considerados estranhos pelos outros. O homem de piercings deve ter percebido.

— Sabe o que eu gosto em Nova York? — perguntou ele. — É que existe tanta gente estranha que ninguém mais presta atenção. Todos nós nos encaixamos feito uma luva.

— E aí, o que achou? — perguntou Rosie enquanto caminhávamos de volta ao hotel.

— Foi o melhor dia da minha vida adulta — respondi. Rosie pareceu tão contente com minha resposta que decidi não concluir o restante da frase: "fora os dias que visitei o Museu de História Natural".

— Durma — disse ela. — Encontro você aqui às 9h30 e faremos aquele lance do *brunch* de novo. Certo?

Discutir teria sido totalmente irracional.

25

— Eu causei algum constrangimento?

Rosie tinha ficado com medo de eu fazer algum comentário inapropriado durante a visita ao local onde ficava o World Trade Center. Nosso guia, um ex-bombeiro chamado Frank que tinha perdido vários colegas no ataque, era incrivelmente interessante e lhe fiz diversas perguntas técnicas, que ele respondeu com inteligência e, a mim pelo menos, pareceu entusiasmo.

— Talvez você tenha mudado um pouquinho o teor da coisa — respondeu ela. — Você desviou um pouco a atenção do impacto emocional. — Quer dizer que eu tinha reduzido a tristeza. Ótimo.

A segunda-feira tinha sido reservada para visitar pontos turísticos populares. Tomamos o café da manhã no Katz's Deli, onde foi rodada uma cena de um filme chamado *Harry e Sally — Feitos um para o outro*. Visitamos o topo do Empire State Building, famoso por ter sido locação de *Tarde demais para esquecer*. Fomos ao MoMA e ao Met, ambos excelentes.

Voltamos cedo ao hotel: 16h32.

— Encontro você aqui às 18h30 — disse Rosie.

— O que vamos jantar?

— Cachorro-quente. Vamos assistir a um jogo de beisebol.

Eu *nunca* assisto a eventos esportivos. Nunca. Os motivos são óbvios — ou deveriam ser para qualquer pessoa que valoriza o próprio tempo. Mas minha mente reconfigurada, sustentada por altas doses de reforço positivo, aceitou a proposta. Passei os cento e dezoito minutos seguintes na internet aprendendo as regras de beisebol e descobrindo mais sobre os jogadores.

No metrô, Rosie tinha notícias para me dar. Antes de viajar, ela havia mandado um e-mail para Mary Keneally, uma pesquisadora da área dela que trabalhava na Universidade de Columbia. Ela havia acabado de receber uma resposta de Mary dizendo que poderia encontrá-la no dia seguinte. Por conta disso, não poderia ir comigo ao Museu de História Natural amanhã, apenas na quarta. Tudo bem por mim? É claro.

No Estádio Yankee compramos cervejas e cachorros-quentes. Um homem de boné, com idade estimada em trinta e cinco anos e IMC de quarenta (ou seja, perigosamente gordo), se sentou ao meu lado. Ele estava comendo três cachorros-quentes! O motivo da obesidade era óbvio.

O jogo começou e precisei explicar para Rosie o que estava acontecendo. Era fascinante ver como as regras funcionavam num jogo de verdade. Sempre que ocorria algo no campo, Fã Gordo de Beisebol fazia uma anotação em seu caderninho. Havia corredores na segunda e na terceira bases quando Curtis Granderson veio à quarta base e Fã Gordo de Beisebol falou comigo:

— Se ele rebater esses dois caras, vai liderar a liga na RBI. Quais são as chances de isso acontecer, hein?

Eu não sabia quais eram as chances. Só pude lhe dizer que eram algo entre 9,9 e 27,2 por cento, com base na média de rebatidas e na porcentagem de *home runs* listadas no perfil que eu tinha lido. Eu não tivera tempo de decorar as estatísticas para rebatidas duplas e triplas. Fã Gordo de Beisebol mesmo assim pareceu impressionado e começamos uma conversa bastante interessante. Ele me mostrou como marcar o programa do jogo com símbolos que representavam os diversos eventos, e como as estatísticas mais sofisticadas funcionavam. Eu não fazia ideia de que esportes podiam ser tão intelectualmente estimulantes.

Rosie comprou mais cervejas e cachorros-quentes e Fã Gordo de Beisebol começou a me contar a "sequência" de Joe DiMaggio em 1941, o que, segundo ele, foi uma conquista única em termos de desafio às probabilidades. Eu tinha lá minhas dúvidas, mas, justamente quando a conversa estava ficando mais interessante, o jogo acabou; portanto, ele sugeriu que pegássemos o metrô até um bar em Midtown. Como Rosie é que mandava na programação, pedi a opinião dela, que concordou.

O bar era barulhento e havia mais jogo de beisebol sendo exibido numa televisão enorme. Alguns outros homens, que não pareciam conhecer Fã Gordo de Beisebol, se juntaram à conversa. Bebemos muita cerveja e conversamos sobre estatísticas do beisebol. Rosie ficou sentada num banquinho com sua bebida nos observando. Já era tarde quando Fã Gordo de Beisebol, cujo verdadeiro nome era Dave, disse que precisava ir para casa. Trocamos endereços de e-mail e tive a impressão de ter feito um novo amigo.

Indo a pé de volta para o hotel, percebi que eu tinha me comportado de um jeito masculino estereotipado, bebendo cerveja num bar, vendo televisão e conversando sobre esportes. É amplamente sabido que as mulheres costumam ter uma reação negativa a esse tipo de comportamento. Perguntei a Rosie se eu a havia ofendido.

— Nem um pouco. Eu me diverti vendo você agir como um cara comum, se encaixando.

Eu disse que essa era uma resposta altamente incomum para uma feminista, mas que a tornaria uma parceira bastante atraente para os homens convencionais.

— Isso se eu estivesse interessada nos homens convencionais.

Parecia uma boa oportunidade de fazer uma pergunta sobre a vida pessoal de Rosie.

— Você tem namorado? — Torci para ter usado um termo apropriado.

— Claro, só esqueci de tirá-lo da mala — respondeu ela, obviamente fazendo piada. Ri, mas depois observei que ela não tinha respondido à pergunta.

— Don — disse ela —, você não acha que, se eu tivesse um namorado, a essa altura você já teria ouvido falar dele?

Me parecia inteiramente possível que eu não tivesse ouvido falar dele. Eu havia feito pouquíssimas perguntas pessoais a Rosie que não fossem relacionadas ao Projeto Pai. Não conhecia nenhum de seus amigos, exceto talvez Stefan, que concluí não ser namorado dela. É claro que teria sido normal trazer um parceiro qualquer para o baile da faculdade e não me oferecer sexo depois. Contudo, nem todo mundo estava preso a esse tipo de convenção social. Gene era o exemplo perfeito. Parecia inteiramente possível Rosie ter um namorado que não gostasse de dançar nem de socializar com acadêmicos, ou que estivesse viajando naquela época, ou que eles tivessem um relacionamento aberto. Ela não tinha por que me contar nada disso. Eu mesmo raramente mencionava Daphne ou minha irmã para Gene ou Claudia, e vice-versa. Eles pertenciam a partes diferentes da minha vida. Expliquei isso a Rosie.

— Dando uma resposta breve, não — disse ela. Andamos mais um pouco. — Resposta longa: você me perguntou o que significa ser alguém fodido por causa do meu pai. Introdução à Psicologia I: nosso primeiro relacionamento com um homem é com o pai. Isso afeta a maneira como nos relacionaremos com os homens para sempre. Portanto, para minha sorte, tive duas opções à minha escolha. Phil, que é doente da cabeça, ou meu pai verdadeiro, que abandonou minha mãe e eu. E essa escolha Phil me deu aos doze anos, quando me sentou na frente dele e começou o papo de "Gostaria que sua mãe estivesse aqui para lhe contar". Sabe, o tipo de coisa que todo pai conta para a filha aos doze anos: "Não sou seu pai; sua mãe, que morreu antes de você conhecê-la melhor, não é a pessoa perfeita que você achava que era, e você só está aqui porque sua mãe foi leviana, e gostaria que você não estivesse porque aí eu podia dar o fora e seguir a minha vida."

— Ele disse isso a você?

— Não com essas palavras, mas foi o que ele quis dizer.

Achei altamente improvável que uma menina de doze anos — ainda que futura estudante de psicologia — pudesse deduzir corretamente os pensamentos não professados de um adulto. Às vezes é melhor ter consciência de sua própria incompetência nesse tipo de coisa, como eu tenho, do que possuir uma falsa sensação de expertise.

— Então, não confio nos homens. Não acredito que eles sejam o que dizem ser. Tenho medo que me desapontem. Esse é meu resumo depois de sete anos estudando psicologia.

Parecia um resultado bastante ruim para sete anos de esforços, mas considerei que ela estivesse omitindo o conhecimento mais amplo fornecido pelo curso.

— Quer se encontrar comigo amanhã à noite? — perguntou Rosie. — Podemos fazer o que você quiser.

Eu estava mesmo pensando nos meus planos para o dia seguinte.

— Conheço uma pessoa em Columbia — respondi. — Talvez possamos ir juntos para lá.

— E o museu?

— Já comprimi quatro visitas em duas. Posso comprimir duas em uma.

Não havia lógica nisso, mas eu tinha bebido muita cerveja e simplesmente estava com vontade de ir até Columbia. *Deixe rolar.*

— Vejo você às oito... e não se atrase — disse Rosie. Então ela me beijou. Não foi um beijo apaixonado; foi só um beijinho na bochecha, mas foi perturbador. Nem positivo nem negativo, apenas perturbador.

Mandei um e-mail para David Borenstein, de Columbia, depois falei com Claudia pelo Skype e lhe contei sobre o meu dia, omitindo o beijo.

— Parece que ela andou se esforçando bastante — comentou Claudia.

Isso era verdade, óbvio. Rosie tinha conseguido selecionar atividades que em geral eu teria evitado, mas que gostei imensamente.

— E você vai ser o guia dela no Museu de História Natural na quarta?

— Não, vou olhar os crustáceos e a flora e a fauna da Antártica.

— Pense melhor — disse Claudia.

26

Fomos de metrô até Columbia. David Borenstein não havia respondido a meu e-mail. Não mencionei isso para Rosie, que havia me convidado para a sua reunião caso ela não entrasse em conflito com a minha.

— Vou dizer que você é um colega pesquisador — falou ela. — Gostaria que você visse o que faço quando não estou preparando drinques.

Mary Keneally era professora associada de psiquiatria da Faculdade de Medicina. Eu nunca havia perguntado a Rosie qual o tema da pesquisa dela. Descobri que era *Riscos Ambientais para o Início Precoce do Transtorno Bipolar*, um tópico científico sério. A abordagem de Rosie parecia sensata e bem pensada. Ela e Mary conversaram por cinquenta e três minutos, depois todos nós fomos tomar um café.

— No fundo — disse Mary a Rosie —, você é mais uma psiquiatra do que uma psicóloga. Nunca pensou em migrar para a Medicina?

— Venho de uma família de médicos — respondeu Rosie. — Eu me rebelei um pouco.

— Bem, quando terminar de se rebelar, temos um ótimo programa de medicina aqui.

— Certo — disse Rosie. — Eu na Columbia.

— E por que não? Na verdade, já que você veio de tão longe... — Ela deu um rápido telefonema e depois sorriu. — Venha conhecer o chefe do departamento.

Enquanto andávamos de volta ao prédio de medicina, Rosie disse para mim:

— Espero que você esteja adequadamente impressionado.

Chegamos à sala do chefe do departamento e ele veio nos encontrar.

— Don! — disse ele. — Acabei de receber seu e-mail. Não tive chance de responder. — Ele se virou para Rosie. — Sou David Borenstein. Você está com Don?

Todos almoçamos juntos no clube da faculdade. David contou a Rosie que havia apoiado meu pedido pelo visto O-1.

— Eu não menti — explicou ele. — A hora em que Don quiser entrar em cena, temos um emprego para ele aqui.

Pizza assada em forno a lenha supostamente é algo antiecológico, mas vejo declarações desse tipo com grande suspeita. Muitas vezes elas se baseiam nas emoções, e não na ciência, e ignoram os custos do ciclo de vida completo. Eletricidade é bom, carvão é ruim. Mas de onde vem a eletricidade? Nossa pizza no Arturo's estava excelente. A Melhor Pizza do Mundo.

Eu estava interessado em uma das declarações que Rosie fez em Columbia.

— Achei que você admirasse sua mãe. Por que não gostaria de ser médica?

— Não é por causa da minha mãe. Meu pai é médico também, lembra? Foi por isso que viemos para cá. — Ela serviu o resto do vinho tinto em sua taça. — Já pensei nisso. Eu prestei o GAMSAT, como falei a Peter Enticott. E de fato tirei setenta e quatro. Engula essa. — Apesar das palavras agressivas, a expressão dela continuava amigável. — Achei que cursar medicina seria sinal de alguma espécie de obsessão com meu verdadeiro pai. Como se eu o estivesse imitando e não seguindo os passos de Phil. Até eu consegui ver que isso era meio fodido.

Gene costuma dizer que os psicólogos são incompetentes em entender a si mesmos. Rosie parecia fornecer boas evidências para essa afirmação. Por que evitar algo que ela gostaria e que faria bem? E com certeza três anos de pós-graduação deveriam ter sido capazes de fornecer uma classificação mais precisa de seus problemas de comportamento, de personalidade e afetivos do que o termo "fodido". Naturalmente não compartilhei esses pensamentos com ela.

Éramos os primeiros da fila quando o museu abriu às 10h30. Eu havia planejado a visita seguindo a história do universo, do planeta e da vida. Treze bilhões de anos de história em seis horas. Ao meio-dia, Rosie sugeriu deletarmos o almoço da programação para termos mais tempo de ver as exposições. Mais tarde, ela parou diante da reconstrução das famosas pegadas de Laetoli feitas por hominídeos há aproximadamente 3,6 milhões de anos.

— Li um artigo sobre isso. São de uma mãe e um filho, de mãos dadas, né?

Era uma interpretação romântica, mas não impossível.

— Já pensou em ter filhos, Don?

— Sim — respondi, esquecendo de me desviar dessa pergunta pessoal. — Mas parece tanto improvável quanto desaconselhável.

— Por quê?

— Improvável, porque perdi a confiança no Projeto Esposa. E desaconselhável porque eu não seria um pai adequado.

— Por quê?

— Porque eu seria motivo de constrangimento para meus filhos.

Rosie riu. Achei aquilo muito insensível, mas ela explicou:

— Todos os pais são motivo de constrangimento para os filhos.

— Inclusive Phil?

Ela riu de novo.

— Principalmente Phil.

Às 16h28, tínhamos terminado a seção dos primatas.

— Oh, não, já acabou? — disse Rosie. — Tem mais alguma coisa que podemos ver?

— Temos mais duas coisas para ver — respondi. — Talvez você as considere tediosas.

Eu a levei até a sala das bolas — esferas de tamanhos diversos que demonstram a escala do universo. A exibição não é nada dramática, mas a informação, sim. Muitas vezes os não cientistas (cientistas *não físicos*) não têm ideia de escala — do quanto somos pequenos em comparação ao universo, de como somos grandes em comparação a um neutrino. Fiz o máximo possível para tornar aquilo interessante.

Então subimos de elevador até o caminho cósmico de Heilbrun, uma rampa em espiral de cento e dez metros representando uma linha do tempo desde o Big Bang até o presente. Ela nada mais é do que uma parede de desenhos e fotos e, de vez em quando, rochas e fósseis. Nem precisei olhar para aquilo, pois conheço a história e a relatei o mais precisa e dramaticamente que pude. Coloquei tudo o que havíamos visto naquele dia em contexto enquanto descíamos dando voltas até chegar ao térreo e à minúscula linha fina que representava toda a história humana já registrada. Agora estava quase na hora de o museu fechar, e éramos os únicos visitantes. Em outras ocasiões, já ouvi a reação das pessoas ao chegarem ao fim. "Faz a gente se sentir meio sem importância, né?", dizem elas. Imagino que seja uma forma de olhar as coisas: como a idade do universo de certa maneira diminui nossas vidas, ou os acontecimentos históricos, ou a sequência de Joe DiMaggio.

Mas a reação de Rosie foi uma versão verbal da minha.

— Uau — disse ela, bem baixinho, olhando para trás, apreendendo a vastidão daquilo tudo. Então, naquele pequeno momento ínfimo da história do universo, ela segurou minha mão e não largou mais durante todo o trajeto até o metrô.

27

Tínhamos uma tarefa crítica pela frente antes de deixar Nova York na manhã seguinte. Max Freyberg, o cirurgião plástico e pai biológico em potencial de Rosie, que estava "com a agenda lotada", concordou em reservar quinze minutos para nós às 18h45. Rosie dissera à secretária dele que estava escrevendo uma série de artigos sobre alunos bem-sucedidos da universidade para uma publicação. Eu levava a câmera de Rosie e seria apresentado como fotógrafo.

Conseguir aquele encontro já tinha sido difícil, mas ficou evidente que coletar o DNA num ambiente de trabalho, e não num ambiente doméstico ou social, seria mais difícil ainda. Antes de viajarmos para Nova York, eu havia programado meu cérebro para resolver esse problema e esperado que ele encontrasse a solução por meio do processamento de informações que ali estavam em segundo plano. Só que, pelo visto, ele andou ocupado com outras questões. O máximo em que consegui pensar foi usar um anel pontiagudo que tirasse sangue dele quando nos cumprimentasse, mas Rosie considerou isso socialmente impraticável.

Ela sugeriu cortar uma mecha do cabelo, de forma sub-reptícia ou então depois de identificar que certa mecha prejudicaria o resultado da foto. Infelizmente era improvável que cabelo cortado fornecesse uma amostra adequada — era preciso que o cabelo fosse arrancado para ter o folículo. Rosie levou pinças na bolsa. Pela primeira vez torci para que tivéssemos de passar quinze minutos numa sala enfumaçada: uma guimba de cigarro resolveria nossos problemas. Teríamos de ficar atentos para as oportunidades.

O consultório do Dr. Freyberg ficava num prédio antigo no Upper West Side. Rosie apertou o interfone. Um segurança apareceu e nos levou até a sala de espera, onde as paredes estavam totalmente cobertas com molduras exibindo certificados e cartas de pacientes elogiando o trabalho do Dr. Freyberg.

A secretária dele, uma mulher muito magra (IMC estimado em dezesseis), de uns cinquenta e cinco anos e lábios desproporcionalmente espessos, nos conduziu até sua sala. Mais certificados! Freyberg em si tinha um enorme defeito: era completamente careca. A abordagem que envolvia arrancar cabelo não seria viável. Também não havia nenhuma evidência de que ele fumasse.

Rosie conduziu a entrevista de modo bastante impressionante. Freyberg descreveu alguns procedimentos que pareciam ter justificativa clínica mínima e falou de sua importância para a autoestima. Era uma sorte eu ter sido colocado num papel silencioso, pois teria me sentido fortemente tentado a discutir. Eu também estava lutando para me concentrar. Minha mente ainda estava processando o incidente das mãos dadas.

— Desculpe incomodá-lo— disse Rosie —, mas eu poderia pedir algo para beber?

Claro! A solução da raspagem da xícara de café.

— Claro — respondeu Freyberg. — Chá, café?

— Café seria ótimo — disse Rosie. — Puro. Você não gostaria de tomar um também?

— Não, estou bem. Vamos em frente. — Ele apertou um botão no intercomunicador. — Rachel. Um café puro.

— Você devia tomar um café — insisti.

— Nem chego perto — disse Freyberg.

— A menos que você tenha uma intolerância genética à cafeína, não há efeitos prejudiciais comprovados. Muito pelo contrário...

— Para qual revista é esta matéria mesmo?

A pergunta era direta e totalmente previsível. Havíamos decidido de antemão qual seria o nome da revista universitária fictícia, e Rosie já o usara ao nos apresentar.

Mas meu cérebro deu pane. Rosie e eu falamos ao mesmo tempo. Rosie disse *Faces da mudança* e eu disse *Mãos da mudança*.

Era uma inconsistência insignificante que qualquer pessoa racional teria interpretado como um erro simples e inocente, e de fato era. Mas a expressão de Freyberg indicou descrença e ele imediatamente rabiscou alguma coisa num bloco de notas. Quando Rachel trouxe o café, ele lhe entregou o bilhete. Diagnostiquei paranoia e comecei a pensar em planos de fuga.

— Preciso usar o banheiro — falei. Planejava telefonar para Freyberg do banheiro para que Rosie pudesse escapar enquanto ele atendia ao telefone.

Andei na direção da saída, mas Freyberg bloqueou minha passagem.

— Use o meu particular — disse. — Eu insisto.

Ele me levou para os fundos de sua sala, passando por Rachel, até chegar numa porta na qual se lia "Privativo" e ali me deixou. Não havia jeito de sair sem voltar pelo mesmo caminho que fizemos. Peguei meu celular, liguei para 411 — auxílio à lista — e eles me conectaram com Rachel. Ouvi o telefone tocar e Rachel atender. Mantive a voz baixa.

— Preciso falar com o Dr. Freyberg — falei. — É uma emergência. — Expliquei que minha esposa era paciente dele e que os lábios dela haviam explodido. Desliguei e mandei um SMS para Rosie: *Saia agora.*

O banheiro realmente estava precisando dos serviços de Eva. Consegui abrir a janela; era óbvio que ela não era usada há muito tempo. Estávamos no quarto andar, mas parecia haver alguns pontos de apoio na parede. Eu passei pela janela e comecei a descer a parede escalando, torcendo para que Rosie tivesse conseguido escapar. Fazia um bom tempo que eu não praticava escalada, e a descida não era tão simples quanto havia parecido de início. A parede estava escorregadia por causa da chuva que caíra mais cedo naquele dia e meus tênis de corrida não eram ideais para aquele tipo de coisa. Em determinado ponto eu escorreguei e consegui me agarrar a um pedaço de tijolo. Ouvi gritos vindo lá de baixo.

Quando finalmente cheguei ao chão, descobri que um pequeno grupo havia se juntado ali. Rosie estava entre eles. Ela atirou os braços em volta de mim.

— Oh, meu Deus, Don, você podia ter se matado. Aquilo não tinha tanta importância assim.

— O risco era pequeno. O importante era ignorar a questão da altura.

Fomos até o metrô. Rosie estava bastante agitada. Freyberg achou que ela fosse uma espécie de detetive particular atuando em prol de alguma paciente insatisfeita e tentou fazer com que os seguranças a detivessem. Quer a posição dele fosse legalmente defensável ou não, teríamos ficado numa situação difícil.

— Vou me trocar — avisou Rosie. — Nossa última noite em Nova York. O que você quer fazer?

Minha programação original especificava ir a uma *steakhouse* nova-iorquina, mas agora que estávamos no padrão de comer juntos, eu precisava selecionar um restaurante adequado para uma "vegetariana" que comia frutos do mar de produção sustentável.

— Vamos pensar em algo — respondi. — Há várias opções.

Levei três minutos para trocar de camisa. Esperei mais seis no térreo por Rosie. Por fim, fui até o quarto dela e bati na porta. Houve uma longa espera. Depois ouvi a voz dela.

— Quanto tempo você acha que uma pessoa leva para tomar banho?

— Três minutos e vinte segundos — respondi —, a menos que eu lave o cabelo. Nesse caso, levo mais um minuto e doze segundos. — O tempo adicional se devia prioritariamente à exigência de que o condicionador permanecesse nos cabelos por sessenta segundos.

— Espere um pouquinho.

Rosie abriu a porta só de toalha. Seu cabelo estava molhado, e sua aparência era extremamente atraente. Esqueci de manter os olhos fixos em seu rosto.

— Ei — disse ela. — Não estou usando nenhum pingente. — Ela estava certa. Eu não poderia usar essa desculpa, mas ela não fez nenhum discurso sobre comportamento inadequado. Em vez disso, sorriu e andou na minha direção. Não tive certeza se ela daria mais um passo ou se eu é que deveria dar. No fim, nós dois ficamos parados. Foi um momento estranho, mas supus que nós dois contribuímos para isso.

— Você devia ter levado o anel — disse Rosie.

Por um instante, meu cérebro interpretou "anel" como "anel de casamento" e começou a construir um cenário completamente incorreto. Então me dei conta de que ela estava se referindo ao anel pontiagudo que eu tinha sugerido como forma de obter uma amostra de Freyberg.

— Vir até aqui e não conseguir uma amostra...

— Por sorte, conseguimos.

— Você conseguiu? Como?

— O banheiro dele. Que porco. Ele devia fazer um exame de próstata. O chão...

— Pode parar — disse Rosie. — Informação demais. Mas bom trabalho.

— Péssima higiene — continuei. — Para um cirurgião. Pseudocirurgião. Que desperdício inacreditável de habilidades cirúrgicas, inserir materiais sintéticos puramente para alterar a aparência.

— Espere até você ter cinquenta e cinco anos e sua esposa quarenta e cinco para ver se continua pensando assim.

— Supostamente você é uma feminista — falei, embora estivesse começando a duvidar disso.

— Não significa que quero ser feia.

— Sua aparência deveria ser irrelevante para a opinião do seu parceiro sobre você.

— A vida é cheia de "deveria" — disse Rosie. — O geneticista é você. Todo mundo repara na aparência das pessoas, até você.

— Verdade, mas não deixo isso afetar minha opinião sobre elas.

Eu estava entrando em um terreno perigoso: a questão da beleza de Rosie tinha me colocado numa enrascada séria na noite do baile da faculdade. Minha afirmação era consistente com minhas crenças sobre julgar as pessoas e sobre como gostaria de ser julgado por elas. Mas nunca precisei aplicar essas crenças a alguém só de toalha na minha frente num quarto de hotel. Percebi que não havia contado toda a verdade.

— Deixando de lado o fator testosterona — eu disse.

— Será que existe um elogio escondido por aí em algum lugar?

A conversa estava ficando complicada. Tentei esclarecer minha posição:

— Não seria nada razoável lhe dar crédito por ser incrivelmente linda.

O que fiz em seguida foi sem dúvida resultado da confusão dos meus pensamentos depois da sequência de incidentes traumáticos e extraordinários das horas anteriores: as mãos dadas, a fuga do consultório do cirurgião plástico e o impacto extremo da mulher mais linda do mundo de pé na minha frente, nua, só de toalha.

Gene também tem um pouco de culpa por sugerir que o tamanho do lóbulo da orelha indica o grau da atração sexual. Uma vez que eu nunca tinha me sentido tão atraído sexualmente por nenhuma mulher antes, de repente me senti compelido a examinar as orelhas dela. Num instante que, em retrospecto, pareceu certo incidente crucial de *O estrangeiro*, de Albert Camus, espichei o braço para afastar o cabelo dela. Porém, neste caso, a resposta dela foi surpreendentemente diversa daquela documentada no romance que estudamos no ensino médio. Rosie me abraçou e me beijou.

Acho provável que meu cérebro esteja configurado de modo diferente do padrão, mas meus ancestrais não teriam sido bem-sucedidos na procriação se não compreendessem e reagissem a sinais sexuais básicos. Aquela aptidão estava configurada em mim. Correspondi ao beijo de Rosie. Ela também.

Nos afastamos por um instante. Era óbvio que aquele jantar se atrasaria. Rosie me observou e disse:

— Sabe, se você trocasse os óculos e mudasse o corte de cabelo, ficaria igual a Gregory Peck em *O sol é para todos*.

— E isso é bom? — Imaginei, pelas circunstâncias, que sim, mas queria que ela confirmasse.

— Ah, ele foi só o homem mais sexy que já viveu na face da Terra.

Olhamos um para o outro mais um pouco, e fiz um movimento para beijá-la de novo. Ela me interrompeu.

— Don, estamos em Nova York. É como se fossem férias. Não quero que você acredite que isso significa algo mais.

— O que acontece em Nova York, fica em Nova York, certo? — Era uma frase que Gene me ensinou para usar em conferências. Eu nunca havia precisado empregá-la antes. Parecia meio estranha, mas adequada nas atuais circunstâncias. Era obviamente importante que nós dois concordássemos que não haveria nenhuma continuidade emocional depois. Embora eu não tivesse uma esposa e um lar como Gene, tinha um conceito de esposa bastante diferente de Rosie, que provavelmente sairia até a varanda para fumar depois de fazer sexo. O mais estranho é que essa ideia não me causou tanta repulsa quanto achei que causaria.

— Preciso pegar uma coisa no meu quarto — falei.

— Bem pensado. Não demore.

Meu quarto ficava apenas onze andares acima do de Rosie, por isso fui de escadas. Chegando lá, tomei banho, depois folheei o livro que Gene me deu. No fim das contas, ele tinha razão. Incrível.

Desci as escadas até o quarto de Rosie. Haviam se passado quarenta e três minutos. Bati na porta e Rosie atendeu, agora usando uma roupa para dormir que na verdade era mais reveladora do que a toalha. Ela segurava duas taças de champanhe.

— Desculpe, está meio sem gás.

Dei uma olhada no quarto. A colcha estava com a ponta virada, as cortinas fechadas e só um dos abajures estava aceso. Entreguei a ela o livro de Gene.

— Já que é nossa primeira — e provavelmente única — vez, e você sem dúvida é mais experiente, recomendo que selecione a posição.

Rosie folheou o livro, depois começou tudo de novo. Parou na folha de rosto, onde Gene havia escrito seu símbolo.

— Foi Gene quem lhe deu isso?

— Foi um presente para a viagem.

Tentei ler a expressão de Rosie e adivinhei que era de raiva, mas a tal expressão sumiu e ela me disse, num tom não irritado:

— Don, desculpe, não posso fazer isso. Desculpe mesmo.

— Eu falei alguma coisa errada?

— Não, sou eu. Desculpe muitíssimo.

— Você mudou de ideia quando eu estava fora?

— É — disse Rosie. — Foi isso o que aconteceu. Desculpe.

— Tem certeza de que não fiz alguma coisa errada?

Rosie era minha amiga e o risco à nossa amizade agora era minha principal preocupação. A questão do sexo havia evaporado.

— Não, não, sou eu — disse ela. — Você foi incrivelmente atencioso.

Era um elogio que eu não estava acostumado a receber. Um elogio bastante satisfatório. A noite não tinha sido um desastre completo.

Não consegui dormir. Eu não havia comido nada e eram apenas 20h55. Claudia e Gene deviam estar trabalhando agora, em Melbourne, e eu não sentia vontade de conversar com nenhum dos dois. Achei pouco aconselhável tentar entrar em contato com Rosie novamente; portanto, liguei para o amigo que restava. Dave já tinha jantado, mas fomos a pé até uma pizzaria e ele jantou de novo. Depois fomos a um bar, assistimos ao beisebol e conversamos sobre mulheres. Não me lembro direito do que nenhum dos dois disse, mas desconfio que pouca coisa seria útil para fazer planos racionais para o futuro.

28

Minha mente tinha ficado em branco. É um chavão, e uma forma de exagerar a situação. Meu cerebelo continuava a funcionar, meu coração continuava a bater, não me esqueci de respirar. Consegui fazer as malas, consumir o café da manhã no meu quarto, encontrar o caminho no GPS até o JFK, fazer o check-in e embarcar no avião para Los Angeles. Consegui me comunicar com Rosie o necessário para coordenar essas atividades.

Mas o pensamento reflexivo estava suspenso. O motivo era óbvio: *sobrecarga emocional*! Minhas emoções normalmente bem-administradas tinham recebido permissão para se soltarem em Nova York — a conselho de Claudia, *uma psicóloga clínica qualificada* — e sido perigosamente hiperestimuladas. Agora estavam correndo delirantes pelo meu cérebro, prejudicando minha capacidade de pensar. E eu precisava de toda a minha capacidade de reflexão para analisar o problema.

Rosie estava no assento da janela e eu, no corredor. Acompanhei os procedimentos de segurança pré-decolagem, pela primeira vez sem ficar matutando sobre suas suposições injustificadas e prioridades irracionais. No caso de um desastre, todos nós teríamos algo para fazer. Eu estava na posição oposta. Incapacitado.

Rosie pôs a mão no meu braço.

— Como está se sentindo, Don?

Tentei me concentrar em analisar um aspecto da experiência e sua reação emocional correspondente. Sabia por onde começar. Logicamente, não precisava voltar ao meu quarto para apanhar o livro de Gene. Mostrar um livro para Rosie não fazia parte do cenário original que eu havia planejado lá em Melbourne, quando me preparei para um encontro sexual. Posso ser socialmente inepto, mas com o beijo, e Rosie só de toalha, não haveria dificuldades em prosseguir. Meu conhecimento sobre posições sexuais era um bônus, mas provavelmente irrelevante na primeira vez.

Então por que meus instintos me levaram a um curso de ação que no fim das contas sabotou aquela oportunidade? A resposta superficial era óbvia. Eles estavam me dizendo para não prosseguir. Mas por quê? Identifiquei três possibilidades.

1. Eu estava com medo de falhar sexualmente.

Não demorei para rejeitar essa possibilidade. Pode ser que minha performance fosse menos competente do que a de uma pessoa mais experiente ou até que eu falhasse por causa do medo, embora considerasse isso improvável: eu estava acostumado a constrangimentos, mesmo na frente de Rosie. O desejo sexual era muito mais forte do que qualquer necessidade de proteger minha imagem.

2. Não tinha camisinha.

Percebi, refletindo sobre o assunto, que Rosie provavelmente supôs que eu tinha saído para buscar ou comprar uma camisinha. É óbvio que eu devia ter obtido uma, de acordo com todas as recomendações para a prática de sexo seguro. Provavelmente a recepção do hotel devia ter algumas à disposição para situações de emergência, juntamente com escovas de dente e aparelhos de barbear. O fato de não ter providenciado camisinha era mais uma prova de que inconscientemente eu não esperava ir adiante. Gene certa vez me contou que percorreu toda Cairo num táxi tentando encontrar um vendedor de camisinhas. Minha motivação claramente não foi assim tão intensa.

3. Eu não conseguiria lidar com as consequências emocionais.

A terceira possibilidade só me veio à cabeça depois de eliminar a primeira e a segunda. Imediatamente eu soube — instintivamente! — que era a correta. Meu cérebro já estava sobrecarregado emocionalmente. Não foi a escalada com risco de morte na janela do cirurgião plástico, nem a lembrança de ser interrogado num porão escuro por um psiquiatra barbudo que não seria impedido por nada no mundo de proteger seu segredo. Não foi nem mesmo o fato de segurar a mão de Rosie do museu até o metrô, ainda que isso tivesse contribuído. Foi toda a experiência de estar com ela em Nova York.

Meus instintos estavam me dizendo que, se eu acrescentasse qualquer coisa a mais a essa experiência — se eu acrescentasse o ato literalmente alucinante de fazer sexo com ela —, minhas emoções dominariam meu cérebro e me levariam a iniciar um relacionamento com Rosie. Isso seria desastroso por dois motivos. O primeiro é que, a longo prazo, ela era completamente inadequada. O segundo é que Rosie tinha deixado claro que um relacionamento desse tipo não se estenderia além da nossa viagem a Nova York. Esses motivos eram completamente contraditórios, mutuamente excludentes e baseados em premissas inteiramente distintas. Eu não tinha a menor ideia de qual era o correto.

Quando estávamos nos estágios finais da nossa descida ao LAX, virei-me para Rosie. Ela havia me feito a pergunta horas atrás, mas àquela altura eu tinha refletido de modo considerável a respeito. Como eu estava me sentindo?

— Confuso — respondi.

Eu imaginava que ela tivesse esquecido a pergunta, mas talvez a minha resposta fizesse sentido, de todo modo.

— Bem-vindo ao mundo real.

Consegui ficar acordado durante as primeiras seis horas do voo de quinze horas para Melbourne, a partir de Los Angeles, a fim de reiniciar meu relógio interno, mas foi difícil.

Rosie dormiu algumas horas, depois assistiu a um filme. Olhei para ela e vi que estava chorando. Ela tirou os fones de ouvido e enxugou os olhos.

— Você está chorando — falei. — Algum problema?

— Estou arrasada — disse Rosie. — É uma história tão triste. *As pontes de Madison*. Imagino que você não chore ao ver filmes.

— Correto. — Percebi que isso podia ser encarado como algo negativo, portanto acrescentei, para minha defesa: — Parece ser um comportamento predominantemente feminino.

— Valeu pela observação. — Rosie ficou calada de novo, mas pareceu ter se recuperado da tristeza estimulada pelo filme.

— Me diga uma coisa — pediu ela. — Você sente algo quando assiste a um filme? Já viu *Casablanca*?

Eu estava acostumado com essa pergunta. Gene e Claudia tinham me perguntado isso depois de assistirmos a um DVD juntos. Logo, minha resposta era fruto de reflexão:

— Já vi vários filmes românticos. A resposta é não. Ao contrário de Gene e Claudia, e pelo visto da maioria da raça humana, não me afeto emocionalmente com histórias de amor. Parece que não sou programado para esse tipo de reação.

Fui jantar na casa de Claudia e Gene no domingo à noite. Estava extremamente perturbado pelo *jet lag*, e por isso tive certa dificuldade em oferecer um relato coerente da viagem. Tentei falar sobre meu encontro com David Borenstein, em Columbia, sobre o que vi nos museus e sobre o jantar no Momofuku Ko, mas eles estavam *obcecados* em saber das minhas interações com Rosie. Não era possível esperar racionalmente que eu me lembrasse de cada detalhe, e é óbvio que eu não poderia falar sobre as atividades do Projeto Pai.

Claudia ficou muito satisfeita com a echarpe, mas o presente forneceu mais uma oportunidade para um interrogatório.

— Rosie ajudou você a escolher isso?

Rosie, Rosie, Rosie.

— Foi a vendedora que a recomendou. Foi bastante direta.

Na saída, Claudia me perguntou:

— E então, Don, está planejando ver Rosie de novo?

— Sábado que vem — respondi, e estava dizendo a verdade, mas não me dei ao trabalho de contar que não era uma ocasião social: havíamos agendado aquela tarde para analisar DNA.

Ela pareceu satisfeita.

Estava almoçando sozinho no Clube Universitário, revisando a pasta do Projeto Pai, quando Gene chegou com sua comida, uma taça de vinho e sentou na minha frente. Tentei esconder a pasta, mas só consegui passar a impressão correta de que estava tentando esconder alguma coisa. Gene de repente olhou para o balcão de comida, que ficava atrás de mim.

— Meu Deus! — exclamou.

Eu me virei para olhar e Gene apanhou a pasta, rindo.

— Isso é particular — avisei, mas Gene já tinha aberto. A foto da classe de formandos estava bem na frente.

Gene pareceu verdadeiramente surpreso.

— Meu Deus. Onde você conseguiu isso? — Ele estava analisando a foto com atenção. — Deve ter uns trinta anos. Que rabiscos são esses?

— Organizei uma reunião — respondi. — Para ajudar um amigo. Semanas atrás. — Era uma boa resposta, considerando o pouco tempo que tive para formulá-la, mas tinha um grande defeito. E Gene o detectou.

— Um amigo? Claro. Um de seus muitos amigos. Você devia ter me convidado também.

— Por quê?

— Quem você acha que tirou a foto?

Claro. Alguém precisava tirar a foto. Eu fiquei espantado demais para falar alguma coisa.

— Eu era a única pessoa de fora — continuou Gene. — O professor de genética. Noitaça; todo mundo calibrado, nenhum namorado. A balada mais quente da cidade.

Gene apontou para um dos rostos da foto. Eu sempre havia focado nos homens e nunca procurei a mãe de Rosie. Mas agora que Gene a apontou, vi que era fácil identificá-la. A semelhança era óbvia, inclusive os cabelos ruivos, embora o tom fosse menos dramático que o de Rosie. Ela estava entre Isaac Esler e Geoffrey Case. Como na foto do casamento de Esler, Case dava um largo sorriso.

— Bernadette O'Connor. — Gene bebeu um gole do vinho. — Irlandesa.

Eu estava familiarizado com o tom daquela declaração de Gene. Havia um motivo para ele se lembrar dessa mulher em particular, e não por ela ser a mãe de Rosie. Na verdade, pareceu que ele não sabia dessa relação e tomei a decisão rápida de não lhe contar.

Seu dedo se moveu um espaço para a esquerda:

— Geoffrey Case. Não foi um grande retorno dos investimentos em mensalidades.

— Ele morreu, correto?

— Se matou.

Isso era novidade.

— Tem certeza?

— Claro que tenho certeza — disse Gene. — E aí, pra que isso tudo?

Ignorei a pergunta.

— Por que ele se matou?

— Provavelmente porque se esqueceu de tomar lítio — respondeu Gene. — Ele tinha transtorno bipolar. Era a diversão da festa quando estava num bom dia.

Ele olhou para mim. Imaginei que estivesse prestes a me interrogar quanto ao motivo do meu interesse por Geoffrey Case e a reunião, e eu tentava freneticamente inventar uma resposta plausível. Fui salvo por um moedor de pimenta vazio. Gene girou o moedor, depois se levantou para trocá-lo. Usei um guardanapo que estava sobre a mesa para raspar a taça de vinho dele e saí dali antes que Gene voltasse.

29

Pedalei até a universidade na manhã de sábado com uma emoção não identificada e, portanto, desconcertante. As coisas estavam voltando ao seu padrão normal. Os testes daquele dia marcariam o fim do Projeto Pai. Na pior das hipóteses, Rosie poderia encontrar alguém que nos passara despercebido — outro professor, ou um organizador de eventos, ou mesmo alguém que tivesse saído antes do fim da festa —, mas um único teste extra não demoraria muito. E eu não teria motivo para ver Rosie novamente.

Nos encontramos no laboratório. Havia três amostras para testar: aquela obtida com o garfo de Esler, uma amostra de urina num papel higiênico que passei no chão do banheiro de Freyberg e o guardanapo de Gene. Eu ainda não tinha contado a Rosie sobre o lenço de Margaret Case, mas estava ansioso para testar a amostra de Gene. Havia uma grande possibilidade de ele ser o pai de Rosie. Tentei não pensar nisso, mas era algo compatível com a reação de Gene à foto, ao fato de ele ter identificado a mãe de Rosie e ao seu histórico de sexo sem compromisso.

— O que tem nesse guardanapo? — quis saber Rosie.

Eu já estava esperando essa pergunta.

— Uma retestagem. Uma das amostras anteriores estava contaminada.

Minhas habilidades de improvisação não eram boas o bastante para enganar Rosie.

— Corta essa. De quem é? É de Case, né? Você conseguiu uma amostra de Geoffrey Case.

Teria sido fácil dizer que sim, mas identificar a amostra como sendo de Case criaria uma confusão ainda maior, caso o resultado desse positivo. Uma teia de mentiras.

— Eu lhe digo de quem é se for a certa — respondi.

— Quero saber agora — insistiu Rosie. — Eu sei que *é* a certa.

— Como você sabe?

— Apenas sei, só isso.

— Você não tem nenhuma prova. A história de Isaac Esler faz dele um ótimo candidato. Ele estava comprometido, ia se casar com outra pessoa logo depois da festa. Admitiu ter se embebedado. Foi evasivo no jantar. Está ao lado da sua mãe na foto da formatura.

Isso era algo que não havíamos discutido antes. Uma coisa tão óbvia que deveríamos ter checado. Gene certa vez me propôs um exercício para eu fazer nas conferências: "Se quiser saber quem está transando com quem, é só olhar as pessoas que se sentam juntas para tomar o café da manhã." A pessoa com quem a mãe de Rosie saiu naquela noite, seja lá quem for, possivelmente devia estar ao lado dela na foto. A menos, é claro, que estivesse tirando a foto.

— Minha intuição contra a sua lógica. Quer fazer uma aposta?

Teria sido injusto aceitar a aposta. Eu tinha a vantagem das informações da conversa no porão. Realisticamente, considerava Isaac Esler, Gene e Geoffrey Case como igualmente prováveis. Eu havia refletido sobre a referência que Esler fez às "pessoas envolvidas" e concluí que era ambígua. Ele podia estar protegendo o amigo, mas podia da mesma maneira estar se escondendo atrás dele. Por outro lado, se Esler não fosse o pai, poderia simplesmente ter me dito para testar sua amostra. Talvez o plano dele fosse me confundir, e nesse caso ele conseguiu, embora apenas temporariamente. Se chegássemos a ponto de eliminar todos os outros candidatos, inclusive Esler, eu testaria a amostra de Margaret Case.

— Enfim, com certeza não é Freyberg — disse Rosie, interrompendo meus pensamentos.

— Por que não? — Freyberg era o menos provável, mas com certeza não era impossível.

— Ele tem olhos verdes. Eu devia ter pensado nisso na hora.

Ela interpretou minha expressão corretamente: descrença.

— Ora, vamos, você é o geneticista aqui. Ele tem olhos verdes, portanto não pode ser meu pai. Eu já chequei isso na internet.

Impressionante. Ela consegue um professor de genética, um indivíduo de habilidades extraordinárias, para ajudá-la a encontrar seu pai, viaja uma semana passando quase todos os minutos do dia com ele, mas, quando quer a resposta para uma questão de genética, recorre à internet.

— Esses modelos são simplificações.

— Don, minha mãe tinha olhos azuis. Eu tenho olhos castanhos. Meu pai verdadeiro precisa ter olhos castanhos, certo?

— Errado — falei. — É extremamente provável, mas não certo. A genética da cor dos olhos é extremamente complexa. Verde é possível, azul também.

— Uma aluna de medicina... uma médica saberia disso, não é?

Era óbvio que Rosie estava se referindo à própria mãe. Achei que provavelmente não era a melhor hora de lhe dar uma explicação detalhada sobre as deficiências do ensino de medicina. Apenas disse:

— Extremamente *im*provável. Gene ensinava genética para os alunos de medicina. Essa é uma simplificação típica de Gene.

— Dane-se, Gene — disse Rosie. — Estou tão de saco cheio dele. Teste esse guardanapo e pronto. Sei que é esse. — Mas agora ela parecia ter menos certeza.

— O que você vai fazer quando descobrir?

Essa pergunta devia ter sido feita antes. Não tê-la feito era outro resultado da minha falta de planejamento, mas agora que eu conseguia imaginar Gene como pai de Rosie, as ações futuras dela passaram a ser mais relevantes para mim.

— Engraçado você perguntar — disse Rosie. — Eu disse a você que era para encerrar um assunto, mas acho, inconscientemente, que eu tinha a fantasia de que meu pai verdadeiro viesse num cavalo e... acabasse com Phil.

— Por não ter cumprido a promessa da Disneylândia? Com certeza seria difícil imaginar um castigo adequado depois de tanto tempo.

— Eu disse que era uma fantasia — retrucou Rosie. — Eu o enxergava como uma espécie de herói, mas, agora sei que ele é uma dessas três pessoas e conheci duas delas. Isaac Esler: "Não devemos revisitar o passado de modo impensado." Max Freyberg: "Eu me considero um restaurador da autoestima." Dois sacanas. Não passam de uns covardes que fugiram daqui.

A falta de lógica daquilo era impressionante. No máximo, apenas um a abandonou.

— Geoffrey Case... — comecei a dizer, pensando que a caracterização de Rosie não se aplicaria a ele, mas se Rosie descobrisse como ele morreu poderia pensar que foi uma forma de ele escapar das responsabilidades de pai.

— Eu sei, eu sei. Mas se for outra pessoa, algum cara de meia-idade que anda fingindo ser alguém que não é, então melhor ele saber: o tempo acabou, babaca.

— Você está planejando expô-lo? — perguntei, horrorizado. De repente me dei conta de que eu poderia estar ajudando a causar grande sofrimento a alguém, muito possivelmente a meu melhor amigo. A toda a sua família! A mãe de Rosie não quis que ela soubesse. Talvez tivesse sido por isso. Por princípio, a mãe de Rosie sabia mais sobre comportamento humano do que eu.

— Correto.

— Mas você vai infligir sofrimento. Sem nenhum ganho compensatório em retorno.

— *Eu* vou me sentir melhor.

— Incorreto — eu disse. — Todas as pesquisas indicam que a vingança aumenta a infelicidade da vítima...

— A escolha é minha.

Havia a possibilidade de que o pai de Rosie fosse Geoffrey Case, e nesse caso todas as três amostras dariam negativo; então seria tarde demais para Rosie buscar vingança. Eu não queria me apoiar nessa possibilidade.

Desliguei a máquina de testes.

— Pare — disse Rosie. — Tenho o direito de saber.

— Não, se isso provocar sofrimento.

— E eu? — perguntou ela. — Você não se importa comigo?

Ela estava começando a partir para o lado emocional. Eu me sentia muito calmo. A razão havia assumido o controle novamente. Meu raciocínio estava claro.

— Eu me importo imensamente. Mas não posso contribuir para que você aja de modo imoral.

— Don, se você não fizer esses testes, nunca mais falo com você. Nunca mais.

Aquela informação era dolorosa de ouvir, mas, do ponto de vista racional, completamente previsível.

— Imaginei que isso fosse algo inevitável — falei. — O projeto vai ser concluído e você não indicou mais interesses no aspecto sexual.

— Então a culpa é minha? — perguntou Rosie. — Claro que sim. Não sou uma maldita chef abstêmia, não fumante, com Ph.D. Não sou *organizada*.

— Deletei a exigência de não beber. — Percebi que ela estava se referindo ao Projeto Esposa. Mas o que ela estava dizendo? Que se avaliou segundo os critérios do Projeto Esposa? Isso queria dizer que...

— Você me considerou como possível parceiro?

— Claro — respondeu ela. — Fora o fato de você não ter a menor noção de comportamento social, de sua vida ser regrada por um quadro branco e de você ser incapaz de sentir amor... você é perfeito.

Ela foi embora, batendo a porta atrás de si.

Liguei a máquina. Sem Rosie ali, eu podia testar as amostras com segurança e depois decidir o que fazer com elas. Então ouvi a porta abrir de novo. Eu me virei, esperando ver Rosie. Era, porém, a Chefe do Departamento.

— Trabalhando no seu projeto secreto, professor Tillman?

Eu estava seriamente encrencado. Em todos os meus encontros anteriores com a Chefe do Departamento, ou estava seguindo as regras, ou a infração era pequena demais para ser punida. Usar a máquina de DNA para propósitos particulares era uma quebra substancial dos regulamentos do Departamento de Genética. O quanto ela saberia? Ela não costumava trabalhar nos fins de semana. Sua presença ali não era um acaso.

— Uma pesquisa que, segundo Simon Lefebvre, é fascinante — disse a Chefe do Departamento. — Ele entra na minha sala e me faz perguntas sobre um projeto do meu próprio departamento. Um projeto que aparentemente exige a coleta do DNA dele. Por você. Logo penso que se trata de uma espécie de piada. Perdoe a minha falta de humor, mas eu estava um pouco em desvantagem ali, pois nunca tinha ouvido falar de tal projeto. Com certeza, pensei, eu teria visto essa proposta quando ela tivesse sido submetida ao comitê de ética.

Até ali, a Chefe do Departamento parecera calma e racional. Agora, ela levantou o tom da voz:

— Há dois anos estou tentando conseguir que a Faculdade de Medicina financie um projeto conjunto conosco, e você decide não só se comportar de modo grosseiramente antiético, como fazer isso com o homem que apita o jogo? Eu quero um relatório por escrito. Se ele não incluir a aprovação ética que eu porventura tenha deixado passar em branco, vamos divulgar um cargo de professor associado.

A Chefe do Departamento parou diante da porta.

— Ainda estou segurando sua reclamação sobre Kevin Yu. Quem sabe você queira pensar mais a respeito. Ah, e eu fico com a sua chave do laboratório. Passar bem.

O Projeto Pai tinha chegado ao fim. Oficialmente.

Gene entrou na minha sala no dia seguinte quando eu estava completando um questionário da Escala de Depressão Pós-Parto de Edimburgo.

— Tudo bem com você? — perguntou ele.

A pergunta veio na hora certa.

— Desconfio que não. Vou lhe responder daqui a aproximadamente quinze segundos. — Completei o questionário, calculei o resultado e o entreguei a Gene. — Dezesseis. A segunda maior pontuação da história.

Gene olhou para aquilo.

— Escala de Depressão Pós-Parto de Edimburgo. Será que eu preciso lhe informar que você não teve um bebê recentemente?

— Não respondo às perguntas relacionadas a bebês. Era o único instrumento de avaliação de depressão que Claudia tinha em casa quando minha irmã morreu. Continuei utilizando-o para obter consistência.

— É isso o que você chama de "entrar em contato com seus sentimentos"?

Senti que a pergunta era retórica e não respondi.

— Ouça — disse ele. — Acho que posso consertar essa confusão para você.

— Teve notícias de Rosie?

— Pelamordedeus, Don! — disse Gene. — Tenho notícias da *Chefe do Departamento*. Não sei o que você andou fazendo, mas testar DNA sem aprovação ética... significa "fim de carreira".

Eu sabia disso. Tinha decidido telefonar para Amghad, o dono do clube de golfe, e lhe perguntar sobre aquela parceria no bar de coquetéis. Parecia ter chegado a hora de fazer alguma coisa diferente. Aquele tinha sido um fim de semana de um árduo despertar para a realidade. Ao chegar em casa depois da interação com a Chefe do Departamento, descobri que Eva, minha faxineira, tinha preenchido uma cópia do questionário do Projeto Esposa. Na frente, ela escreveu: "Don. Ninguém é perfeito. Eva." No meu estado de acentuada vulnerabilidade, aquilo me afetou extremamente. Eva era uma boa pessoa, cujo motivo de usar saia curta talvez fosse atrair um parceiro. Ela possivelmente ficou constrangida pelo seu estado socioeconômico relativamente baixo ao responder às perguntas sobre qualificações em cursos de pós-graduação e apreciação de comidas caras. Pensei em todas as mulheres que haviam respondido ao questionário na esperança de encontrar um parceiro. Na esperança de que aquele parceiro pudesse ser eu, muito embora não soubessem muito a meu respeito e provavelmente se desapontassem caso soubessem.

Eu havia me servido uma taça de pinot noir e ido até a varanda. As luzes da cidade me lembraram do jantar de lagosta com Rosie, que, ao contrário das previsões do meu questionário, tinha sido uma das refeições mais agradáveis da minha vida. Claudia tinha me dito que eu estava sendo exigente demais, mas, em Nova York, Rosie demonstrou que minha avaliação do que poderia me trazer felicidade estava completamente incorreta. Bebi o vinho lentamente e observei a paisagem mudar. Uma janela se apagou, um sinal de trânsito mudou de vermelho para verde, as luzes de uma ambulância ricochetearam pelos edifícios. E então percebi que não havia desenvolvido aquele questionário para encontrar uma mulher que eu pudesse aceitar, mas sim para encontrar alguém capaz de me aceitar.

Independentemente das decisões que eu pudesse tomar depois das minhas experiências com Rosie, nunca mais usaria aquele questionário. O Projeto Esposa tinha chegado ao fim.

Gene ainda não tinha acabado.

— Sem emprego, sem estrutura, sem programação, você vai desmoronar. — Olhou para o questionário sobre depressão de novo. — Já está desmoronando. Ouça. Vou dizer que era um projeto do Departamento da Psico. A gente inventa um formulário de solicitação de adequação ética e depois você diz que pensou que o projeto tinha sido aprovado.

Gene estava obviamente fazendo o máximo que podia para me ajudar. Sorri para ele.

— Será que isso vai diminuir um pouco a sua pontuação? — perguntou ele, fazendo um sinal para o questionário.

— Imagino que não.

Houve um silêncio. Aparentemente nenhum de nós tinha mais nada a dizer. Esperei que Gene fosse embora, mas ele tentou mais uma vez.

— Me ajuda aqui, Don. É Rosie, não é?

— Não faz sentido.

— Vou colocar as coisas de um jeito simples — disse Gene. — Você está infeliz, tão infeliz que perdeu as rédeas da sua carreira, da sua reputação e de toda a sua sagrada programação.

Era verdade.

— Porra, Don, você violou as regras! Desde quando você quebra alguma regra?

Boa pergunta. Eu respeito as regras. Mas, nos últimos noventa e nove dias, havia quebrado várias delas: legais, éticas e pessoais. Sabia exatamente quando tudo isso tinha começado. No dia em que Rosie entrou na minha sala e eu invadi o sistema de reservas do Le Gavroche para poder sair com ela.

— E tudo isso por causa de uma mulher? — perguntou Gene.

— Ao que parece, sim. É completamente irracional. — Eu me sentia envergonhado. Uma coisa era cometer um erro social; outra, admitir que a racionalidade havia me abandonado.

— Só é irracional se você acreditar no questionário.

— A Escala de Depressão Pós-Parto de Edimburgo é altamente...

— Estou falando daquele seu questionário do "você come rins?". Eu diria que o placar está genética um, questionário zero.

— Você acredita que a minha situação com Rosie se deve à compatibilidade genética?

— Você tem tanto jeito com as palavras — disse Gene. — Se quer ser um pouquinho mais romântico, eu diria que você está apaixonado.

Era uma declaração extraordinária, mas que fazia absoluto sentido. Sempre havia imaginado que o amor romântico estaria fora do meu campo de experiências, mas aquilo explicava perfeitamente a minha atual situação. Eu quis ter certeza.

— Esta é sua opinião profissional? Como especialista em atração humana?

Gene fez que sim.

— Excelente.

O *insight* de Gene havia transformado meu estado mental.

— Não tenho certeza de como isso pode ajudar — disse Gene.

— Rosie identificou três defeitos em mim. O defeito número um era a incapacidade de sentir amor. Agora restam apenas dois para retificar.

— Que seriam?

— Protocolos de conduta social e adesão extrema a programações. Trivial.

30

Marquei um encontro com Claudia no café de sempre para falar sobre conduta social. Percebi que melhorar minha capacidade de interação com outros seres humanos exigiria certo empenho e que meus maiores esforços talvez não fossem capazes de convencer Rosie. Só que tais competências seriam úteis mesmo assim.

Em certa medida, eu tinha me acostumado a ser esquisito. Na escola, primeiro fui o palhaço da turma sem querer, depois por querer. Era hora de amadurecer.

O garçom se aproximou da nossa mesa.

— Você faz o pedido — disse Claudia.

— Certo, o que você vai querer?

— Um café descafeinado com leite desnatado.

Aquilo era uma forma ridícula de café, mas não comentei com Claudia. Ela com certeza já tinha ouvido isso em outras ocasiões e não gostaria que eu repetisse. Seria irritante.

— Gostaria de um espresso grande — pedi. — E minha amiga, de um café descafeinado com leite desnatado, sem açúcar, por favor.

— Bem — disse Claudia. — Algo mudou.

Fiz a observação de que a vida inteira eu pedi café com sucesso e educação, mas Claudia insistiu que meu modo de interação havia mudado de forma sutil.

— Eu nunca teria imaginado que Nova York fosse um lugar onde alguém aprendesse a ser gentil — comentou ela —, mas é isso aí.

Contei a ela que, muito pelo contrário, as pessoas tinham sido extremamente simpáticas. Citei minha experiência com Dave, o Fã de Beisebol, Mary a pesquisadora de transtorno bipolar, David Borenstein, o diretor da Faculdade de Medicina da Universidade de Columbia, e com o chef e o cara estranho do Momofuku Ko. Mencionei que jantamos na casa dos Esler, descrevendo-os como amigos da família de Rosie. A conclusão de Claudia foi simples. Toda essa interação social fora do comum, mais a interação com Rosie, havia aumentado de modo expressivo as minhas competências nessa área.

— Você não precisa se esforçar com Gene e comigo porque não quer nos impressionar nem ganhar nossa amizade.

Embora Claudia estivesse certa sobre o valor da prática, eu aprendo melhor lendo e observando. Minha tarefa seguinte era baixar algum material educativo sobre o assunto.

Decidi começar com os filmes românticos especificamente mencionados por Rosie. Eram quatro: *Casablanca, As pontes de Madison, Harry e Sally — Feitos um para o outro* e *Tarde demais para esquecer.* Acrescentei *O Sol é para todos* e *Horizontes de grandeza,* por causa do Gregory Peck, que Rosie disse ter sido o homem mais sexy que já existiu no planeta.

Levei uma semana inteira para assistir a todos os seis, incluindo aí tempo para pausar o DVD e fazer anotações. Os filmes eram incrivelmente úteis, mas também extremamente desafiadores. A dinâmica emocional era tão complexa! Perseverei, valendo-me de filmes recomendados por Claudia sobre relacionamentos homem-mulher, tanto com finais felizes quanto tristes. Assisti a *Hitch: Conselheiro amoroso, E o vento levou, O diário de Bridget Jones, Noivo neurótico, noiva nervosa, Um lugar chamado Notting Hill, Simplesmente amor* e *Atração fatal.*

Claudia também sugeriu que eu assistisse a *Melhor é impossível*, "só por diversão". Seu conselho era que eu usasse o filme como exemplo do que não fazer, mas fiquei impressionado pelo personagem de Jack Nicholson lidar com um problema de traje com muito mais finesse do que eu. Também foi encorajador que, apesar de sua grave incompetência social, de uma diferença de idade significativa entre ele e o personagem de Helen Hunt, de múltiplos transtornos psiquiátricos (provavelmente) e de um nível de intolerância bem maior do que o meu, ele conseguisse conquistar o amor da mulher no final. Uma escolha excelente de Claudia.

Devagar comecei a extrair um sentido daquilo tudo. Havia certos princípios compatíveis de comportamento nos relacionamentos românticos entre homens e mulheres, incluindo a proibição da infidelidade. Essa regra estava na minha cabeça quando voltei a me encontrar com Claudia para conversar sobre práticas sociais.

Imaginamos algumas situações.

— Essa refeição tem uma falha — falei. Era uma situação hipotética. Estávamos apenas tomando um café. — Isso seria desafiador demais, correto?

Claudia concordou.

— E não diga "falha", nem "erro". Parece coisa de computador.

— Mas eu posso dizer "Desculpe, foi um erro de julgamento, uma falha totalmente minha", correto? Esse uso de "falha" é aceitável?

— Correto — respondeu Claudia, depois riu. — Quer dizer, sim. Don, isso se leva anos para aprender.

Eu não tinha anos. Mas aprendo rápido e estava em modo de absorção. Demonstrei:

— Vou construir uma afirmativa objetiva seguida de um pedido de esclarecimento e introduzir tudo com um chavão: "Desculpe. Pedi um filé malpassado. O senhor tem uma definição diferente de malpassado?"

— Bom começo, mas a pergunta é um pouco agressiva.

— Não é aceitável?

— Em Nova York, talvez. Não culpe o garçom.

Modifiquei a pergunta.

— "Desculpe. Pedi um filé malpassado. Poderia verificar se meu pedido foi processado corretamente?"

Claudia assentiu, mas não parecia de todo feliz. Eu vinha prestando grande atenção às expressões de emoção e havia diagnosticado a dela de modo correto.

— Don, estou impressionada, mas... Mudar para atender às expectativas do outro talvez não seja uma boa ideia. No fim você pode acabar se ressentindo.

Achei que não seria provável. Eu estava apenas aprendendo alguns protocolos novos, somente isso.

— Se você realmente ama uma pessoa — prosseguiu Claudia —, deve estar preparado para aceitá-la como ela é. Você pode até esperar que um dia ela acorde e faça aquelas mudanças, mas pelos próprios motivos dela.

Essa última declaração estava em consonância com a regra da fidelidade que eu tinha em mente no início da nossa conversa. Não era mais necessário levantar o assunto agora. Eu já tinha a minha resposta. Claudia com certeza estava falando de Gene.

Marquei uma corrida com Gene para a manhã seguinte. Precisava falar com ele em particular, em algum lugar de onde ele não pudesse fugir. Comecei meu discurso assim que entramos em movimento. Meu principal argumento é que a infidelidade era completamente inaceitável. Quaisquer benefícios que ela trouxesse eram diminuídos pelo risco de um desastre total. Gene já tinha se divorciado uma vez. Eugenie e Carl...

Gene me interrompeu, respirando com dificuldade. Em meus esforços para transmitir a mensagem do modo mais vigoroso e direto, eu estava correndo mais rápido do que o normal. A forma física de Gene é consideravelmente inferior à minha, e minhas corridas, que combinam grande queima de gordura e baixa frequência cardíaca, são exercícios cardiovasculares tremendos para ele.

— Entendi — disse Gene. — O que você andou lendo?

Contei a ele sobre os filmes aos quais andei assistindo e suas representações idealizadas dos comportamentos aceitáveis e inaceitáveis. Se Gene e Claudia tivessem um coelho, ele estaria correndo um grande risco de se tornar um amante infeliz. Gene discordou, não sobre a questão do coelho, mas quanto ao impacto do comportamento dele no casamento.

— Nós dois somos psicólogos — disse Gene. — Podemos encarar um casamento aberto.

Ignorei essa categorização incorreta de si mesmo como psicólogo de formação e me concentrei no ponto crucial: todas as autoridades e códigos morais consideram a fidelidade um ponto crítico. Até mesmo as teorias sobre psicologia evolucionária admitem que, se uma pessoa descobre que seu parceiro está sendo infiel, terá fortes motivos para rejeitá-lo.

— Você está falando dos homens aqui — retrucou Gene.

— Porque eles não conseguem lidar com o risco de criar um filho que não tem seus genes. Mas, seja como for, sempre achei que você fosse a favor de dominar os instintos.

— Correto. O instinto masculino é trair. Você precisa dominá-lo.

— As mulheres aceitam, desde que você não as envergonhe com isso. Basta olhar a França.

Citei um contraexemplo extraído de um filme e livro populares.

— *O diário de Bridget Jones?* — perguntou Gene. — E desde quando devemos agir como os personagens de uma trama de mulherzinha? — Ele parou e dobrou o corpo ao meio, ofegando. Aquilo me deu a chance de lhe apresentar as evidências sem interrupções. Terminei observando que ele amava Claudia e que, portanto, devia estar preparado para fazer todos os sacrifícios necessários.

— Vou pensar no assunto quando vir você mudando os hábitos de toda uma vida — disse ele.

Eu havia imaginado que eliminar minha programação seria algo relativamente simples. Acabara de passar oito dias sem ela e, embora tivesse enfrentado diversos problemas, nenhum deles estava relacionado à ineficiência ou desestruturação de horários. Contudo, eu não havia levado em consideração o impacto da enorme quantidade de tumulto na minha vida. Ao lado da incerteza no que dizia respeito a Rosie, do projeto de adquirir competências sociais e do medo de que meus melhores amigos estivessem no caminho da dissolução doméstica, eu estava prestes a perder meu emprego. Minha programação de atividades parecia ser a única coisa estável da minha vida.

No fim, optei por um meio-termo que certamente seria aceitável para Rosie. Todo mundo tem uma agenda com seus compromissos regulares; no meu caso, aulas, reuniões e aulas de artes marciais. Eu iria me permitir marcar esses. Anotaria os compromissos em minha agenda, como todas as outras pessoas, mas reduziria a padronização. As coisas poderiam mudar de semana em semana. Ao rever minha decisão, percebi que o Sistema de Refeições Padronizadas, o aspecto da minha programação que mais provocava espanto, era o único item que exigia atenção imediata.

Minha próxima ida à feira foi previsivelmente estranha. Cheguei à barraca de frutos do mar e o dono já se virou para apanhar uma lagosta do tanque.

— Mudança de planos — informei. — O que está bom hoje?

— Lagosta — respondeu ele, com seu sotaque forte. — Lagosta boa toda quinta para você. — Ele riu e acenou para os outros clientes. Estava fazendo piada comigo. Rosie tinha uma expressão facial que usava ao dizer "Não se meta comigo". Tentei a expressão. Pareceu funcionar sozinha.

— Brincadeira — disse ele. — O peixe-espada está lindo. Ostras. Você comer ostras?

Eu comia ostras, mas nunca as havia preparado em casa. Pedi algumas fechadas, pois os restaurantes de qualidade diziam que suas ostras eram extraídas na hora.

Cheguei em casa com uma seleção de alimentos não relacionados a nenhuma receita específica. As ostras se provaram um desafio. Não conseguiria abri-las com uma faca sem me arriscar a ferir a mão. Poderia ter pesquisado a técnica para isso na internet, mas levaria tempo. É por isso que eu tinha uma programação baseada em itens familiares. Eu era capaz de remover a carne de uma lagosta de olhos fechados enquanto meu cérebro se ocupava de algum problema de genética. Qual o problema com a padronização? Outra ostra se recusou a se abrir com minha faca. Eu estava ficando irritado e prestes a atirar a dúzia inteira na lata de lixo quando tive uma ideia.

Coloquei uma delas no micro-ondas e a aqueci por alguns segundos. Ela se abriu com facilidade. Estava morna, mas deliciosa. Tentei o mesmo com uma segunda ostra e dessa vez acrescentei um pouco de suco de limão e pimenta-do-reino moída na hora. Sensacional! Pude sentir todo um universo se abrindo para mim. Torci para que aquelas ostras fossem de produção sustentável, porque queria dividir minhas novas habilidades com Rosie.

31

Meu foco no autoaperfeiçoamento significava que eu tinha pouco tempo para refletir e reagir à ameaça de demissão da Chefe do Departamento. Tinha decidido não aceitar a oferta de Gene de elaborar um álibi; agora que a quebra de regras estava na minha mente consciente, seria uma violação da minha integridade pessoal aumentar ainda mais o erro.

Consegui suprimir os pensamentos sobre meu futuro profissional, mas não impedir que o comentário feito pela Chefe do Departamento antes de partir, sobre Kevin Yu e minha queixa de plágio, invadisse minha consciência. Depois de muito pensar, concluí que ela não me oferecera um acordo antiético do tipo "Retire a queixa e pode ficar com o emprego". O que ela disse estava me incomodando porque eu mesmo havia quebrado as regras em nome do Projeto Pai. Gene certa vez me contou uma piada religiosa quando questionei a moralidade do comportamento dele.

Jesus se dirige à multidão irritada que está apedrejando uma prostituta: "Quem não tiver pecado que atire a primeira pedra." Uma pedra sai voando pelos ares e atinge a mulher. Jesus se vira e diz: "Às vezes você sabe como me encher o saco, Mãe."

Eu já não podia ser comparado à Virgem Maria. Havia me corrompido. Era igual a todo mundo. Minha credibilidade para atirar pedras tinha sido significantemente comprometida.

Chamei Kevin para uma conversa na minha sala. Ele era do interior da China e tinha cerca de vinte e oito anos (IMC estimado em dezenove). Classifiquei sua expressão e seu comportamento como de alguém "nervoso".

Eu estava com a monografia dele, em parte ou completamente escrita pelo seu professor, em mãos e a mostrei a ele. Fiz a pergunta óbvia: Por que ele mesmo não a havia escrito?

Ele evitou meu olhar — que interpretei como sinal cultural de respeito e não de timidez —, mas em vez de responder à minha pergunta, começou a explicar as consequências de sua provável expulsão. Tinha mulher e filho na China, e ainda não lhes contara o problema. Esperava um dia poder imigrar, ou, se não, pelo menos trabalhar no campo da genética. Seu comportamento inconsequente significaria o fim dos sonhos dele e da esposa, que havia se virado sem ele durante quase quatro anos. Ele estava chorando.

No passado, eu teria considerado aquilo triste, mas irrelevante. Uma regra tinha sido quebrada. Agora, entretanto, eu também havia quebrado regras. Não deliberadamente ou pelo menos não de modo consciente. Talvez o comportamento de Kevin tenha sido, da mesma maneira, impensado.

Perguntei a ele:

— Quais são os principais argumentos contra o uso de plantações geneticamente modificadas?

O tema da monografia era questões éticas e legais levantadas pelo avanço da genética. Kevin me deu um resumo bem completo. Continuei com mais perguntas, que Kevin respondeu igualmente bem. Ele parecia ter um bom conhecimento do assunto.

— Por que você mesmo não escreveu isso? — indaguei.

— Sou um cientista. Não tenho confiança na minha capacidade de escrever em inglês sobre questões morais e culturais. Eu queria ter certeza de que não tiraria uma nota ruim. Não pensei direito.

Não soube o que responder a Kevin. Agir sem pensar era motivo de excomunhão para mim, e não queria encorajar aquilo em outros futuros cientistas. Nem queria que minha própria fraqueza afetasse a decisão quanto ao problema dele. Eu pagaria pelo meu próprio erro, como merecia. Mas perder o emprego com certeza não teria as mesmas consequências para mim como a expulsão teria para Kevin. Duvidava que alguém lhe oferecesse uma parceria potencialmente lucrativa num bar, como alternativa.

Pensei no assunto por um longo tempo. Kevin ficou ali, sentado. Deve ter percebido que eu estava considerando algum modo de reprimenda. Eu, entretanto, estava incrivelmente incomodado com aquela posição de juiz, ao pesar o impacto de diversas decisões. Seria isso o que a Chefe do Departamento precisava fazer todos os dias? Pela primeira vez, senti um pouco de respeito por ela.

Eu não tinha certeza se seria capaz de resolver o problema em tão pouco tempo, mas percebi que era cruel deixar Kevin pensando que talvez sua vida estivesse destruída.

— Eu compreendo... — comecei a dizer, depois percebi que não era uma frase que estava acostumado a dizer ao falar com os outros. Parei no meio e pensei por mais algum tempo. — Vou criar uma tarefa complementar; provavelmente uma dissertação sobre ética individual. Como uma alternativa à expulsão.

Interpretei a expressão de Kevin como de êxtase.

* * *

Eu sabia que competências sociais eram muito mais do que saber pedir um café e ser fiel num relacionamento. Desde meus tempos de escola, eu escolhia minhas roupas sem me preocupar com a moda. Comecei a não dar importância à minha aparência; depois descobri que as pessoas achavam o que eu vestia divertido. Gostava de ser visto como alguém que não estava preso às convenções sociais. Agora, contudo, eu não tinha a menor ideia de como me vestir.

Pedi a Claudia para comprar algumas roupas adequadas para mim. Ela já havia provado suas habilidades com o jeans e a camisa, mas insistiu que eu a acompanhasse.

— Pode ser que um dia eu não esteja mais aqui — disse ela.

Depois de certa reflexão, deduzi que ela não estava falando de morte, e sim de algo mais imediato: casamento fracassado! Eu precisava encontrar um meio de convencer Gene do perigo.

As compras levaram uma manhã inteira. Fomos a diversas lojas, comprando sapatos, calças, um paletó, outro jeans, mais camisas, um cinto e até mesmo uma gravata.

Eu tinha mais compras a fazer, mas não precisava da ajuda de Claudia. Uma foto era suficiente para especificar meus requerimentos. Fui ao oculista, ao cabeleireiro (não ao meu barbeiro de sempre) e a uma loja de roupas masculinas. Todos foram extremamente prestativos.

Minha agenda e minhas competências sociais agora estavam alinhadas com a prática corrente, da melhor forma possível segundo minhas capacidades e o tempo que eu reservara para isso. O Projeto Don estava concluído. Era hora de iniciar o Projeto Rosie.

Havia um espelho na porta interna do armário da minha sala, que eu nunca havia usado antes. Agora, usei-o para revisar minha aparência. Segundo minhas expectativas, eu teria apenas uma chance de desfazer a impressão negativa de Rosie sobre mim e produzir uma reação emocional. Queria que ela se apaixonasse por mim.

Segundo o protocolo, eu não deveria usar chapéu num ambiente fechado, mas decidi que a área dos alunos de Ph.D. podia ser considerada pública. Naqueles termos, seria aceitável. Chequei o espelho mais uma vez. Rosie tinha razão. Com meu terno cinza de três peças, eu podia ser confundido com Gregory Peck em *O sol é para todos*. Atticus Tillman. O homem mais sexy do mundo.

Rosie estava sentada à sua mesa. Stefan também, com a barba por fazer como sempre. Eu já tinha um discurso preparado.

— Boa tarde, Stefan. Oi, Rosie. Rosie, receio que esteja em cima da hora, mas estava pensando se você não gostaria de jantar comigo hoje. Queria lhe contar uma coisa.

Nenhum dos dois disse nada. Rosie parecia meio estupefata. Olhei diretamente para ela.

— Esse pingente é encantador — falei. — Apanho você às 19h45.

Estava tremendo ao me afastar, mas tinha dado o máximo de mim. Hitch, de *Hitch — Conselheiro amoroso*, teria ficado satisfeito comigo.

Tinha mais duas visitas a fazer antes do meu encontro à noite com Rosie.

Passei direto por Helena. Gene estava em sua sala olhando para o computador. Na tela via-se a foto de uma mulher asiática que não era convencionalmente atraente. Reconheci o formato: era uma candidata ao Projeto Esposa. Local de nascimento: Coreia do Norte.

Gene me olhou de um jeito estranho. Meu traje de Gregory Peck, embora sem dúvida inesperado, era apropriado para a minha missão.

— Oi, Gene.

— Como assim, "Oi"? Cadê o "Saudações"?

Expliquei que havia eliminado diversos maneirismos não convencionais do meu vocabulário.

— Assim me disse Claudia. Achou que seu mentor de sempre não estivesse à altura desse serviço?

Não entendi do que ele estava falando. Ele explicou:

— Eu. Você não veio me pedir ajuda.

Correto. O feedback dado por Rosie me levou a reavaliar a competência social de Gene. Além disso, meu trabalho recente com Claudia e os exemplos dos filmes confirmaram minha suspeita de que as competências de Gene se restringiam a um campo limitado e que ele não as estava utilizando para os melhores interesses de si mesmo e da sua família.

— Não — concordei. — Queria conselhos sobre comportamentos sociais apropriados.

— O que isso quer dizer?

— É óbvio que você e eu somos semelhantes. É por isso que você é meu melhor amigo. Daí este convite. — Muita preparação tinha sido feita para este dia. Entreguei o envelope a Gene. Ele não o abriu e em vez disso continuou a conversa.

— Igual a você? Sem querer ofender, Don, mas seu comportamento... seu antigo comportamento... era uma joia rara. Se quer mesmo minha opinião, você se escondia atrás de uma máscara que achava que os outros consideravam divertida. Não é surpresa que as pessoas vissem você como... um bufão.

Era exatamente onde eu queria chegar. Gene, porém, não estava fazendo a relação entre as coisas. Como seu amigo, era meu dever agir como um homem adulto e falar sério com ele.

Fui até o mapa-múndi dele, onde havia uma tachinha para cada conquista. Olhei-o pelo que eu esperava ser a última vez. Depois dei um tapinha no mapa com o dedo para criar um clima de ameaça.

— Exatamente — falei. — Você pensa que as pessoas acham você um Casanova. Sabe de uma coisa? Não me interessa o que as pessoas pensam de você, mas, se quer saber, elas acham você um canalha. E elas têm razão, Gene. Você tem cinquenta e seis anos, mulher e dois filhos, embora não saiba por quanto tempo mais. É hora de crescer. Estou lhe dizendo isso como amigo.

Observei o rosto de Gene. Eu estava melhorando na leitura de emoções, mas aquela era complexa. De alguém arrasado, eu acho.

Fiquei aliviado. O protocolo básico do conselho de homem para homem tinha sido eficiente. Não foi necessário dar uma surra nele.

32

Voltei para minha sala, tirei a roupa de Gregory Peck e coloquei minha calça e paletó novos. Depois dei um telefonema. A recepcionista não poderia marcar um horário para tratar de assuntos pessoais, por isso marquei uma avaliação física com Phil Jarman, pai de Rosie entre aspas, para as 16h.

Quando estava me levantando para sair, a Chefe do Departamento bateu à porta e entrou. Fez sinal para que eu a acompanhasse. Isso não fazia parte dos meus planos, mas hoje era um dia apropriado para encerrar essa fase da minha vida profissional.

Descemos de elevador e depois atravessamos o campus para ir até a sala dela, sem falar nada. Pelo visto, nossa conversa deveria ocorrer num ambiente formal. Eu me senti desconfortável, o que era uma reação racional à perspectiva quase certa de ser demitido por má conduta profissional de um cargo vitalício numa universidade renomada. Porém, eu já esperava por isso e meus sentimentos vinham de outra fonte. Aquela situação desencadeou uma lembrança da minha primeira semana no ensino médio, quando me mandaram para a sala do diretor por causa do meu comportamento supostamente inadequado.

O tal comportamento envolveu um questionamento rigoroso da nossa professora de educação religiosa. Ao olhar para trás, pude entender que ela era uma pessoa bem-intencionada, mas que se valeu de sua posição de autoridade sobre um garoto de onze anos, me causando tristeza considerável.

O diretor, na verdade, foi razoavelmente compreensivo, mas me avisou que eu precisava "mostrar respeito". Tarde demais, porém: ao sair da sua sala, eu já tinha tomado a decisão de que era inútil tentar me encaixar ali. Eu seria o palhaço da turma durante os seis anos seguintes.

Muitas vezes pensei nesse incidente. Na época, minha decisão me pareceu uma reação racional baseada na avaliação de um novo ambiente, mas, em retrospecto, entendi que havia sido motivada pela raiva diante de uma estrutura de poder que suprimia meus argumentos.

Agora, ao caminhar até a sala da Chefe do Departamento, outra ideia me veio à mente. E se minha professora tivesse sido uma teóloga brilhante, com uma bagagem de dois mil anos de pensamento cristão bem articulado? Ela teria mais argumentos embasados do que um garoto de onze anos. Mas será que eu teria ficado satisfeito? Suspeito que não. Como cientista, fiel ao pensamento científico, no fundo eu teria a sensação de que estava sendo, como diz Rosie, ferrado. Será que foi assim que o aluno Curandeiro se sentiu?

Teria sido a demonstração com o linguado um ato de bullying tão hediondo quanto aquele cometido pela minha professora de educação religiosa, muito embora *eu tivesse razão*?

Ao entrar na sala da Chefe do Departamento, talvez pela última vez, notei seu nome completo escrito na porta e uma pequena confusão se resolveu. Professora Charlotte Lawrence. Nunca havia pensado nela como "Charlie", mas pelo visto Simon Lefebvre sim.

Entramos na sala e nos sentamos.

— Vejo que você está com sua roupa de entrevista de emprego — disse ela. — Lamento que não nos tenha dado a graça de nos brindar com ela durante seu período aqui.

Não respondi.

— Então. Nada de relatório. Nenhuma explicação?

Mais uma vez, não consegui pensar em nada adequado para dizer.

Simon Lefebvre apareceu à porta. Obviamente aquilo tinha sido planejado. A Chefe do Departamento — Charlie — acenou para ele entrar.

— Pode poupar seu tempo explicando ao mesmo tempo para nós dois.

Lefebvre trazia consigo os documentos que eu havia lhe entregado.

Naquele momento, a assistente pessoal da Chefe do Departamento, Regina, que não está coisificada com a inclusão das palavras "A Bela" em seu nome, entrou na sala.

— Desculpe interromper o encontro de docentes — disse ela sem se dirigir a ninguém especificamente. Todos nós éramos docentes, pelo menos ao longo dos minutos seguintes, mas pelo contexto ficou claro que ela estava falando com a Chefe do Departamento. — Tive um problema com sua reserva no Le Gavroche. Parece que retiraram seu nome da lista de VIPs.

O rosto da Chefe do Departamento demonstrou irritação, mas ela fez um sinal para Regina sair.

Simon Lefebvre sorriu para mim.

— Você podia ter simplesmente me enviado isto — disse ele, mostrando os documentos. — Não precisava da demonstração do idiota-prodígio. Que, preciso admitir, foi sensacional. Assim como esta proposta. Vamos precisar da aprovação dos caras do comitê de ética, mas é exatamente o que estamos buscando. Genética e medicina na pauta do dia; os dois departamentos vão ganhar publicidade.

Tentei analisar a expressão da Chefe do Departamento. Ela se situava além do meu atual repertório.

— Portanto, parabéns, Charlie — disse Simon. — Você conseguiu seu projeto de pesquisa conjunta. O Instituto de Pesquisa em Medicina está disposto a investir quatro milhas, mais do que o orçamento especifica. Então vamos nessa.

Supus que quatro milhas significavam quatro milhões de dólares.

Ele apontou para mim.

— Não deixe esse aí escapar, Charlie. É um cavalo azarão. E preciso dele nesse projeto.

Ali estava o primeiro retorno verdadeiro do meu investimento na melhoria das minhas competências sociais. Entendi o que estava acontecendo. Não fiz nenhuma pergunta idiota. Não fiz a Chefe do Departamento passar por uma situação de constrangimento insustentável na qual ela poderia agir contra seus próprios interesses. Apenas assenti e voltei para a minha sala.

Phil Jarman tinha olhos azuis. Eu sabia disso, mas foi a primeira coisa que notei. Tinha cinquenta e poucos anos, era cerca de dez centímetros mais alto do que eu, com um físico poderoso e extremamente em forma. Estávamos em frente à recepção da Academia Jarman. Na parede, recortes de jornal e fotos de um Phil mais jovem jogando futebol. Se eu fosse um aluno de medicina sem habilidades avançadas em artes marciais, teria pensado duas vezes antes de fazer sexo com a namorada desse homem. Talvez fosse por esse simples motivo que Phil nunca fora informado da identidade do pai de Rosie.

— Dê uma roupa para o professor se trocar e faça-o assinar o termo de compromisso.

A recepcionista pareceu não entender.

— É só uma avaliação.

— A nova política entra em vigor hoje — retrucou Phil.

— Não preciso de avaliação — comecei a dizer, mas Phil parecia ter uma ideia fixa.

— Você marcou uma. Sessenta e cinco paus. Vá colocar luvas de boxe — disse ele.

Fiquei imaginando se ele percebeu que me chamou de "professor". Provavelmente Rosie tinha razão: ele havia visto a foto do baile. Eu não me dera ao trabalho de mudar meu nome. Pelo menos, eu sabia que ele sabia quem eu era. Saberia ele que eu sabia que ele sabia quem eu era? Eu estava ficando bom mesmo nas sutilezas do trato social.

Coloquei uma regata e shorts, que tinham cheiro de recém-lavados, e calçamos luvas de boxe. Eu só tinha feito um ou outro treino de boxe na vida, mas não tinha medo de me machucar. Possuía boas técnicas de defesa caso fosse necessário. Eu estava mais interessado em conversar.

— Vamos ver se você consegue me atingir — disse Phil.

Dei alguns socos sem muita força, que Phil bloqueou.

— Vamos lá — disse ele. — Tente me machucar.

Ele é que pediu.

— Sua enteada está tentando localizar seu verdadeiro pai porque está insatisfeita com você.

Phil baixou a guarda. Péssima forma. Eu podia ter lhe dado um soco sem bloqueio se estivéssemos numa luta de verdade.

— Enteada? — disse ele. — É assim que ela está se chamando agora? Foi por isso que você veio até aqui?

Ele deu um soco com força e eu precisei usar um bloqueio de verdade para não ser atingido. Ele percebeu e tentou fazer um gancho. Bloqueei o gancho também e contra-ataquei. Ele evitou meu golpe com facilidade.

— Já que é improvável que ela encontre, precisamos resolver o problema com você.

Phil deu um direto com força na minha cabeça. Eu bloqueei o golpe e recuei.

— Comigo? Com Phil Jarman? Que construiu seu próprio negócio do nada, que puxa cento e quarenta quilos, que muita mulher ainda acha melhor do que um médico ou advogado qualquer? Ou do que um nerdzinho?

Ele mandou uma combinação e eu contra-ataquei. Achei que existia uma grande possibilidade de derrubá-lo, mas precisava continuar nossa conversa.

— Não é da sua conta, mas eu fui do conselho estudantil, treinei o time de futebol...

— Obviamente essas conquistas foram insuficientes — falei. — Talvez Rosie precise de algo além do que apenas excelência profissional. — Num instante de clareza, percebi que esse algo a mais podia valer para mim também. Será que todo o meu trabalho de autoaperfeiçoamento tinha sido em vão? Terminaria eu como Phil, tentando conquistar o amor de Rosie, mas sendo visto com ódio?

Lutar e refletir são coisas incompatíveis. O soco de Phil me atingiu no plexo solar. Consegui recuar e reduzir a força do golpe, mas caí. Phil veio para cima de mim, com raiva.

— Talvez um dia ela saiba de uma coisa. Talvez isso ajude, talvez não. — Ele balançou a cabeça, como se ele é quem tivesse sido socado. — Eu alguma vez me chamei de padrasto? Pergunte isso a ela. Não tenho nenhum outro filho, nenhuma esposa. Fiz de tudo: li para ela, levantei no meio da noite, levei-a para andar a cavalo. Depois que a mãe dela morreu, não consegui mais fazer nada direito.

Eu sentei e berrei. Também estava com raiva.

— Você não a levou para a Disneylândia! Você mentiu para ela.

Dei uma tesoura nas pernas dele, fazendo-o cair. Ele não caiu com competência e atingiu o chão com toda força. Lutamos e eu o prendi ao chão. Seu nariz estava sangrando e havia sangue espalhado na minha regata inteira.

— Disneylândia! — exclamou Phil. — Ela tinha dez anos!

— Ela contou para todo mundo na escola. Ainda é uma questão importante.

Ele tentou se soltar, mas consegui segurá-lo, apesar de as luvas de boxe atrapalharem.

— Quer saber quando eu disse que ia levá-la para a Disneylândia? Foi uma vez só. Uma. Sabe quando? No funeral da mãe dela. Eu estava numa cadeira de rodas. Fiquei internado numa clínica de reabilitação por oito meses.

Era uma explicação razoável. Teria sido ótimo se Rosie tivesse me fornecido essa informação contextual antes de eu estar aqui, prendendo no chão a cabeça do padrasto dela de nariz sangrando. Expliquei para Phil que no funeral da minha irmã eu fiz a promessa irracional de doar dinheiro a um hospício, quando o dinheiro teria sido muito melhor aplicado numa pesquisa. Ele pareceu entender.

— Comprei uma caixinha de joias para ela. Fazia uma eternidade que ela estava no pé da mãe atrás de uma. Achei que já tivesse se esquecido da Disneylândia quando saí da clínica.

— Prever o impacto das ações sobre os outros é difícil.

— Amém — disse Phil. — Podemos nos levantar?

O nariz dele continuava sangrando e provavelmente estava quebrado, portanto aquele era um pedido razoável. Mas eu ainda não podia deixá-lo ir.

— Não antes de resolvermos esse problema.

* * *

Tinha sido um dia cheio, mas a tarefa mais crítica ainda estava por vir. Eu me examinei no espelho. Os óculos novos, bem mais leves, e o cabelo atualizado faziam muito mais diferença do que as roupas.

Coloquei o envelope importante no bolso do paletó e a caixinha no bolso da calça. Enquanto chamava um táxi pelo telefone, olhei para o quadro branco. A programação, agora não mais escrita com marcador permanente, era um mar de letras vermelhas — meu código para o Projeto Rosie. Disse a mim mesmo que as mudanças provocadas valiam a pena, ainda que esta noite eu não conseguisse alcançar meu objetivo final.

33

O táxi chegou e fizemos imediatamente uma parada na floricultura. Eu não pisava ali — nem comprava flor nenhuma — desde que parei de visitar Daphne. Flores *Daphne* para Daphne; obviamente a escolha apropriada para esta noite seriam rosas. A florista me reconheceu e eu contei a ela sobre a morte de Daphne. Depois de comprar uma dúzia de rosas vermelhas de caule comprido, consistentes com o comportamento romântico padrão, ela cortou uma pequena quantidade de flores *Daphne* e as inseriu na lapela do meu paletó. O cheiro me trouxe recordações de Daphne. Desejei que ela estivesse viva para conhecer Rosie.

Tentei telefonar para Rosie quando o táxi se aproximou do seu prédio, mas ninguém atendeu. Ela não estava lá fora quando chegamos, e a maioria dos botões do interfone não tinha os nomes dos moradores. Havia o risco de que ela houvesse escolhido não aceitar meu convite.

Estava frio e eu tremia. Esperei dez minutos inteiros, depois liguei de novo. Ninguém atendeu mais uma vez, e eu estava prestes a orientar o motorista a partir quando ela apareceu, correndo. Lembrei que eu é que havia mudado, não Rosie — eu devia ter esperado que ela se atrasasse. Ela estava usando o vestido preto que tinha me deixado atordoado na noite do Incidente do Esporte Fino. Eu lhe entreguei as rosas. Interpretei sua expressão como de surpresa.

Então ela olhou para mim.

— Você está diferente... diferente mesmo... de novo — disse ela. — O que aconteceu?

— Decidi me reformar.

Gostei de como a palavra soava: "re-formar." Entramos no táxi, Rosie ainda segurando as rosas, e percorremos a curta distância até o restaurante em silêncio. Eu estava buscando informações sobre a atitude dela em relação a mim e achei melhor deixar que ela falasse primeiro. Na verdade, ela não disse nada até perceber que o táxi estava parando na frente do Le Gavroche — o cenário do Incidente do Esporte Fino.

— Don, isso é alguma piada?

Paguei o taxista, saí do carro e abri a porta para Rosie. Ela saiu, mas relutou em prosseguir, segurando as rosas contra o peito com as duas mãos. Coloquei uma das mãos às suas costas e a guiei em direção à porta, onde estava o *maître* que havíamos encontrado na nossa vinda anterior, trajando seu uniforme. O Homem do Esporte Fino.

Ele reconheceu Rosie instantaneamente, como ficou evidente pelo seu cumprimento.

— Rosie.

Então ele olhou para mim.

— Senhor?

— Boa noite. — Apanhei as flores da mão de Rosie e as entreguei ao *maître*. — Temos uma reserva em nome de Tillman. Poderia fazer a gentileza de cuidar dessas flores?

Era uma fórmula padrão, mas ajudava imensamente a aumentar a autoconfiança. Todos pareciam bastante à vontade agora que estávamos agindo de modo previsível. O *maître* verificou a lista de reservas. Aproveitei a oportunidade para suavizar quaisquer dificuldades que ainda restassem e fiz uma brincadeirinha ensaiada:

— Minhas desculpas pelo mal-entendido da vez passada. Não haverá nenhuma dificuldade esta noite. A menos que gelem demais o borgonha branco. — Sorri.

Um garçom apareceu, o *maître* me apresentou e fez um breve elogio ao meu traje. Então fomos conduzidos até nossa mesa em um salão de jantar. Foi tudo bastante simples.

Pedi uma garrafa de chablis. Rosie ainda parecia estar se acostumando.

O *sommelier* apareceu com o vinho. Olhava ao redor do salão, como se pedisse ajuda. Diagnostiquei nervosismo.

— Está a treze graus, mas se o senhor quiser menos gelado... ou mais...

— Está ótimo, obrigado.

Ele serviu um pouco na minha taça para que eu a degustasse; girei a bebida, cheirei-a e assenti em aprovação, seguindo o protocolo padrão. Enquanto isso, o garçom que havia nos trazido até a mesa reapareceu. Tinha cerca de quarenta anos, IMC estimado de vinte e dois, bastante alto.

— Professor Tillman? — disse ele. — Sou Nick, o chefe da equipe de garçons. Se precisar de alguma coisa ou houver algum problema, é só me chamar.

— Agradeço a atenção, Nick.

Garçons se apresentando pelo nome parecia mais uma tradição americana do que australiana. Ou este restaurante deliberadamente escolheu agir desse modo para se diferenciar, ou estávamos recebendo um tratamento mais personalizado. Supus ser a última opção: eu provavelmente havia sido marcado como um indivíduo perigoso. Ótimo. Eu precisaria de todo apoio que pudesse reunir naquela noite.

Nick nos entregou cardápios.

— Ficaria feliz em deixar a escolha por conta do chef — falei. — Mas nada de carne, e frutos do mar apenas se forem de produção sustentável.

Nick sorriu.

— Verei com o chef o que ele pode fazer.

— Entendo que é meio difícil, mas minha amiga vive sob regras bastante rígidas — expliquei.

Rosie me deu um olhar muito estranho. A intenção daquela afirmação era fazer uma pequena ênfase, e acho que funcionou. Ela provou o chablis e passou manteiga num pãozinho. Continuei em silêncio.

Finalmente ela falou.

— Certo, Gregory Peck. O que vai ser primeiro? A história do seu *My Fair Lady* ou a grande revelação?

Que bom. Rosie estava disposta a discutir as coisas de modo direto. Na verdade, ser direta sempre foi uma das qualidades dela, embora nessa ocasião ela não tivesse conseguido identificar o tópico mais importante.

— Estou em suas mãos — falei. Um método educado padrão para evitar a escolha e transmitir autoridade ao outro.

— Don, pare com isso. Você descobriu quem é meu pai, não foi? É o Cara do Guardanapo, né?

— É provável — respondi. Apesar do resultado positivo do recente encontro com a Chefe do Departamento, ela ainda não me devolvera a chave do laboratório. — Não era isso que eu tinha para dizer.

— Tudo bem então. O plano é o seguinte. Você diz o que quer dizer; me conta quem é o meu pai; me conta o que você fez consigo mesmo; e nós dois voltamos para casa.

Não consegui rotular o tom de voz e a expressão dela, mas eram claramente negativos. Ela tomou outro gole do vinho.

— Desculpe. — Ela parecia meio arrependida. — Pode falar. A coisa que tem para me dizer.

Eu tinha grandes dúvidas em relação à possível eficácia da minha atitude seguinte, mas não havia nenhum plano de contingência. Eu havia extraído minha fala de *Harry e Sally* — *Feitos um para o outro*. Parecia combinar comigo e com a situação, e tinha a vantagem extra de lembrar os dias felizes que passamos em Nova York. Esperei que o cérebro de Rosie fizesse a conexão, idealmente de modo inconsciente. Bebi o resto do vinho da minha taça. Os olhos de Rosie a seguiram e depois ela olhou para mim.

— Está tudo bem, Don?

— Eu convidei você para vir aqui esta noite porque, quando percebe que quer passar o resto da sua vida com alguém, quer que o resto da sua vida comece o mais rápido possível.

Analisei a expressão de Rosie com cuidado. Diagnostiquei: atordoada.

— Oh, meu Deus — disse ela, confirmando meu diagnóstico. Continuei, enquanto ela ainda estava receptiva.

— Agora tenho a impressão de que tudo o que fiz na minha vida inteira foi apenas para chegar até aqui e ficar com você.

Percebi que Rosie não identificou a fala de *As pontes de Madison*, que havia produzido uma reação emocional tão intensa no avião. Ela pareceu confusa.

— Don, o que você... o que você fez com você?

— Algumas mudanças.

— Grandes mudanças.

— Qualquer modificação comportamental que você exija da minha parte é trivial, perto da chance de ter você ao meu lado.

Rosie fez um gesto para baixo, que não consegui interpretar. Então olhou ao redor e eu segui os olhos dela. Todos estavam olhando. Nick havia parado a meio caminho da nossa mesa. Percebi que, em minha intensidade, eu havia levantado a voz. Não me importei.

— Você é a mulher mais perfeita do mundo. Todas as outras mulheres são irrelevantes. Permanentemente. Botox e implantes não serão requisitados.

Ouvi alguém bater palmas. Era uma mulher magra, de cerca de sessenta anos, sentada ao lado de outra mulher com aproximadamente a mesma idade.

Rosie bebeu um gole de vinho, depois falou de um jeito bastante calculado.

— Don, nem sei por onde começar. Não sei nem quem está me pedindo em casamento, o antigo Don ou Billy Crystal.

— Não existe antigo e novo — retruquei. — É só comportamento. Convenções sociais. Óculos e um corte de cabelo.

— Eu gosto de você, Don — disse Rosie. — Tá bom? Esqueça o que eu disse sobre denunciar meu pai. Você provavelmente tem razão. Eu gosto *muito mesmo* de você. Me divirto com você. Demais. Mas você sabe que eu não conseguiria comer lagosta toda terça-feira. Não é?

— Abandonei o Sistema de Refeições Padronizadas. Deletei trinta e oito por cento da minha programação semanal, excluindo as horas de sono. Joguei fora minhas camisetas velhas. Eliminei todas as coisas de que você não gosta. Mais mudanças são possíveis.

— Você mudou por minha causa?

— Somente o meu comportamento.

Rosie ficou em silêncio por algum tempo, obviamente processando aquela nova informação.

— Preciso de um minuto para pensar — disse ela.

Automaticamente iniciei o cronômetro do meu relógio de pulso. De repente Rosie começou a rir. Olhei para ela, confuso, como seria de se esperar com aquela gargalhada em meio a uma decisão de vida crucial.

— O relógio — explicou ela. — "Preciso de um minuto" e você começa a cronometrar. Don não morreu.

Esperei. Olhei para meu relógio. Quando restavam quinze segundos, estimei que era provável que ela dissesse não. Eu não tinha nada a perder. Saquei a caixinha do bolso e a abri, revelando o anel que eu havia comprado. Desejei não ter aprendido a ler expressões faciais, porque li a de Rosie e soube a resposta.

— Don — disse ela. — Não é isso que você quer que eu diga, mas... lembra no avião, quando você me disse que sua programação era diferente?

Confirmei. Eu sabia qual era o problema. O problema fundamental, insuperável, de ser quem eu sou. Eu o afastei para um canto da mente desde que aquilo veio à tona na briga com Phil. Rosie não precisava explicar nada. Mas explicou mesmo assim.

— Está dentro de você. Você não consegue enganar... desculpe, vou começar de novo. Você pode se comportar de modo perfeito, mas se os *sentimentos* não estão aí dentro... Meu Deus, eu me sinto tão incoerente.

— A resposta é não? — perguntei, enquanto uma pequena parte do meu cérebro torcia para que pela primeira vez minha falibilidade em interpretar dicas sociais atuasse em meu favor.

— Don, você não sente amor, sente? — disse Rosie. — Não pode me amar de verdade.

— Gene diagnosticou amor.

Agora eu sabia que ele tinha errado. Havia assistido treze filmes românticos e não senti nada. Bem, isso não era exatamente verdade: senti suspense, curiosidade, divertimento. Mas nem por um momento me vi envolvido pelo amor dos protagonistas. Não derramei nenhuma lágrima por Meg Ryan, Meryl Streep, Deborah Kerr, Vivien Leigh ou Julia Roberts.

Não podia mentir em relação a uma questão tão importante assim.

— Segundo sua definição, não — atalhei.

Rosie pareceu extremamente triste. A noite tinha se transformado num desastre.

— Achei que meu comportamento faria você feliz, mas em vez disso deixou você triste.

— Estou chateada porque você não pode me amar. Tá bom?

Isso era pior ainda! Ela queria que eu a amasse. E eu era incapaz.

— Don — disse ela. — Acho melhor a gente não se ver mais.

Eu me levantei e voltei até o *foyer* da entrada, sumindo da vista de Rosie e dos outros clientes. Nick estava lá, conversando com o *maître*. Ele me avistou e veio até mim.

— Posso ajudar em alguma coisa?

— Infelizmente aconteceu um desastre.

Nick pareceu preocupado, por isso expliquei:

— Um desastre pessoal. Não há nenhum risco para os demais clientes. Poderia fechar a conta, por gentileza?

— Não lhe servimos nada ainda — respondeu Nick. Olhou para mim com atenção por alguns instantes. — Não há cobrança nenhuma, senhor. O chablis fica por nossa conta. — Ele me ofereceu a mão e eu a apertei. — Acho que o senhor fez o melhor possível.

Quando olhei para cima, vi Gene e Claudia chegando. Eles estavam de mãos dadas. Fazia anos que eu não os via fazendo isso.

— Não me diga que chegamos tarde — disse Gene, jovialmente.

Assenti, depois olhei para trás, para o salão. Rosie vinha andando depressa em nossa direção.

— Don, o que você está fazendo? — perguntou ela.

— Indo embora. Você disse que a gente não devia mais se ver.

— Merda — disse ela, depois olhou para Gene e Claudia. — O que vocês estão fazendo aqui?

— Fomos convocados para um "Agradecimento e comemoração" — disse Gene. — Feliz aniversário, Don.

Ele me deu um presente embrulhado e me abraçou. Reconheci que este devia ser provavelmente o último passo do protocolo do conselho de homem para homem, indicando a aceitação do conselho sem prejudicar nossa amizade, e consegui não me afastar, mas não fui mais capaz de processar nenhum dado inserido. Meu cérebro já estava sobrecarregado.

— É seu aniversário? — perguntou Rosie.

— Correto.

— Precisei pedir para Helena checar a data do seu aniversário — disse Gene —, mas "comemoração" foi uma dica.

Eu normalmente não trato os aniversários de modo diferente dos outros dias, mas aquela havia me parecido ser uma ocasião apropriada para começar um novo hábito.

Claudia se apresentou a Rosie, acrescentando:

— Desculpe, parece que chegamos em má hora.

Rosie se virou para Gene.

— "Agradecimento"? *Agradecimento*? Porra. Você não se contentou em armar para nós ficarmos juntos, precisou treiná-lo também. Transformá-lo em você.

Claudia disse, baixinho:

— Rosie, não foi Gene que...

Gene pousou a mão no ombro de Claudia e ela parou.

— Não, não foi mesmo — disse ele. — Quem foi que *pediu* que ele mudasse? Quem disse que ele seria *perfeito* para ela se fosse *diferente*?

Rosie agora parecia muito chateada. Todos os meus amigos (menos Dave, o Fã de Beisebol) estavam brigando. *Era terrível.* Eu queria voltar no tempo, para Nova York, e tomar decisões mais acertadas. Mas era impossível. Nada mudaria o defeito no meu cérebro que me fazia ser inaceitável.

Gene não havia parado:

— Você tem alguma ideia do que ele fez por sua causa? Vá dar uma olhada na sala dele uma hora dessas. — Ele provavelmente devia estar se referindo à minha programação e ao grande número de atividades do Projeto Rosie.

Rosie saiu do restaurante.

Gene se virou para Claudia.

— Desculpe por ter interrompido você.

— Alguém precisava dizer aquilo — respondeu Claudia. Ela olhou para Rosie, que já estava a certa distância, na rua. — Acho que treinei a pessoa errada.

Gene e Claudia me ofereceram uma carona para casa, mas eu não queria continuar a conversa. Comecei a andar, depois acelerei para uma corrida. Fazia sentido chegar em casa antes da chuva. Também fazia sentido me exercitar com intensidade e deixar o restaurante para trás o mais rápido possível. Os sapatos novos deram conta do recado, mas o paletó e a gravata eram desconfortáveis mesmo numa noite fria. Tirei o paletó, o item que me tornara temporariamente aceitável num mundo ao qual eu não pertencia, e o atirei numa lata de lixo. A gravata foi junto. Num impulso, apanhei o ramo de *Daphne* da lapela do paletó e o levei na mão durante o restante do trajeto. Havia chuva no ar, e meu rosto estava molhado quando alcancei a segurança do meu apartamento.

34

Não havíamos terminado o vinho no restaurante. Decidi compensar o déficit de álcool resultante e servi um shot de tequila. Liguei a televisão e o computador e apertei *fast-forward* em *Casablanca*, numa última tentativa. Assisti ao personagem de Humphrey Bogart usar feijões como metáfora para a relativa desimportância de seu relacionamento com o personagem de Ingrid Bergman para o mundo, e colocar a lógica e a decência na frente de seus desejos emocionais egoístas. O dilema e a decisão resultante tornavam o filme cativante, mas não era por isso que as pessoas choravam. *Eles se amavam, mas jamais poderiam ficar juntos.* Repeti essa afirmação para mim mesmo, tentando forçar uma reação emocional. Não consegui. Não me importei. Eu já tinha problemas pessoais demais.

A campainha tocou, e imediatamente pensei, *Rosie*, mas quando apertei o botão intercomunicador, foi o rosto de Claudia que apareceu.

— Don, está tudo bem? — perguntou ela. — Podemos subir?

— Tarde demais.

Claudia parecia em pânico.

— O que você fez? Don?

— São 22h31 — falei. — Tarde demais para visitas.

— Está tudo bem? — repetiu Claudia.

— Estou ótimo. A experiência foi extremamente útil. Novas competências sociais. E a resolução final do Projeto Esposa. Prova evidente de que sou incompatível com as mulheres.

O rosto de Gene apareceu na tela.

— Don, podemos subir para tomar um drinque?

— Álcool seria uma péssima ideia.

Eu ainda tinha meio copo de tequila na minha mão. Estava me valendo de uma mentira educada para evitar contato social. Desliguei o intercomunicador.

A luz de mensagens da minha secretária eletrônica estava acesa. Eram meus pais e meu irmão me desejando feliz aniversário. Eu já tinha falado com minha mãe dois dias antes quando ela fizera sua ligação de sempre aos domingos. Nas três últimas semanas eu havia tentado fornecer algumas novidades em troca, mas jamais mencionei Rosie. Eles usaram o viva-voz e cantaram juntos o Parabéns pra Você — ou pelo menos minha mãe cantou, encorajando fortemente meus dois outros parentes a participarem.

— Ligue se chegar em casa antes das 22h30 — pediu minha mãe.

Eram 22h38, mas decidi não ser pedante.

— São 22h39 — disse minha mãe. — Estou surpresa por você ter ligado.

Obviamente ela esperava que eu fosse pedante, o que era razoável dado meu histórico, mas ela pareceu feliz.

— E aí — disse meu irmão. — A irmã de Gary Parkinson viu você no Facebook. Quem é a ruiva?

— Só uma garota com quem eu estava saindo.

— E eu sou o Mickey Mouse — disse meu irmão.

Aquelas palavras pareceram estranhas para mim também, mas eu não tinha feito piada.

— Não estamos mais juntos.

— Achei mesmo que você fosse dizer isso. — Ele riu.

Minha mãe interrompeu:

— Pare com isso, Trevor. Donald, você não nos contou que estava saindo com alguém. Você sabe que sempre será bem-vindo...

— Mãe, ele estava tirando sarro de você — disse meu irmão.

— Como eu estava dizendo — interrompeu minha mãe —, *sempre* que você quiser trazer *qualquer pessoa* para nos conhecer, não importa se for *homem ou mulher*...

— Deixem ele em paz, vocês dois — disse meu pai.

Houve uma pausa, depois uma conversa ao fundo. Então meu irmão disse:

— Foi mal, cara. Só estava tirando uma com a sua cara. Sei que você me acha um caipirão, mas eu aceito que você seja o que é. Odiaria que nessa idade você ainda possa achar que tenho algum problema com você.

Então, só para coroar um dia importante, corrigi o mal-entendido em que a minha família acreditava há pelo menos quinze anos e saí do armário heterossexual para eles.

As conversas com Gene, Phil e minha família tinham sido surpreendentemente terapêuticas. Não precisei usar a Escala de Depressão Pós-Parto de Edimburgo para saber que estava triste, mas tinha saído do fundo do poço. Precisaria fazer umas reflexões disciplinadas no futuro próximo para ter certeza de que continuaria bem, mas, por enquanto, não precisava fechar totalmente a parte emotiva do meu cérebro. Queria um pouco de tempo para observar o que eu sentia em relação aos acontecimentos recentes.

Estava frio e chovia sem parar, mas minha varanda tinha uma marquise. Levei uma cadeira e o copo para fora, depois entrei de novo, coloquei um suéter de lã sebento que minha mãe havia tricotado para mim num aniversário bem anterior e apanhei a garrafa de tequila.

Eu tinha quarenta anos. Meu pai costumava ouvir uma canção de John Sebastian. Eu me lembro que era de John Sebastian porque Noddy Holder anunciava antes de cantá-la: "Vamos tocar uma canção de John Sebastian. Algum fã de John Sebastian por aí?" Pelo visto sim, porque aplausos altos e ásperos se faziam ouvir antes de ele começar a cantar.

Decidi que naquela noite eu também era fã de John Sebastian e que queria ouvir aquela música. Era a primeira vez na minha vida que eu me lembrava de sentir vontade de ouvir uma música específica. Eu tinha a tecnologia para isso. Ou costumava ter. Quando fiz o gesto de pegar meu celular, percebi que ele estava no bolso do paletó que eu havia jogado fora. Entrei, liguei meu laptop, fiz *log-in* no iTunes e baixei "Darling Be Home Soon", de *Slade Alive!*, 1972. Acrescentei "Satisfaction", duplicando assim o tamanho da minha coleção de música pop. Apanhei os fones de ouvido e voltei à varanda, servi outra dose de tequila e ouvi uma voz da minha infância cantando que ele havia levado um quarto da sua vida até começar a enxergar a si mesmo.

Aos dezoito anos, logo antes de sair de casa para fazer faculdade, estatisticamente próximo de ter vivido um quarto da minha vida, ouvi aquelas palavras e elas me relembraram que eu tinha muito pouco entendimento de quem era. Precisei viver até esta noite, mais ou menos o dobro do tempo, para me enxergar com razoável clareza. Eu tinha de agradecer a Rosie, e ao Projeto Rosie, por isso. Agora que tudo havia terminado, o que eu tinha aprendido?

1. Não preciso ser visivelmente estranho. Poderia adotar os protocolos que as outras pessoas seguiam e me mesclar com elas sem ser notado. E como eu podia ter certeza de que elas não estavam fazendo o mesmo — jogando o jogo para serem aceitas, mas desconfiando o tempo inteiro que eram diferentes?

2. Tenho habilidades que os outros não têm. Minha memória e minha capacidade de concentração me davam vantagem nas áreas de estatísticas de beisebol, preparo de coquetéis e genética. As pessoas valorizavam essas habilidades e não zombavam delas.

3. Podia desfrutar de amizades e me divertir. Foi por falta de competências sociais, e não de motivação, que eu não havia feito isso antes. Agora eu era socialmente competente o bastante para abrir minha vida a um leque mais amplo de indivíduos. Eu podia fazer mais amizades. Dave, o Fã de Beisebol, podia ser o primeiro entre muitos.

4. Disse a Gene e Claudia que era incompatível com as mulheres. Era um exagero. Eu podia desfrutar da companhia delas, como comprovaram minhas interações com Rosie e Daphne. Realisticamente, era possível ter um relacionamento com uma mulher.

5. A ideia por trás do Projeto Esposa continuava de pé. Em muitas culturas, um casamenteiro faz rotineiramente o que eu fiz — com menos tecnologia, alcance e rigor, mas sob o mesmo pressuposto: de que a compatibilidade é uma base tão viável para o casamento quanto o amor.

6. Eu não estava programado para sentir amor. E fingi-lo não era aceitável. Não para mim. Tive receio de que Rosie pudesse não me amar, mas em vez disso era eu que não podia amar Rosie.

7. Eu tinha uma grande quantidade de conhecimentos valiosos — sobre genética, computação, aikido, caratê, *hardware*, xadrez, vinhos, coquetéis, dança, posições sexuais, protocolos sociais e a probabilidade de uma sequência de cinquenta e seis jogos com pelo menos uma rebatida ocorrer na história do beisebol. Sabia tanta *merda*, mas mesmo assim era incapaz de consertar a mim mesmo.

Enquanto o *shuffle* do meu *media player* selecionava as mesmas duas canções sem parar, percebi que meus pensamentos também haviam começado a andar em círculos e que, apesar das formulações bem organizadas, havia falhas em minha lógica. Decidi que era por causa da minha tristeza pelos resultados daquela noite, por causa do meu desejo de que as coisas pudessem ser diferentes.

Observei a chuva cair sobre a cidade e servi o resto de tequila da garrafa.

35

Eu ainda estava sentado na cadeira quando acordei na manhã seguinte. Estava frio, chovia e a bateria do meu laptop havia acabado. Balancei a cabeça para verificar sinais de ressaca, mas parecia que as enzimas que processavam álcool no meu corpo haviam feito seu trabalho de modo adequado. O mesmo valia para meu cérebro. Eu havia inconscientemente lhe dado um problema para resolver, e ele, compreendendo a importância da situação, superava a deficiência causada pelo entorpecimento para encontrar uma solução.

Comecei a segunda metade da minha vida preparando um café. Depois analisei a lógica, que era bastante simples.

1. Eu estava programado de modo diferente. Uma das características da minha programação é que eu tinha dificuldade para sentir empatia. Esse problema, bem documentado nos outros, é, de fato, um dos sintomas definidores do espectro do autismo.

2. A falta de empatia é que causa a minha incapacidade de reagir emocionalmente às situações dos personagens fictícios dos filmes. Era algo seme-

lhante à minha incapacidade de reagir igual aos outros às vítimas dos ataques terroristas do World Trade Center. Mesmo assim, eu ainda lamentava por Frank, o guia bombeiro. E por Daphne; por minha irmã; por meus pais quando minha irmã morreu; por Carl e Eugenie, por causa da crise do casamento de Gene e Claudia; pelo próprio Gene, que desejava ser admirado mas conquistou justamente o oposto; por Claudia, que havia concordado com um casamento aberto mas mudou de ideia, e sofria enquanto Gene continuava seguindo com o acordo; por Phil, que se esforçou para lidar com a traição da esposa e com sua morte, e depois para conquistar o amor de Rosie; por Kevin Yu, cujo foco em concluir o curso o deixou cego para as implicações éticas; pela Chefe do Departamento, que precisava tomar decisões difíceis seguindo regras contraditórias e lidar com o preconceito em relação ao seu vestido e ao seu relacionamento afetivo; pelo aluno Curandeiro, que precisava conciliar suas crenças com as evidências científicas; por Margaret Case, cujo filho havia cometido suicídio e cuja mente não mais funcionava; e, de modo crítico, por Rosie, cuja infância e agora vida adulta tinham sido infelizes por causa da morte da mãe, do problema em relação a seu pai e porque agora desejava que eu a amasse. Era uma lista impressionante e, embora eu não tenha incluído aí Rick e Ilsa de *Casablanca*, era uma prova clara de que minha capacidade de sentir empatia não era de todo nula.

3. Incapacidade (ou capacidade reduzida) de sentir empatia não é a mesma coisa que incapacidade de

amar. Amar é ter um sentimento profundo por outra pessoa, um sentimento que muitas vezes desafia a lógica.

4. Rosie havia falhado em diversos critérios do Projeto Esposa — incluindo a questão mais crítica, em relação a fumar. Meus sentimentos por ela *não podiam ser explicados pela lógica*. Eu não dava a mínima para Meryl Streep, mas estava apaixonado por Rosie.

Precisava agir rápido, não porque eu acreditasse que minha situação com Rosie pudesse mudar no futuro imediato, mas porque eu precisava do meu paletó, que, esperava, ainda estivesse na lata de lixo na qual eu o havia jogado fora. Por sorte eu ainda estava vestido, com as roupas da noite anterior.

Ainda chovia quando cheguei ao local, bem a tempo de ver a lixeira ser esvaziada no compactador de um caminhão de lixo. Eu tinha um plano de contingência, mas ele demoraria um pouco. Virei a bicicleta para voltar para casa e atravessei a rua. Caído contra a porta de uma loja, para fugir da chuva, estava um mendigo. Ele estava dormindo, e usava meu paletó. Com cuidado enfiei a mão no bolso interno e tirei de lá o envelope e meu celular. Ao tornar a montar minha bicicleta, vi um casal do outro lado da rua me olhando. O homem começou a correr na minha direção, mas a mulher o chamou de volta. Ela estava dando um telefonema pelo seu celular.

Eram apenas 7h48 quando cheguei à universidade. Um carro de polícia se aproximou de mim vindo da direção oposta; desacelerou ao passar por mim e fez sinal para virar uma curva em U. Imaginei que devia ter sido chamado para tratar do meu suposto furto do mendigo. Virei rápido para a ciclovia, onde eu não poderia ser seguido por um veículo motorizado, e segui rumo ao prédio da Genética para apanhar uma toalha.

Quando abri a porta destrancada da minha sala, ficou óbvio que eu tinha recebido visita e de quem tinha sido. As rosas vermelhas estavam sobre a minha mesa, bem como a pasta do Projeto Pai, que tinha sido retirada de seu lugar no gaveteiro. A lista de candidatos a pai e as descrições das amostras estavam na mesa ao lado dele. Rosie deixara um recado.

Don, me desculpe por tudo. Mas sei quem é o Homem do Guardanapo e contei a papai. Provavelmente não devia ter feito isso, mas eu estava muito chateada. Tentei te ligar. Desculpe mais uma vez. Rosie.

Havia muitas frases riscadas entre *Desculpe mais uma vez* e *Rosie*. Mas aquilo era um desastre! Eu precisava avisar Gene.

A agenda dele indicava uma reunião durante um café da manhã no Clube Universitário. Dei uma verificada na área dos alunos de Ph.D., Stefan estava lá, mas Rosie, não. Stefan percebeu que eu estava extremamente agitado e veio atrás de mim.

Chegamos ao clube e localizamos Gene numa mesa com a Chefe do Departamento. Porém, em outra mesa, vi Rosie. Ela estava com Claudia e parecia bastante aflita. Percebi que ela podia estar lhe contando a novidade sobre Gene, mesmo antes da comprovação do teste de DNA. O Projeto Pai estava terminando em um desastre completo, mas eu havia vindo por outro motivo. Estava desesperado para contar minha revelação. O outro problema poderia ser resolvido mais tarde.

Corri até a mesa de Rosie. Ainda estava molhado por ter esquecido de me secar. Rosie ficou obviamente surpresa ao me ver, mas dispensei as formalidades.

— Cometi um erro incrível. Não consigo acreditar em como fui idiota. Irracional! — Claudia fez sinais para eu parar, mas eu a ignorei. — Você fracassou em todos os critérios do Projeto Esposa. É desorganizada, analfabeta matematicamente, tem exigências alimentares ridículas. Inacreditável. E eu que pensei em dividir minha vida com uma fumante. Para sempre!

A expressão de Rosie era complexa, mas parecia incluir tristeza, raiva e surpresa.

— Você não demorou muito pra mudar de ideia — disse ela.

Claudia fazia sinais frenéticos, mas eu estava decidido a proceder de acordo com meu próprio plano.

— Não mudei de ideia. Essa é justamente a questão! Quero passar minha vida inteira com você, muito embora isso seja completamente irracional e você ainda por cima tenha lóbulos pequenos. Não existe motivo nem social nem genético para eu me sentir atraído por você. A conclusão lógica é que eu só posso estar apaixonado por você.

Claudia se levantou e me empurrou para sentar na cadeira dela.

— Você não desiste, né? — disse Rosie.

— Estou sendo irritante?

— Não — respondeu Rosie. — Está sendo incrivelmente corajoso. Eu me divirto como nunca ao seu lado, você é a pessoa mais inteligente e engraçada que eu conheço, fez tudo isso por mim. Você é tudo o que eu quero, mas eu estava com medo demais de agarrar a chance porque...

Ela parou, mas eu sabia o que ela estava pensando. Terminei a frase por ela.

— Porque sou estranho. É perfeitamente compreensível. Sou familiarizado com esse problema, porque todas as outras pessoas parecem estranhas para mim.

Rosie riu. Tentei explicar.

— Chorar por personagens de ficção, por exemplo.

— Você seria capaz de me aturar chorando nos filmes? — perguntou Rosie.

— Claro — respondi. — É um comportamento convencional. — Parei ao me dar conta do que ela tinha acabado de dizer. — Está sugerindo morar comigo?

Rosie sorriu.

— Você deixou isso na mesa — disse ela, e tirou a caixinha do anel da sua bolsa. Percebi que Rosie havia repensado a decisão da noite anterior, e estava na verdade rebobinando o tempo para permitir que meu plano original pudesse prosseguir num local diferente. Saquei o anel e ela estendeu o dedo. Coloquei-o no seu dedo e coube. Senti um enorme alívio.

Tomei consciência dos aplausos. Parecia natural. Estivera vivendo no mundo das comédias românticas e aquela era a cena final. Mas era real. Todo o salão do Clube Universitário estivera nos assistindo. Decidi completar a história segundo a tradição e beijei Rosie. Foi ainda melhor do que a ocasião anterior.

— É melhor você não me desapontar — disse ela. — Estou esperando maluquices constantes.

Phil entrou ali, com o nariz engessado, acompanhado pela gerente do clube, que vinha seguida por dois policiais. A gerente apontou Gene para Phil.

— Ah, merda — disse Rosie.

Phil andou até Gene, que se levantou. Houve uma breve conversa e então Phil o derrubou no chão com um único soco na mandíbula. Os policiais correram para conter Phil, que não ofereceu resistência. Claudia correu até Gene, que estava se levantando lentamente. Não parecia ter se ferido gravemente. Percebi que, de acordo com as regras tradicionais do comportamento romântico, era correto que Phil atacasse Gene, supondo que ele de fato havia seduzido a mãe de Rosie quando ela era namorada de Phil.

Entretanto, não era certeza que Gene fosse o culpado. Por outro lado, vários homens provavelmente tinham o direito de socar Gene. Nesse sentido, Phil estava fazendo justiça romântica em nome deles. Gene deve ter entendido, porque pareceu garantir aos policiais que estava tudo bem.

Voltei a atenção para Rosie. Agora que meu plano anterior tinha sido restaurado, era importante não me distrair.

— O Item Dois da programação era descobrir a identidade do seu pai.

Rosie sorriu:

— De volta aos trilhos. Item Um: vamos casar. Certo, isso está resolvido. Item Dois. Este é o Don que aprendi a conhecer e amar.

A última palavra me fez parar. Só consegui ficar olhando para ela enquanto apreendia a realidade do que ela acabara de dizer. Supus que ela estivesse fazendo o mesmo, e passaram-se vários segundos antes de ela falar.

— Quantas posições daquele livro você consegue fazer?

— Do livro de sexo? Todas.

— Fala sério.

— Foi consideravelmente menos complexo do que o livro de coquetéis.

— Então vamos já pra casa — disse ela. — Pra minha casa. Ou pra sua, se você ainda tiver aquela roupa de Atticus Finch. — Ela riu.

— Está na minha sala, na universidade.

— Outro dia, então. Não a jogue fora.

Nós nos levantamos, mas os policiais, uma mulher e um homem, bloquearam nossa passagem.

— Senhor — disse a mulher (idade aproximada de vinte e oito anos, IMC de vinte e três) —, preciso lhe perguntar o que tem em seu bolso.

Eu havia esquecido o envelope! Eu o retirei e o acenei na frente de Rosie.

— Passagens! Passagens para a Disneylândia! Todos os problemas foram resolvidos!

Tirei as três passagens, segurei a mão de Rosie e caminhamos na direção de Phil para mostrá-las a ele.

36

Fomos à Disneylândia — Rosie, Phil e eu. Foi muito divertido e pareceu ser um sucesso para melhorar todos os relacionamentos. Rosie e Phil compartilharam informações e aprendi muito sobre a vida dela. Era um histórico importante para a tarefa difícil, mas essencial, de desenvolver um alto nível de empatia por uma única pessoa no mundo.

Rosie e eu estávamos de partida para Nova York, onde ser estranho é aceitável. Essa é uma simplificação dos motivos: na verdade o importante para mim era ter outra chance de começar com minhas novas competências sociais, minha nova abordagem para a vida e minha nova parceira, sem ser reprimido pela percepção dos outros a meu respeito — percepção que eu não apenas mereci, como encorajei.

Aqui em Nova York, estou trabalhando no Departamento de Genética da Universidade de Columbia, enquanto Rosie cursa o primeiro ano do programa de Doutorado em Medicina. Continuo contribuindo para o projeto de pesquisa de Simon Lefebvre à distância, pois ele insistiu nisso como condição para fornecer o financiamento. Considero uma espécie de retribuição moral por eu ter usado os equipamentos da universidade para o Projeto Pai.

Temos um apartamento em Williamsburg, não muito distante da casa dos Esler, que visitamos regularmente. O Interrogatório do Porão é hoje uma história que nós dois contamos em ocasiões sociais.

Estamos pensando em nos reproduzir (ou, como eu diria num encontro social, "em ter filhos"). Para se preparar para essa possibilidade, Rosie parou de fumar e reduzimos nosso consumo de álcool. Felizmente temos diversas outras atividades para nos distrair desses comportamentos viciantes. Rosie e eu trabalhamos juntos num bar três noites por semana. É cansativo às vezes, mas socialmente divertido, e suplementa meu salário universitário.

Ouvimos música. Revi minha abordagem em relação a Bach e já não tento mais acompanhar notas isoladas. Foi uma manobra mais acertada, mas meus gostos musicais parecem estar presos à época da minha adolescência. Por não ter feito minhas próprias escolhas naquele período, minhas preferências são iguais às do meu pai. Posso levantar uma discussão bastante bem-fundamentada de que nada que vale a pena ouvir foi gravado depois de 1972. Rosie e eu frequentemente temos essa discussão. Cozinho, mas reservo as receitas do Sistema de Refeições Padronizadas para jantares sociais.

Estamos oficialmente casados. Ainda que eu tenha executado o ritual romântico com o anel, não esperava que Rosie, como feminista moderna, quisesse se casar no papel. O termo "esposa" no Projeto Esposa sempre significou "companheira para a vida". Mas ela decidiu que queria ter "um relacionamento na vida que é o que deve ser". Isso inclui monogamia e permanência. Um resultado excelente.

Consigo abraçar Rosie. Essa era a questão que mais me causava medo depois que ela concordou em morar comigo. Em geral considero qualquer contato corporal desagradável, mas o sexo é obviamente uma exceção. O sexo resolveu o problema do contato corporal. Agora conseguimos também ficar abraçados sem fazer sexo, o que é obviamente conveniente às vezes.

Uma vez por semana, para lidar com as demandas de morar com outra pessoa e continuar a melhorar minhas competências nessa esfera, faço terapia à noite. Brincadeirinha: meu "terapeuta" é Dave e eu forneço os mesmos serviços para ele. Dave também é casado e, apesar de supostamente eu ser programado de modo diverso do das outras pessoas, nossos desafios são surpreendentemente semelhantes. Ele às vezes traz junto colegas e amigos do trabalho — ele é engenheiro de refrigeração. Somos todos fãs do Yankees.

Durante algum tempo, Rosie não mencionou o Projeto Pai. Atribuí isso à melhora de seu relacionamento com Phil e à sua distração com outras atividades. Mas, sem ela saber, eu estava processando novas informações.

No casamento, o Dr. Eamonn Hughes, a primeira pessoa que testamos, pediu para conversar comigo em particular.

— Existe algo que você precisa saber — disse ele. — Sobre o pai de Rosie.

Parecia inteiramente plausível que o amigo mais próximo da mãe de Rosie da faculdade de medicina conhecesse a resposta. Talvez só precisássemos ter perguntado. Eamonn, porém, estava se referindo a outra coisa. Ele apontou para Phil.

—Phil meio que pisou na bola com Rosie.

Então não era só Rosie que considerava Phil um pai incompetente.

— Você sabe do acidente de carro?

Fiz que sim, embora não tivesse nenhuma informação detalhada. Rosie deixara bem claro que não queria conversar sobre esse assunto.

— Bernadette só estava dirigindo porque Phil tinha bebido.

Eu já havia deduzido que Phil estava no carro.

— Phil conseguiu sair, com a bacia quebrada, e tirou Rosie. — Eamonn fez uma pausa. Estava obviamente angustiado. — Ele tirou Rosie primeiro.

Era verdadeiramente uma situação horrível, mas como geneticista meu pensamento imediato foi: "É claro." O comportamento de Phil, em meio à dor e à extrema pressão, com certeza teria sido instintivo. Tais situações de vida ou morte ocorrem regularmente no reino animal, e a escolha de Phil estava alinhada tanto com a teoria quanto com os resultados de experimentos. Embora depois ele provavelmente tenha repensado aquele momento muitas vezes, e seus sentimentos em relação a Rosie tenham sido gravemente afetados por isso, suas ações foram consistentes com o impulso primitivo de proteger a portadora de seus genes.

Só mais tarde percebi meu erro óbvio. Uma vez que Rosie não era filha biológica de Phil, tais instintos não se aplicariam. Passei algum tempo refletindo sobre as possíveis explicações para o comportamento dele. Não mencionei a ninguém meus pensamentos nem as hipóteses que formei.

Quando já estava bem estabelecido em Columbia, pedi permissão para utilizar as instalações de testagem de DNA para uma análise particular. Eles permitiram. Não teria sido um problema caso houvessem negado: eu poderia ter mandado minhas amostras remanescentes para um laboratório comercial e pagado algumas centenas de dólares para que fizessem os testes. Essa opção estivera disponível para Rosie desde o início do Projeto Pai. Agora me parece óbvio que eu não a alertei sobre isso porque inconscientemente desejava ter um relacionamento com ela, mesmo no começo. Impressionante!

Não contei a Rosie sobre o teste. Um dia, apenas coloquei as amostras que havia trazido comigo para Nova York na mochila.

Comecei com a do cirurgião plástico paranoico, Freyberg, que era o candidato menos provável segundo minhas estimativas. Um pai de olhos verdes não era impossível, mas não havia nenhuma outra evidência que o tornasse alguém mais provável do que qualquer outro candidato anterior. Sua relutância em enviar a amostra de sangue se devia ao fato de ele ser em geral desconfiado e pouco solícito. Minha previsão estava correta.

Coloquei a amostra de Esler, obtida de um garfo que havia viajado mais da metade do mundo e depois retornado. Em seu porão escurecido, eu tive certeza de que ele era o pai de Rosie, mas depois cheguei à conclusão de que ele podia estar protegendo um amigo ou a memória de um amigo. Fiquei pensando se a decisão de Esler de se tornar psiquiatra não tinha sido influenciada pelo suicídio do padrinho do seu casamento, Geoffrey Case.

Testei a amostra. Isaac Esler não era o pai de Rosie.

Apanhei a amostra de Gene. *Meu* melhor amigo. Ele estava se esforçando muito para salvar seu casamento. O mapa já não estava pendurado na parede da sua sala quando fui entregar meu pedido de demissão à Chefe do Departamento. Porém, não me lembrava de ter visto nenhuma tachinha na Irlanda, local de nascimento da mãe de Rosie. Não havia necessidade de testar o guardanapo. Eu o atirei na lata de lixo.

Agora havia eliminado todos os candidatos, exceto Geoffrey Case. Isaac Esler me disse que sabia quem era o pai de Rosie e que tinha jurado segredo. Será que a mãe de Rosie — e Esler — não queria que a filha soubesse que havia um histórico familiar de suicídio? Ou talvez de predisposição genética a doenças mentais? Ou que Geoffrey Case possivelmente se matou ao saber que era o pai de Rosie e que a mãe havia decidido continuar com Phil? Eram todos bons motivos — bons o bastante para eu considerar altamente provável que a noite de amor da mãe de Rosie tivesse sido com Geoffrey Case.

Enfiei a mão na minha mochila e saquei a amostra de DNA que o destino me havia entregue sem Rosie saber. Eu agora tinha quase certeza de que ela confirmaria minha hipótese em relação à paternidade dela.

Cortei um pequeno pedaço do tecido, coloquei o reagente e deixei que descansasse por alguns minutos. Enquanto observava o tecido na solução transparente e relembrava mentalmente o Projeto Pai, tive cada vez mais certeza quanto à minha previsão. Decidi que Rosie deveria estar ao meu lado para ver este resultado, independentemente de haver errado ou acertado. Mandei-lhe um SMS. Ela estava no campus e chegou alguns minutos depois. Imediatamente percebeu o que eu estava fazendo.

Coloquei a amostra processada na máquina e aguardei enquanto a análise prosseguia. Juntos, observamos a tela do computador até o resultado aparecer. Depois de todas as coletas de sangue, de saliva, de todo o preparo de coquetéis, escalada de paredes, voos, trajetos de carro, redação de propostas, limpeza de urina, roubos de xícaras, raspagem de garfos, coleta de lenços, roubo de escova de dente, de cabelos de escova e enxugamento de lágrimas, tínhamos uma compatibilidade.

Rosie havia desejado descobrir quem era seu pai biológico. Sua mãe havia desejado que a identidade do homem com quem ela fez sexo, talvez apenas uma única vez, num momento de quebra de regras regido pela emoção, permanecesse um segredo para sempre. Agora eu era capaz de atender aos desejos das duas.

Mostrei-lhe os restos da regata manchada de sangue da Academia Jarman com o recorte que eu havia retirado. Não haveria necessidade de testar o lenço com o qual eu enxuguei as lágrimas de Margaret Case.

No fim, todo o problema em relação ao pai tinha sido causado por Gene. Ele certamente ensinou aos seus alunos de medicina um modelo simplificado de herança de características comuns. Se a mãe de Rosie soubesse que a cor dos olhos não era um sinal confiável de paternidade e tivesse feito um teste para confirmar suas suspeitas, não teria havido Projeto Pai, nem Grande Noite dos Coquetéis, nem Aventura em Nova York, nem Projeto Reforma de Don — nem Projeto Rosie. Se não fosse por essa sequência inesperada de acontecimentos, a filha dela e eu jamais teríamos nos apaixonado. E eu ainda estaria comendo lagosta toda terça-feira à noite.

Inacreditável.

Agradecimentos

O Projeto Rosie foi escrito com rapidez. Eu só levantava a cabeça tempo suficiente para consultar minha mulher Anne, também escritora, minha filha Dominique e minha turma do curso de escrita de romances na RMIT, conduzido por Michelle Aung Thin.

Depois de ser aceito pela Text Publishing, o original se beneficiou muito do cuidado da minha editora, Alison Arnold, que entendeu exatamente o que eu estava buscando, e do apoio entusiasmado de Michael Heyward e sua equipe, em especial Jane Novak, Kirsty Wilson, Chong Weng Ho e Michelle Calligaro. Graças aos esforços de Anne Beilby em chamar a atenção de editoras internacionais para *Rosie*, a história de Don e Rosie passa a ser contada em trinta idiomas.

Porém, a história por trás do livro tem pedigree mais antigo. Começou como um roteiro, desenvolvido em uma aula de roteiro na RMIT. Anne, meu filho Daniel e eu trabalhamos na trama inicial durante uma caminhada na Nova Zelândia. O desenvolvimento dos personagens foi publicado como *The Klara Project: Phase 1* em *The Envelope Please* em 2007; em 2008 concluí o primeiro rascunho do roteiro, com trama diferente e uma

Klara húngara e nerd em vez de Rosie, depois de levar algum tempo para decidir que seria uma comédia, e não um drama. A história mudou significativamente ao longo de cinco anos — para bem melhor —, e isso se deve às várias pessoas que encorajaram, criticaram e me pressionaram a não me satisfazer com o que eu já tinha em mãos.

Os professores da RMIT me ensinaram os princípios da narrativa, além de oferecerem diversos conselhos específicos para o roteiro. Agradecimentos especiais para Clare Renner, a diretora do departamento; Tim Ferguson, lenda da comédia; David Rapsey e Ian Pringle, produtores de cinema tarimbados que não pouparam o amor dado com rigidez; e Boris Trbic, que apreciou a comédia excêntrica. Cary Grant daria um Don perfeito. Jo Moylan foi minha companheira de escrita ao longo de um ano de mudanças ultrarradicais. Produzir curtas com os alunos do audiovisual, sob a tutela de Rowan Humphrey e Simon Embury, me ensinou o que funciona e o que não. Enquanto assistia a meu diálogo estranho ir pelo cano no equivalente digital da sala de montagem, aprendi muito sobre ser econômico ao escrever. Kim Krejus, do 16th Street Actors Studio, organizou uma leitura iluminadora do texto com alunos talentosos.

Tenho sorte de pertencer a um grupo de escritores talentosos e dedicados: Irina Goundortseva, Steve Mitchell, Susannah Petty e May Yeung. *Rosie* estava sempre em pauta, e o entusiasmo de Irina pelo conto foi fundamental para que eu o levasse adiante. Mais tarde, Heidi Winnen foi a primeira pessoa de fora da minha família a sugerir que o romance poderia ter potencial.

O roteiro se beneficiou do retorno inteligente dos gurus dessa área, Steve Kaplan e Michael Hauge. Seu envolvimento, por sua vez, só foi possível graças a Marcus West, da Inscription, e ao Australian Writer's Guild, que financiou um prêmio para melhor comédia romântica de 2010. Os produtores Peter Lee e Ros Walker e o diretor John Paul Fischbach também ofereceram críticas valiosas.

O caminho até a publicação começou quando *O Projeto Rosie* ganhou o Victorian Premier's Literary Award na categoria original inédito em 2012, e agradeço ao governo do estado de Victoria e ao Wheeler Centre por custearem e administrarem esse prêmio. Também agradeço à comissão julgadora, Nick Gadd, Peter Mews, Zoe Dattner e Roderick Poole, por sua escolha corajosa.

Muitas outras pessoas apoiaram *Rosie* e eu na jornada de seis anos da concepção à publicação do romance, em especial Jon Backhouse, Rebecca Carter, Cameron Clarke, Sara Cullen, Fran Cusworth, Barbara Gliddon, Amanda Golding, Vin Hedger, Kate Hicks, Amy Jasper, Noel Maloney, Brian McKenzie, Steve Melnikoff, Ben Michael, Helen O'Connell, Rebecca Peniston-Bird, April Reeve, John Reeves, Sue e Chris Waddell, Geri e Pete Walsh, e meus companheiros de curso na RMIT.

A salada de lagosta de Don foi baseada numa receita do livro *Contemporary Australian Food*, de Teage Ezard. É perfeita para um jantar romântico na varanda acompanhado de uma garrafa de champanhe rosé Drappier.

Este livro foi composto na tipografia Adobe Jenson Pro,
em corpo 11,5/14,8, e impresso em papel off-white,
no Sistema Digital Instant Duplex da
Divisão Gráfica da Distribuidora Record.